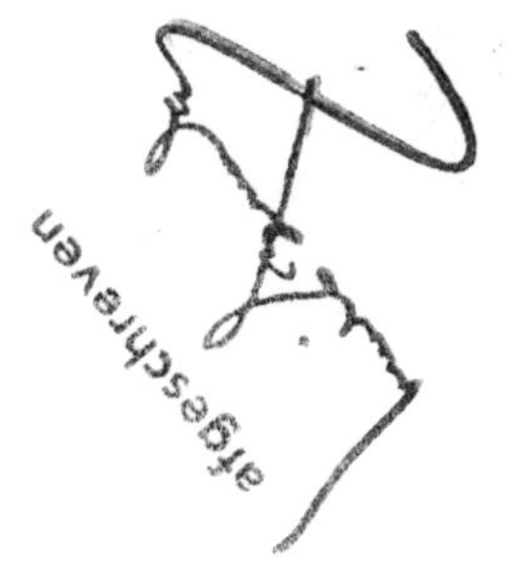
afgeschreven

DE TEVREDEN PEUTER

Gina Ford

DE TEVREDEN PEUTER

Blij met de nieuwe baby

TERRA

Voor al die duizenden ouders die hun baby's en peuters met me deelden – zonder jullie en jullie kinderen was dit boek er niet geweest.

Nederlandstalige uitgave:

Postbus 614
6800 AP Arnhem
info@terralannoo.nl
www.terralannoo.nl

Uitgeverij Terra maakt deel uit van de Lannoo-groep, België

Oorspronkelijke titel: *The Contented Baby with Toddler Book*
Oorspronkelijke uitgever: Vermilion, Londen

Productie: Persklaar, Groningen
Vertaling: Renate Hagenouw, Tanja Timmerman (voor Persklaar)
Eindredactie: Kirsten Verhagen
Opmaak: Elixyz Desk Top Publishing, Groningen
Omslagontwerp: Reprodesign, Zutphen
Omslagillustratie: Iris Boter, Kampen

ISBN 978 90 8989 216 4
NUR 853

Inhoud

Dankwoord

Ik wil graag mijn speciale dank uitbrengen aan mijn redacteur Clare Hulton, die de drijvende kracht achter dit boek is en een voortdurende bron van goede ideeën en nuttige suggesties is geweest. Ook wil ik mijn uitgever Fiona MacIntyre bedanken, die mijn schrijverschap altijd heeft aangemoedigd en een groot vertrouwen in mijn werk heeft, en Cindy Chan en het hele team van Random House, die met hun harde werken een grote bijdrage geleverd hebben aan de totstandkoming van dit boek. Ik ben mijn agent Emma Kirby veel dank verschuldigd voor al haar steun en haar voortdurende toewijding en begeleiding. Ook wil ik mijn webredacteur Kate Brian en technisch redacteur Yamini Franzini bedanken voor hun geweldige persoonlijke ondersteuning en voor hun fantastische werk aan de website terwijl ik aan het schrijven was. Laura Simmons, een van de medeoprichters van Contentedbaby.com, jij ook heel erg bedankt voor je noeste arbeid aan het duidelijk en kloppend maken van de schema's in dit boek.

Tot slot wil ik alle lezers bedanken voor hun steun, vooral degenen die de moeite hebben genomen contact met me op te nemen en hun ervaringen met mijn schema's met mij te delen en me meningen en suggesties te sturen. Bijzonder veel dank aan jullie allemaal en veel liefs voor al jullie tevreden baby's en peuters.

Inleiding

Het is al meer dan tien jaar geleden dat mijn eerste boek, *De tevreden baby,* verscheen. Sindsdien hebben veel moeders contact met me opgenomen om me te vertellen hoeveel ze eraan hebben gehad, en al die blijken van waardering raken me nog steeds. Die eerste 'tevreden baby's' zijn inmiddels elf jaar oud en ik kan met genoegen vaststellen dat mijn eerste boek nog net zo relevant is als in 1999. Veel moeders hebben me om advies gevraagd omdat de komst van een tweede baby om nieuwe schema's vraagt. In een reactie op die vragen heb ik *De tevreden peuter* geschreven.

Dat je opeens in de behoeften van twee kleine kinderen moet voorzien wanneer je je tweede kindje krijgt, kan je voor net zo'n grote uitdaging stellen en net zoveel aanpassingen vereisen als de komst van je eerstgeborene. Je kunt de overgang vergemakkelijken door voor beide kinderen een vaste routine in te voeren. Tijdens mijn loopbaan als kraamverzorgster heb ik voor honderden baby's gezorgd en had ik al snel in de gaten hoe belangrijk schema's zijn voor zowel moeder als kind. Je baby, peuter en oudere kind zijn gebaat bij consequente en gezonde patronen, zoals voedzame maaltijden op gezette tijden, op vaste tijden naar bed, frisse lucht en lichaamsbeweging, speeltijd, een-op-een-aandacht en knuffels.

Ik hoop van harte dat je met de adviezen in dit boek je oudere kind de stabiliteit zult kunnen geven om aan het leven met een nieuw broertje of zusje te wennen en dat je aan de hand van de schema's een tevreden baby van je kind kunt maken. Als je voor je eerste kind de schema's uit *De tevreden baby* hebt gebruikt, weet je dat deze in het eerste jaar voortdurend veranderen. Als je je nu opnieuw aan de schema's gaat houden, besef dan wel dat je tweede kind er niet per se op dezelfde manier op zal reageren als je eerste. Het doel van de schema's is dat je tegemoetkomt aan de individuele behoeften van iedere baby.

Als je bij je eerste kindje geen specifieke schema's volgde en dat met je tweede wel wilt proberen, ben je er misschien niet helemaal gerust op. Er zijn veel vooroordelen over routines en schema's, waarbij het idee dat baby's gedwongen worden volgens een strak tijdschema te eten en slapen het belangrijkste is. Dit geldt misschien inderdaad voor sommige routines, maar niet voor de schema's in dit boek.

De 'Tevreden Baby'-schema's zijn uniek omdat ze zijn ontwikkeld met het oog op de natuurlijke slaap- en eetbehoeften van gezonde, normale baby's. Ze houden ook rekening met het feit dat sommige baby's meer slaap nodig hebben dan andere, en dat sommige het tussen de voedingen door langer volhouden dan andere. Het doel van schema's is niet om je baby zonder voeding de nacht door te dwingen, maar om het voeden en slapen overdag zo te structureren dat je baby 's nachts zo min mogelijk wakker wordt. Hiermee bewerkstellig je dat je baby maar kort wakker is, snel drinkt en gauw weer in slaapt valt. Bovendien zorgt deze routine ervoor dat als je baby eenmaal wat langere tijd zonder voeding kan, deze perioden 's nachts vallen en niet overdag.

Ik krijg vaak de vraag of het echt mogelijk is de schema's uit *De tevreden baby* in te voeren bij een tweede kind. Uit eigen ervaring weet ik dat de vreugde over een tweede of derde kind nogal eens overschaduwd wordt door de zorgen van de moeder over hoe ze het allemaal moet klaarspelen. Het idee de zorg voor een pasgeboren baby te moeten combineren met de zorg voor een drukke peuter kan nogal ontmoedigend zijn als je bedenkt wat daar allemaal bij komt kijken. Borstvoeding geven, regelmatige slaaptijden voor een pasgeboren baby invoeren en ook nog maaltijden moeten bereiden, je oudere kind naar de crèche, peuterspeelzaal of school brengen, speelafspraakjes regelen en de bad- en slaaprituelen van je peuter in stand houden, zijn slechts enkele van de zorgen waarmee veel van de moeders met wie ik in mijn werk te maken kreeg worstelden. Als je je niet kunt voorstellen dat het mogelijk is om een routine in te voeren die je een tevreden baby én peuter bezorgt, geloof me dan als ik zeg dat het echt kan. Het is belangrijk om te onthouden dat de schema's tijdens het eerste jaar negen keer veranderen. Dat is het mooie van mijn schema's en dat is waarom ze zo goed werken. In tegenstelling tot veel traditionele routines houden de schema's in dit boek rekening met de verschillende behoeften van baby's en laten ze zich aanpassen aan de individuele eet- en slaapbehoeften van jouw kind.

Ik heb een reeks schema's en richtlijnen voor je ontwikkeld waarmee je in de komende maanden aan de behoeften van je baby én je peuter tegemoet kunt komen. Ja, er zullen momenten zijn dat het best lastig is om de schema's aan te houden, en op sommige dagen zal het ook helemaal in het honderd lopen, maar door consequent te zijn en vol te houden zul je op den duur beloond worden met blije, tevreden kinderen.

Gina

1 Voorbereiden op de tweede baby

Veel ouders die een tweede kind verwachten, vragen me om advies en willen weten of ze mijn schema's ook kunnen toepassen op de behoeften van een baby én een peuter. Mijn ervaring is dat een goed schema voor beide kinderen juist essentieel is als je probeert je zorg zo over hen te verdelen dat geen van beiden tekortkomt. Natuurlijk is het met twee kinderen harder werken dan met een. Ik ben er echter van overtuigd dat de schema's en adviezen in mijn boek, uitgeprobeerd en getest door duizenden op mijn website geregistreerde leden, je zullen helpen om veel van de valkuilen voor jonge ouders met een tweede kind op komst te omzeilen.

Als je al hebt nagedacht over hoe je het allemaal gaat doen met een tweede en wat de impact op je gezinsleven en je financiën zal zijn, heb je vast al een duidelijker beeld van wat je te wachten staat. Dat maakt de overgang gemakkelijker voor jou, je partner en je kinderen.

BEN JE KLAAR VOOR NOG EEN KIND?

Ik kom vaak ouders tegen die zo verrukt waren over de komst van hun eerste kind dat ze haast niet kunnen wachten om een tweede te krijgen. Er zijn echter ook veel ouders die zich afvragen waar ze de tijd en energie vandaan moeten halen voor nog een kleintje. Je gunt je kind misschien wel een broertje of een zusje, maar maakt je ook zorgen over hoe je dat lichamelijk, emotioneel en financieel allemaal voor elkaar moet krijgen. Dat zijn dingen waar je samen goed over moet praten.

Emotionele zaken

Het hebben van één kind vraagt al veel van je, maar als je er twee hebt, kun je het gevoel krijgen dat je ook dat laatste kleine beetje tijd voor jezelf kwijtraakt. Als je ervoor kiest om niet te werken en je volledig aan de zorg voor de kinderen te wijden, of als je een tijd ouderschapsverlof hebt opgenomen, kan het leven soms best eenzaam zijn. Een tweede kind zet je leven niet zo op zijn kop als een eerste, omdat je al weet wat je kunt verwachten en al veranderingen in je leefstijl hebt aangebracht. Maar je zult wel merken dat het met twee kinderen lastiger is om aan je eigen dingen toe te komen en dat je leven meer om de kinderen draait.

Ook als de zorg voor je eerste kind je gemakkelijk afging, kun je bij een tweede het gevoel krijgen dat het je boven het hoofd groeit. Bedenk welke steun je kunt krijgen en of je misschien een tijdje wat extra hulp nodig hebt. Vrouwen die een uitgebreid netwerk van familie en vriendinnen hebben, vinden het leven met jonge kinderen vaak gemakkelijker omdat er altijd wel iemand is die een luisterend oor biedt of bijspringt in noodgevallen. Vraag eens aan je vriendinnen met meer kinderen hoe zij het doen. Je kunt overwegen om eens op elkaars kinderen te passen en zo een netwerkje op te bouwen nog voordat je tweede kindje er is.

Het is heel normaal om je af te vragen hoe je je tijd en aandacht moet verdelen over je peuter en je baby, hoe je hun schema's moet invoeren en hoe zij met elkaar om zullen gaan. Het is belangrijk over dit soort dingen te praten met je partner, omdat jullie je dan beiden bewust zijn van de problemen die zich mogelijk gaan voordoen. Stellen vertellen me weleens dat ze na de geboorte van hun tweede kind vaker ruzie hebben, omdat ze allebei uitgeput zijn. Ik weet hoe moeilijk het kan zijn om de zorg voor een pasgeboren baby te combineren met die voor een peuter en daarom heb ik dit boek geschreven met aangepaste schema's voor baby en peuter. Stimuleer je partner om het boek ook te lezen, zodat jullie problematische situaties op dezelfde manier kunnen aanpakken.

Financiële zaken

Bij de komst van een tweede kindje ben je lang zoveel geld niet kwijt als toen je eerste kwam, omdat je de basis babyuitzet nog hebt van de eerste keer. Als je de babykleertjes nog hebt, kun je die ook nog een keer gebruiken. Wel is het zo dat als het leeftijdsverschil niet al te groot is, je eerste kind misschien nog in het ledikantje slaapt en in de buggy zit. In dat geval moet je misschien toch wat nieuwe spullen kopen. Ook kan het zijn dat je een tijdje twee kinderen in de luiers hebt en dat kan al snel in de papieren gaan lopen. Maar als je de extra uitgaven alvast goed op een rijtje zet, weet je van tevoren wat je kunt verwachten.

Soms willen mensen bij de komst van een tweede verhuizen om wat meer ruimte te krijgen. In dat geval moet je er rekening mee houden dat je maandelijkse kosten zullen stijgen en dat ook de verhuizing op zichzelf geld kost, anders kun je voor onaangename verrassingen komen te staan. Ik heb meer dan eens gezien hoe dit de komst van een nieuwe baby onnodig compliceerde. Geldproblemen behoren tot de dingen waar stellen vaak over ruziën, en de vreugde over het nieuwe kindje kan er, als je niet oppast, helemaal door ondersneeuwen.

Werkzaken

Vrouwen die het na de geboorte van hun eerste kind betrekkelijk gemakkelijk vonden om weer aan het werk te gaan, komen er misschien achter dat dit na de komst van de tweede iets minder soepel gaat. Sommigen kiezen ervoor om minder te gaan werken of een tijdje helemaal te stoppen. Als je een thuisblijfmoeder wordt, bedenk dan dat dit grote financiële gevolgen kan hebben. Sommige vrouwen zeggen wel dat ze minder geld uitgeven als ze niet werken, maar je zult waarschijnlijk toch concessies moeten doen doordat je minder inkomsten hebt. Als je gewend bent aan regelmatige vakanties, etentjes in restaurants, schoonheidsbehandelingen en avondjes uit, zul je misschien wat moeten schrappen in deze luxe-uitgaven omdat je ze van één salaris niet langer kunt betalen.

Als je wel blijft werken, fulltime of parttime, houd er dan rekening mee dat kinderopvang voor twee kinderen duurder is dan voor één kind.

WEER ZWANGER RAKEN

Als je eenmaal hebt besloten voor een tweede te gaan, ga je al snel kijken naar het leeftijdsverschil. Mensen denken soms dat ik wel weet wat het ideale leeftijdsverschil is omdat ik al voor zoveel kinderen heb gezorgd. Ik heb met mensen gewerkt die hun kinderen zo snel mogelijk na elkaar wilden, maar ook met mensen die jaren wachtten voor ze aan een tweede begonnen. Ik denk dat het leeftijdsverschil tussen de kinderen minder belangrijk is dan het feit dat beide ouders het erover eens zijn dat de tijd rijp is voor een tweede kind.

Elk leeftijdsverschil heeft zijn voor- en nadelen. Je beslissing over wanneer je een tweede kind gaat proberen te krijgen, heeft vaak meer te maken met de omstandigheden dan met een bewuste keuze. Als je een al wat oudere moeder bent en de biologische klok voelt tikken, heb je misschien het gevoel dat je niet moet gaan zitten wachten tot het ideale moment komt, maar gewoon moet proberen zo snel mogelijk zwanger te worden. Mensen die hun kinderen vlak na elkaar willen, moeten misschien wel veel langer wachten op een tweede zwangerschap dan ze hadden gepland.

Klein leeftijdsverschil: 11-15 maanden

Ouders die hun kinderen vlak na elkaar krijgen, hebben soms eerder het gevoel een tweeling te hebben. Je hebt lange tijd twee kinderen in de luiers en je oudste heeft nog steeds een heleboel aandacht en verzorging nodig als de tweede komt. Hij moet nog getild en gedragen worden en heeft nog hulp bij het eten nodig. Je kunt het gevoel krijgen dat je de hele dag bezig bent met de behoeften van je kinderen en dat je leven bestaat uit luiers verschonen en voedingen geven. Het kan heel vermoeiend zijn om twee zulke kleine kinderen te hebben en in het begin zul je aan weinig anders toekomen.

Toch heeft het ook wel voordelen als je je tweede kind vlak na het eerste krijgt. Het is soms misschien wel zwaar, maar de tijd van luiers en voedingen is uiteindelijk wel sneller voorbij. Een ander voordeel van een klein leeftijdsverschil is dat de oudste waarschijnlijk minder jaloers wordt als de nieuwe baby wordt geboren. Hij is namelijk nog te jong om het gevoel te hebben dat zijn positie in het gezin bedreigd wordt. Als de kinderen ouder worden, kan het heel prettig zijn dat ze niet te veel in leeftijd verschillen omdat ze dan veel aan elkaar kunnen hebben als speelmaatje.

Gemiddeld leeftijdsverschil: 18 maanden tot 3 jaar

De meeste stellen krijgen hun tweede 18 maanden tot 3 jaar na de geboorte van de eerste. Of het verschil 18 maanden of 3 jaar is, maakt overigens wel heel veel uit voor de manier waarop de oudste reageert op de komst van zijn broertje of zusje.

Hoewel dit de populairste categorie is in de leeftijdsverschillen, is het mijn ervaring dat een verschil van 18 maanden tot 2 jaar soms best lastig is.

In die fase verandert er veel in het leven van een dreumes: hij leert nieuwe vaardigheden, zoals goed lopen en zich aankleden, en begint misschien ook al met zindelijk worden. Dat zijn mijlpalen in een jong leven, en het kan dan ook veel tijd kosten om kinderen door deze fase te begeleiden. Het kind kan deze fase als moeilijker ervaren als je er niet voortdurend voor hem kunt zijn om hem aandacht te geven en aan te moedigen. Voor jou kan het ook behoorlijk lastig zijn om voor een baby te zorgen als er voortdurend een dreumes om aandacht schreeuwt. Uiteindelijk kunnen zowel jij als je oudste regelmatig het geduld verliezen. Het is dan ook niet verbazingwekkend dat veel peuters in deze periode driftbuien krijgen.

Als dit het leeftijdsverschil is tussen je kinderen, probeer de veranderingen in het leven van je oudste dan zo klein mogelijk te houden als de baby wordt geboren. Als hij er klaar voor is, oefen dan met het potje (zie blz. 24-25) en leer hem zichzelf aan te kleden voordat de baby komt – dat zal een groot verschil maken. Zorg er ook voor dat de oudste beseft dat de komst van een nieuwe baby niet betekent dat je minder van hem houdt. Het is belangrijk om voor je nieuwe kindje zo snel mogelijk een goede routine in te voeren, zodat je je handen af en toe vrij hebt om tijd met je oudste door te brengen en hem de aandacht te geven die hij nodig heeft.

Als je kind juist aan het andere eind zit, dus tegen de 3 jaar, als de baby wordt geboren, gaat alles waarschijnlijk een beetje gemakkelijker omdat je kind dan al wat zelfstandiger is en minder geconcentreerde aandacht nodig heeft. Ook kun je een kind van die leeftijd gemakkelijker uitleggen dat de nieuwe baby zijn plek in het gezin niet inneemt, maar er juist gezellig bij komt, en dat je nog steeds net zoveel van hem houdt.

Groot leeftijdsverschil: 3 jaar of meer

Als er een groot leeftijdsverschil tussen je kinderen zit, kan het grootste probleem aanvankelijk zijn dat je weer moet wennen aan het leven met een baby. Tegen de tijd dat je oudste drie is, draait je gezinsleven niet meer zo om slaap- en voedingschema's, en het kan best even wennen zijn om weer terug te moeten naar luiers, voedingen en gebroken nachten.

De grootste bonus van een behoorlijk tot groot verschil in leeftijd tussen je kinderen is dat de oudste al een bepaalde mate van zelfstandigheid heeft. Hij heeft al vriendjes op de crèche of op school en speelt misschien met kinderen uit de straat. Meestal is er bij een groter leeftijdsverschil minder sprake van jaloezie, omdat het oudere kind zijn rol in het gezin niet in gevaar ziet komen door de komst van de baby. Dit kan wel zo zijn als het kind niet gewend is om met andere kinderen te spelen en heel erg op zijn leven thuis met zijn ouders is gericht. Als je het idee hebt dat dit bij jullie zo zou kunnen zijn, pak dat probleem dan het liefst tijdens de zwangerschap aan en niet pas als de baby er is.

Een wat groter leeftijdsverschil kan wel helpen als je je zorgen maakt over hoe je je tijd en aandacht over twee kinderen moet verdelen. Dat blijkt gemakkelijker te zijn bij een baby en een iets ouder kind. Het oudere kind krijgt zijn portie aandacht als de baby slaapt, en de baby krijgt alle aandacht als het oudere kind op de crèche, peuterspeelzaal of op school is.

OMGAAN MET JE ZWANGERSCHAP EN JE PEUTER

Veel vrouwen geven toe dat ze na de aanvankelijke vreugde over hun tweede zwangerschap toch ook wel een moment van paniek hadden. De bevestiging van de zwangerschapstest kan al je zorgen over hoe je het allemaal voor elkaar moet gaan boksen plotseling heel reëel maken. Misschien vraag je je opeens af hoe je een dikke buik combineert met de zorg voor een peuter, om nog maar te zwijgen van de zorg voor twee kleine kinderen. Het is heel normaal om je even zo te voelen, maar met een goede voorbereiding vind je je weg er wel in.

Wanneer vertel je het je peuter?

Probeer de verleiding te weerstaan om je oudste te snel te vertellen dat je zwanger bent. Wacht daarmee minstens tot de vierde maand. Helaas is het zo dat een op de vier zwangerschappen eindigt in een miskraam, en die vindt meestal plaats in de eerste twaalf weken van de zwangerschap. Het is de moeite waard om tot na die eerste periode te wachten voordat je je peuter het blije nieuws vertelt.

Houd in je achterhoofd dat een peuter misschien weet dat hij een broertje of een zusje krijgt, maar dat hij niet per se begrijpt wat dat inhoudt. Jonge kinderen beseffen vaak niet dat de nieuwe baby een blijvende uitbreiding van het gezin is en zelfs oudere kinderen kunnen zich vaak moeilijk een beeld vormen van de veranderingen die de komst van een baby met zich meebrengt in het gezin.

Waar je natuurlijk ook rekening mee moet houden is het gebruikelijke gebrek aan discretie van kleine kinderen. Als je het je peuter eenmaal hebt verteld, zal hij erover praten wanneer hem dat uitkomt. Als je nog niet wilt dat de melkboer, de kassière van de supermarkt of de leidster van de crèche het weet, kun je het beter ook nog even niet vertellen aan je peuter!

Wat vertel je je peuter?

Als je eenmaal hebt besloten dat de tijd rijp is om het te vertellen, zul je je peuter uit willen leggen dat hij een broertje of een zusje krijgt en dat die in mama's buik groeit. Probeer het nieuws rustig en geleidelijk te introduceren en laat je leiden door de reacties van je kind. Focus je op het positieve en benadruk hoe leuk het zal zijn om grote broer of zus te zijn. Je moet echter niet vreemd opkijken als je kind niet warm of koud lijkt te worden van het nieuws. Sommige peuters zullen oprecht geïnteresseerd zijn, over de baby willen praten en allerlei vragen stellen. Ze genieten ervan om bij je zwangerschap betrokken te worden, praten misschien wel tegen de baby of geven hem kusjes door je buik. Misschien vinden ze het ook leuk om te helpen babykleertjes uit te zoeken en de babykamer in te richten. Niet alle peuters reageren echter op die manier. Als je kind niet erg geïnteresseerd lijkt, blijf dan niet uitleggen wat er aan de hand is, want daarmee kun je je kind erg onder druk zetten. Een kind onder de tweeënhalf jaar heeft nog een erg beperkt begrip van wat er om hem heen gebeurt, dus overlaad het niet met informatie. Je kunt beter streven naar een geleidelijke verandering dan dat je opeens zijn wereld op de kop zet. Er zijn een heleboel kinderboeken over 'mama die een baby in de buik heeft' die kleine kinderen kunnen helpen te begrijpen wat er gaande is en wat ze kunnen verwachten.

Omgaan met ochtendmisselijkheid

Als je last hebt van ochtendmisselijkheid, kan het een flinke kwelling zijn om je peuter te eten te moeten geven. Als je zwanger bent van de eerste is het betrekkelijk eenvoudig om uit de keuken weg te blijven, maar als je eenmaal een hongerige peuter hebt, wordt dat een stuk lastiger. Hoewel het ochtendmisselijkheid wordt genoemd, is de realiteit vaak dat zwangere vrouwen er de hele dag door last van hebben. Als je misselijk bent, is koken wel het laatste waar je behoefte aan hebt.

Handig voor dat soort momenten is het koken van grote hoeveelheden en die in porties invriezen. Als je je op bepaalde momenten op de dag beter voelt, kun je besluiten dan te gaan koken. Sommige zwangere vrouwen worden vooral misselijk van de geuren van specifieke producten. Als je die producten kunt vermijden zonder de gezondheid van je kind in gevaar te brengen, ben je ook al flink geholpen.

Het goede nieuws is dat misselijkheid meestal voornamelijk in de eerste drie maanden voorkomt en daarna grotendeels verdwijnt. Helaas geldt dat niet voor iedereen. Als je de pech hebt je hele zwangerschap last van ochtendmisselijkheid te hebben, is het misschien verstandig je partner of een vriendin te vragen porties voor in de diepvries te koken, zodat jij alleen nog maar eten op hoeft te warmen.

Omgaan met vermoeidheid

Veel vrouwen voelen zich in het begin van hun zwangerschap volledig uitgeput. Het is dan lastig om te spelen met een drukke peuter terwijl je eigenlijk alleen maar wilt liggen en slapen. Net als ochtendmisselijkheid komt die extreme vermoeidheid vaak in de vroege zwangerschap voor, hoewel je je tegen het einde ook behoorlijk uitgeblust kunt voelen. Het kan handig zijn op zoek te gaan naar wat rustige spelletjes die je met je peuter kunt doen, waar je niet te veel voor hoeft rond te springen. Als je peuter het gevoel heeft alle aandacht te krijgen door met de poppen of de blokken te spelen, zal hij er helemaal geen last van hebben dat je niet met hem door de tuin rent. Ik weet dat veel mensen geen voorstander van de televisie zijn, maar als je echt uitgeput bent, kan het ook heerlijk zijn je peuter zo af en toe naar een dvd'tje te laten kijken.

Als je oudste overdag nog slaapt, kan het verleidelijk zijn om die tijd te gebruiken voor huishoudelijk werk, maar probeer van deze momenten te profiteren om zelf tot rust te komen. Het is belangrijk om goed voor jezelf te zorgen. Als je peuter overdag niet meer slaapt, bouw dan rustmomenten in door samen een boekje te lezen of een puzzel te maken.

Als je erg moe bent, kijk dan wat de mogelijkheden voor kinderopvang zijn. Als je kind wat tijd doorbrengt op de crèche of peuterspeelzaal, of misschien bij familieleden of een oppas, gebruik die uren dan om te ontspannen en uit te rusten en niet al te veel voor het snel wegwerken van allemaal klussen die je nog had liggen.

Afspraken met de verloskundige

Veel moeders hebben geen keus en moeten hun kind wel meenemen naar de afspraken met de verloskundige. Hierdoor voelt het kind zich misschien wel extra betrokken bij de zwangerschap, maar het is niet altijd leuk voor een peuter om in een wachtkamer of een behandelkamer te zitten. Als je de keuze hebt, zorg er dan voor dat iemand op je kind past terwijl jij naar de controle gaat. Ook als je zonder partner naar het ziekenhuis gaat voor een echo, is het beter je peuter niet mee te nemen. Sommige peuters vinden de ruimte met al die apparatuur misschien wat eng, of juist heel interessant en willen dan overal aanzitten. Je kunt er tijdens de echo niet voor hem zijn. Gaat je partner mee, dan is het een ander verhaal en misschien juist leuk om met z'n allen te gaan.

JE PEUTER VOORBEREIDEN OP DE GEZINSUITBREIDING

Ik adviseer altijd om het eerste kind voor te bereiden op de komst van een broertje of zusje, maar hoe je dat doet, is afhankelijk van de leeftijd van het kind. Een dreumes van anderhalf begrijpt nog erg weinig van zwangerschappen, baby's en broertjes en zusjes. Maar kinderen van drie of vier hebben misschien wel vriendjes met broertjes of zusjes en vinden het misschien geweldig om er zelf ook een te krijgen.

Als je vrienden of familie met baby's hebt, ga dan eens op visite, zodat je peuter zich een idee kan vormen van wat een baby nu eigenlijk is. Waar veel ouders tegenaan lopen, is dat hun overenthousiaste peuter met zijn babybroertje of -zusje wil spelen of knuffelen, maar niet weet dat hij heel voorzichtig met een baby moet omgaan. Als je peuter al in aanraking is geweest met andere baby's voordat zijn eigen broertje of zusje wordt geboren, heeft hij kunnen zien hoe voorzichtig er met hen werd omgegaan.

Leg hem uit dat pasgeboren baby's heel klein en kwetsbaar zijn. Bereid hem ook voor op het gehuil van de pasgeboren baby. Het scheelt een stuk als hij weet dat huilen de enige manier is waarop een baby om aandacht kan vragen en dat het niet per se betekent dat zijn kleine broertje of zusje pijn heeft of ziek is.

Als je borstvoeding wilt geven, praat hier daar ook eens over met je peuter. Misschien heeft hij al eens vriendinnen van je zien voeden. Als hij het nog niet meegemaakt heeft, leg hem dan uit dat de baby net als hij toen hij klein was uit jouw borsten gaat drinken.

Betrek hem erbij

Nu je peuter grote broer of zus wordt, vindt hij het vast ook heel leuk om mee te gaan om nieuwe spulletjes te kopen voor de baby of om de babykamer te helpen inrichten. Je kunt hem betrekken bij de keuzes die je maakt en er samen over praten.

Een waarschuwing is hier echter op zijn plek: hem erbij betrekken is leuk, maar maak hem ook weer niet al te bewust van de verschuiving van de focus in het gezin. Als je gaat winkelen, laat je peuter dan ook zelf iets voor de baby uitkiezen (al is het maar iets wat je toch al nodig hebt, zoals een paar sokjes), en eventueel ook een kleinigheidje voor zichzelf.

Stel enkele basisregels in

Je peuter ziet je buik groeien en krijgt in de gaten dat je aan sommige activiteiten niet meer kunt deelnemen naarmate die buik groter wordt. Je kunt op een gegeven moment bijvoorbeeld minder hard rennen en niet meer meedoen aan ruwe stoeispelletjes. Het is nu ook het moment om activiteiten die je later in de zwangerschap of wanneer je straks borstvoeding geeft niet meer kunt doen, zoals voetballen in de kamer, alvast te vervangen door andere. Als je andere manieren vindt om tijd met je peuter door te brengen, of minder ruwe spelletjes met hem speelt, krijgt hij niet het gevoel dat je zwangerschap of de komst van de nieuwe baby zijn plezier bederft.

Probeer zijn leven niet te veel te verstoren

Je peuter is gewend het middelpunt van het gezin te zijn. Alles lijkt om hem te draaien. Nu gaat er een heleboel veranderen en hoe zekerder hij zich daarbij voelt, hoe gemakkelijker hij zal kunnen omgaan met de nieuwe situatie. Probeer zijn leven tijdens je zwangerschap zo normaal mogelijk te houden en houd vast aan de bestaande routines. Ga gewoon door met de peuterspeelzaal, bezoekjes aan de bibliotheek, peutergymnastiek of muziekles. Als er veranderingen doorgevoerd moeten worden die je peuter als belangrijk zou kunnen ervaren, doe dat dan bij voorkeur voordat de baby er is of vlak na zijn komst.

Een nieuwe slaapkamer

Ik weet dat ouders hun oudste vaak een nieuwe slaapkamer willen geven als er een tweede op komst is. Bedenk goed hoe je dit gaat brengen bij je peuter, want het is voor hem het best als hij het ziet als een 'promotie' naar een andere kamer. Hij moet niet het gevoel krijgen dat hij zijn huidige fijne kamer moet afstaan aan de baby. Laat hem meebeslissen over de inrichting, die helemaal niet duur hoeft te zijn. Een likje verf en wat leuke plaatjes aan de wand kunnen al een heel verschil maken en hem het gevoel geven dat hij een geweldig nieuw plekje heeft. Zoals met alle veranderingen is het goed om je peuter ruim voor de ophanden zijnde bevalling zijn nieuwe kamer te geven, als dat het plan is. Op die manier kan hij eraan wennen en associeert hij de verandering van kamer niet te veel met de komst van de baby. Als je peuter en baby een kamer gaan delen, kijk dan op blz. 186-187 voor advies.

Een groot bed

Vaak hoor ik van moeders dat hun peuter een groot bed krijgt als de baby komt, omdat de laatste in het ledikantje moet. In een groot bed gaan slapen is niet zomaar iets voor een peuter, en zeker als hij nog geen tweeënhalf is, kan het de moeite waard zijn om eerst over te stappen op een juniorbed of om gewoonweg een tweede ledikantje te kopen. Je peuter mag niet het gevoel krijgen dat hij zijn veilige bedje uit gejaagd wordt om plaats te maken voor de baby. Ook zijn er wat praktische overwegingen. Het is bij een gewoon bed veel gemakkelijker voor een peuter om 's nachts uit bed te komen als hij hoort dat de baby wordt gevoed. Dat kan een lastig te doorbreken gewoonte worden.

Leer je peuter zichzelf aan en uit te kleden

Als je peuter oud genoeg is, stimuleer hem dan zichzelf aan en uit te kleden. Probeer dit voor elkaar te krijgen voordat de baby wordt geboren. Je oudste heeft dan een taak tijdens de ochtend- en avondroutine terwijl jij de baby voedt en verzorgt. Rond de leeftijd van veertien maanden hebben de meeste kinderen wel geleerd hun eigen sokken uit te trekken, maar veel verder gaat het vaak nog niet totdat ze anderhalf tot twee jaar oud zijn. Rond tweeënhalf jaar zijn de meeste peuters wel in staat zichzelf aan en uit te kleden, hoewel de knopen nog wat lastig kunnen zijn.

Je peuter leren zichzelf aan en uit te kleden gaat het best als je het in fasen doet: begin met een of twee gemakkelijke kledingstukken en ga geleidelijk over op de wat moeilijkere items.

Zindelijkheidstraining

Moeders die problemen hebben met het zindelijk krijgen van hun peuter vertellen me vaak dat ze haast hebben omdat ze de klus geklaard willen hebben voordat hun tweede kind komt. Het is natuurlijk handig om niet twee kinderen in de luiers te hebben, maar wat nog veel erger dan veel luiers is, is én luiers én een heleboel ongelukjes. Als je je peuter op het potje wilt krijgen voordat je gaat bevallen, doe dat dan ruim van tevoren en wacht niet tot de laatste fase van je zwangerschap. Je peuter zal dan haarfijn je stress aanvoelen om het op tijd voor elkaar te krijgen en je komt er misschien achter dat het zindelijk maken veel meer tijd kost dan je had verwacht.

Ik vertel ouders vaak dat de sleutel tot succesvolle zindelijkheidstraining is dat niet alleen het kind er klaar voor is, maar ook de ouders! Als je peuter aan het eind van je zwangerschap tekenen begint te vertonen dat hij er klaar voor is om met het potje te gaan oefenen, maar het is nog geen twee jaar oud, raad ik aan het nog even uit te stellen. Het zal gemakkelijker gaan als je baby drie of vier maanden is en de rust weer wat is weergekeerd.

Het komt regelmatig voor dat peuters die al enigszins zindelijk zijn weer terugvallen als er een baby wordt geboren, en de kans op terugval is veel kleiner als je nog even wacht.

Laat je partner tijd alleen doorbrengen met je peuter

Je peuter mag niet het gevoel krijgen dat zijn hele leven op de kop wordt gezet door de komst van de baby. Bij kinderen die al gewend zijn naar de crèche of peuterspeelzaal te gaan zal dit wel meevallen, maar als jij degene bent die bijna alles met je kind doet, zoals eten geven, verhaaltjes voorlezen, naar bed brengen en spelen, kan hij zich gepasseerd voelen als deze taken plotseling bij papa komen te liggen omdat mama met de baby bezig is. Maak het samen met papa tijd doorbrengen tot iets speciaals waar je peuter naar uit kan kijken, zodat hij het als leuk ervaart om meer tijd met zijn vader door te brengen als de baby er eenmaal is.

Nieuwe opvangregelingen

Als je een nieuwe oppas, au pair, crèche of wat voor kinderopvang dan ook wilt als de baby er straks is, begin daar dan minstens enkele maanden voor de bevalling al mee. Peuters zijn niet allemaal even gemakkelijk in het wennen aan veranderingen en het zal een stuk beter gaan als het gewenningsproces op dit vlak voorbij is voor de volgende grote verandering, de komst van de baby, zich aandient. Als je het zo kunt brengen dat hij het als een privilege ziet omdat hij ouder is, zal hij zich veel minder opzij geschoven voelen. Begin je al tijdens de zwangerschap met opvang, dan is een bijkomend voordeel dat je ook wat meer tijd voor jezelf hebt in de laatste periode.

Leer je peuter zich alleen te vermaken

Probeer je peuter enthousiast te maken voor dingen die hij alleen kan doen, zoals kleien, tekenen en puzzelen, zodat je weet dat hij zich straks korte tijd zelf kan vermaken terwijl jij voor de baby zorgt. Het moet om leuke activiteiten gaan waar je peuter echt naar uit kan kijken. Ook kunnen peuters, meisjes én jongens, het heel leuk vinden om hun eigen babypop te hebben. Als de pop een flesje, een luier, een badje en een reiswiegje heeft, kan je kind echt voor zijn 'baby' zorgen net als jij doet voor zijn broertje of zusje.

Probeer je in te leven in je peuter

Je peuter is zijn hele leven het middelpunt van jouw aandacht geweest. Van oudste kinderen wordt vaak gezegd dat ze anders zijn dan hun jongere broertjes en zusjes, en hoewel dit generaliserend is, zit er wel een kern van waarheid in, omdat ze het eerste deel van hun leven enig kind zijn geweest. Ieder volgend kind moet vanaf zijn geboorte jouw liefde, aandacht en tijd delen, maar je oudste kind is hier simpelweg nog niet aan gewend.

Alle gepraat over de komst van de tweede kan je peuter het gevoel geven dat zijn positie binnen het gezin wordt overgenomen door de nieuwe baby. In de loop van je zwangerschap wordt het steeds duidelijker dat er dingen veranderen. Vrienden en familie die op bezoek komen, zullen het onderwerp regelmatig aansnijden. Ze praten over de baby, willen weten hoe het met jou gaat, enzovoort. Ze willen misschien de foto's van de echo zien, informeren naar je controles, vragen of je al weet of het een jongetje of een meisje wordt, en of je al een naam hebt. Het kan overkomen alsof ze minder geïnteresseerd in je andere kind zijn dan voorheen. Als je kind nog heel klein is, heeft hij dat misschien niet zo in de gaten, maar bij iets oudere kinderen kan het heel goed zijn om hen gerust te stellen door hun te laten zien hoe bijzonder en geliefd ze zijn.

2 Voorbereiden op de geboorte

In het laatste drie maanden van je zwangerschap is het tijd om plannen te gaan maken voor de bevalling. Je moet er niet alleen voor zorgen dat je er zelf klaar voor bent, maar ook dat je peuter is voorbereid op wat er gaat komen. Je moet gaan bedenken wie er tijdens de bevalling op je peuter past en of je extra hulp nodig hebt tijdens de eerste weken met je pasgeboren baby. Kijk ook je hele babyuitzet na en bekijk wat je nog moet aanschaffen. Een deel ervan gebruik je misschien nog voor je peuter, maar je hebt waarschijnlijk ook dozen vol op zolder staan van toen je oudste baby was. Kijk ook of wat je hebt compleet is en of alles nog werkt.

Tegen deze tijd zul je ook al wel met de verloskundige hebben gesproken over de bevalling. Hoe je tegen je tweede bevalling aankijkt, zal waarschijnlijk gebaseerd zijn op hoe je eerste is gegaan. Als je de eerste keer een gecompliceerde of zelfs traumatische bevalling had, zie je er misschien erg tegenop en ben je vastberaden om bepaalde dingen deze keer anders te laten verlopen. Als de eerste bevalling heel soepel verliep, hoop je waarschijnlijk dat het deze keer net zo gaat. Natuurlijk valt het verloop van een bevalling moeilijk te voorspellen, en de kans is heel groot dat alles anders loopt dan je had gepland. Maar als je eenmaal weet waar je wilt bevallen, thuis of in het ziekenhuis, en of het wellicht een keizersnede wordt, heb je een duidelijker beeld van wat je moet regelen voor je peuter.

OPVANG TIJDENS DE BEVALLING

Een belangrijk onderdeel van je voorbereiding is opvang regelen voor je peuter voor als je straks gaat bevallen. Veel mensen doen hiervoor een beroep op hun familie. Het is erg handig als je familieleden in de buurt hebt wonen die klaarstaan om je peuter op te vangen zodra het grote moment zich aandient. Ze kunnen bij jou thuis komen of je kind meenemen naar hun eigen huis. Als je familie ver weg woont, is dit lastiger, hoewel je ook dan misschien wel iemand bereid vindt om te komen. Ook als je normaal niet zo close met je familie bent, zul je merken dat je ouders of schoonouders maar al te graag een helpende hand bieden. Tenslotte is de komst van een nieuw lid een belangrijke familiegebeurtenis.

Als terugvallen op de familie geen optie is, kun je ook goede vrienden vragen één of een paar nachtjes op je peuter te passen. Je kind kan zelfs erg naar dit uitje uitkijken, vooral als op het logeeradres kinderen van dezelfde leeftijd zijn. Als je peuter al gewend is aan een oppas of au pair, is dat misschien de aangewezen persoon voor de opvang tijdens de bevalling.

Ook als je thuis wilt bevallen, moet je nadenken over de opvang voor je peuter. Als de weeën eenmaal beginnen, moet je je geen zorgen om je peuter hoeven maken en heb je iemand nodig die voor hem zorgt. Er zijn bovendien genoeg thuisbevallingen die toch nog in het ziekenhuis eindigen en voor dit soort gevallen moet je ook van tevoren bedenken wie er dan voor je peuter zorgt. Het kan voor een peuter heel verontrustend zijn om jou te horen en zien bevallen, zelfs al zijn het alleen nog maar de ontsluitingsweeën, dus wellicht is het voor iedereen het rustigst als je oudste lekker met iemand anders mee naar huis gaat en weer terugkomt als zijn broertje of zusje is geboren.

Een plan voor noodgevallen

Geen bevalling is voorspelbaar en hoe goed je je ook denkt te hebben voorbereid, er kan altijd iets onverwachts gebeuren. Als je met je familieleden afspraken hebt gemaakt voor de periode waarin je gaat bevallen, denk dan ook aan een noodplan voor het geval je kindje zich eerder aandient. Heb je buren of vrienden die zo nodig op korte termijn kunnen inspringen totdat de andere hulptroepen arriveren? Zorg dat je alle telefoonnummers van vrienden en buren bij de hand hebt met een lijstje van de rituelen, behoeften en schema's van je peuter, en vergeet niet je partner te vertellen waar je dat lijstje neerlegt.

JE PEUTER VOORBEREIDEN OP DE GEBOORTE

Iedereen heeft de neiging bij ziekenhuizen aan ziekte te denken, en dat is bij jonge kinderen niet anders. Als je van plan bent in het ziekenhuis te bevallen, vertel je peuter dan dat het heel normaal is dat baby's in het ziekenhuis worden geboren en dat het niet betekent dat ze ziek zijn. Leg uit dat baby's vaak 's nachts geboren worden en dat hij dan bij oma blijft, of bij tante of bij een vriendin. Als je al weet dat je met een keizersnede gaat bevallen en dus een paar dagen in het ziekenhuis zult moeten blijven, vertel je oudste dat dan, zodat hij erop is voorbereid. Vertel hem ook dat je waarschijnlijk nog heel moe bent als je weer thuiskomt.

Veel moeders zijn nog nooit een nacht bij hun kind vandaan geweest. Zo'n eerste keer is voor hen vaak veel heftiger dan voor hun kind! Vermoed je echter dat je kind het er moeilijk mee zal hebben om bij iemand anders te logeren, probeer het dan te brengen als een leuk uitje en iets heel bijzonders. Het kan handig zijn om van tevoren een generale repetitie te houden, zodat hij weet dat hij zich nergens zorgen over hoeft te maken. Leg uit wat er gaat gebeuren en kom er daarna niet steeds meer op terug, want dan kan het toch een zorg voor je peuter worden.

JE PEUTER VOORBEREIDEN OP DE KOMST VAN DE BABY

Heb je de opvang eenmaal geregeld, bedenk dan hoe je je peuter gaat vertellen dat de baby is geboren. Wil je dat degene bij wie hij logeert dat doet of willen jij en je partner het zelf vertellen? Als dat laatste het geval is, maak daar dan goede afspraken over.

Net zoals je peuter moet begrijpen dat hij heel voorzichtig moet zijn met de baby, moet hij ook inzien dat het nog een hele tijd duurt voor hij met zijn broertje of zusje kan spelen. Peuters zijn vaak teleurgesteld als ze merken dat hun broertje of zusje helemaal geen nieuw speelmaatje is.

Ik merk vaak dat ouders hun routines en schema's laten verslappen naarmate hun kinderen ouder worden. Maar als je in verwachting bent van een tweede is het eigenlijk logischer om voor de komst van de baby een geschikt schema in te stellen dat past bij dat van de baby.

ALLES IN HUIS HALEN VOOR DE BABY

Een groot deel van wat je nodig hebt voor de baby heb je waarschijnlijk al. Dit is het moment om het allemaal eens bij elkaar te zoeken en te controleren of het allemaal nog heel en compleet is en of het nog werkt. Soms zoek je iets en herinner je je op dat moment pas dat je het hebt uitgeleend of misschien zelfs hebt weggedaan. Als het leeftijdsverschil tussen de kinderen klein is, kan het ook zijn dat je een aantal dingen nog in gebruik hebt.

Checklist babyuitzet

Ik heb een snelle checklist gemaakt om je te helpen met de babyuitzet. Zo vergeet je niets belangrijks.

- **Ledikantje/wieg en beddengoed:** als je peuter nog in een ledikantje slaapt, bedenk dan of je hem voordat de baby komt een bed wilt geven (zie blz. 23-24). Als je een wieg of reiswieg hebt, kan je baby daar de eerste tijd in slapen. Dit is echter een tijdelijke oplossing, want de meeste baby's groeien er snel uit. Ik adviseer om nu alvast een beslissing te nemen voor de lange termijn, of dat nu het kopen van een tweede ledikantje of een groter bed voor je peuter is. Als je besluit je baby in het ledikantje te leggen en je peuter een groter bed te geven, regel dit dan ruim voordat de baby wordt geboren. Zoek ook vast alle beddengoed bij elkaar, was het en koop eventueel bij wat je mist. Je hebt hoeslakens van stretchkatoen, gladde katoenen bovenlakens, hydrofiele luiers en dekentjes nodig.

- **Reiswieg:** een reiswieg is handig als je baby nog heel klein is, omdat je hem daarin ook door het huis kunt dragen. Ook voor de reiswieg heb je beddengoed nodig.

- **Commode en aankleedkussen:** bedenk wat je een handige plek voor het verschonen van de baby vindt. Het kan praktisch zijn om meerdere aankleedkussens te hebben.

- **Kinderwagen/buggy:** je peuter is al lang en breed uit de kinderwagen gegroeid, maar kan nog wel regelmatig in een buggy zitten. Afhankelijk van de leeftijd van je oudste kan het de moeite waard zijn te investeren in een duowagen. Er zijn veel soorten duowagens op de markt. Kijk bij het kiezen heel goed naar wat je er precies mee wilt kunnen. Als je veel wandelt met je peuter, moet het een robuuste wagen zijn. Als je vaak de auto neemt en de wandelwagen alleen voor kleine stukjes gebruikt, is het juist belangrijk dat hij inklapbaar en gemakkelijk in de auto te tillen is. Praat met vrienden met duowagens over hun ervaringen en vraag naar de voor- en nadelen van de wagens die zij hebben gekozen. Vraag ook of je een stukje mag lopen met de wagen voor je hem koopt. Duowagens kunnen wat lastig te manoeuvreren zijn, dus let ook op hoe gemakkelijk je ermee door deuren en afstapjes op en af kunt. Klap hem een paar keer in en uit om te controleren hoe gemakkelijk dat gaat. Bedenk dat je altijd een baby en een peuter bij je hebt als je dat moet doen, dus hoe eenvoudiger hoe beter.

Er zijn ook ouders die liever een meerijdplankje gebruiken voor hun oudere kind. Je kind kan dan op dat plankje achter de wagen gaan staan en wordt zo voortgeduwd. Meerijdplankjes kunnen erg handig zijn en sommige mensen zweren erbij, maar als je veel gaat wandelen, is het niet altijd ideaal. Het maakt het duwen van de wagen namelijk beslist minder comfortabel. Houd er ook rekening mee dat niet alle plankjes bij alles wagens passen.

- **Autostoeltje:** je peuter zit natuurlijk niet meer in het babyautostoeltje, dus controleer of je het nog hebt, of je nog weet hoe je het in de auto vast moet zetten en of de riempjes nog goed zijn. Zet het enkele weken voor de uitgerekende datum gewoon in de auto, zodat je daar niet meer aan hoeft te denken als je naar het ziekenhuis gaat om te bevallen.

- **Babyfoon:** voor je peuter gebruik je deze misschien niet meer, dus controleer goed of hij het nog doet.

- **Babybadje:** dit is geen strikt noodzakelijk item, maar als je er een gebruikte voor je eerste kind, haal het dan maar weer tevoorschijn en gebruik het opnieuw. Ook het eventuele badzitje kun je opnieuw gebruiken.

- **Draagzak:** veel ouders vinden een draagzak heel handig. Als je er nog een hebt liggen, kun je die nu weer gebruiken. Het is vaak even een gedoe om hem goed om te krijgen, dus oefen van tevoren nog even, zodat je straks precies weet hoe het moet.

- **Babystoeltje:** babystoeltjes kunnen heel handig zijn, zeker als je baby enkele maanden oud is. Als je een wipstoeltje hebt, controleer dan of het nog stevig is en of het riempje nog op zijn plek zit en heel is.

- **Box:** als je een box hebt, kan die in de nieuwe situatie op meerdere manieren van pas komen. Je kunt je peuter beter niet samen met de baby in de box laten, maar een box kan soms wel heel handig zijn om een overenthousiaste peuter even bij je baby vandaan te houden. Laat een baby of een dreumes nooit te lang alleen in de box.

- **Babykleertjes:** baby's groeien heel snel uit hun kleertjes en wat je nog hebt liggen van je eerste kind, is waarschijnlijk nog in goede staat. Ouders vinden het vaak wel leuk om ook wat nieuwe kleertjes voor hun baby te kopen, maar het is nauwelijks de moeite waard om er te veel aan uit te geven, want de eerste kleertjes zijn al na een paar weken te klein. Bovendien zul je ook nog wel het een en ander krijgen van mensen die op kraamvisite komen. Als je tweede kind van een ander geslacht is dan je eerste, wil je zeker wat nieuws kopen, maar veel kleertjes zijn heel neutraal en geschikt voor zowel jongetjes als meisjes.

- **Babykamer:** vergeet tot slot niet om in de babykamer gordijnen op te hangen die lang genoeg en bij voorkeur lichtwerend zijn, en die geen ruimte laten voor spleten waar hinderlijke lichtstralen doorheen vallen. Het is handig om een comfortabele stoel in de kamer te zetten zodat je je baby op je gemak in de babykamer kunt voeden. Verder raad ik voor de babykamer vloerbedekking aan in plaats van een losliggend kleed waar je 's nachts in het donker over kunt struikelen. Verder kan een dimmer op de lamp of een nachtlampje handig zijn.

Checklist voedingsbenodigdheden

Of je nu borstvoeding of flesvoeding gaat geven, je hebt er van alles voor nodig.

- **Voedingsbeha:** haal je voedingsbeha's van de vorige keer niet alleen tevoorschijn, maar pas ze ook even, want het kan best zijn dat ze inmiddels te groot of te klein zijn. Als je een paar nieuwe gaat kopen, zorg dan dat die goed zitten en koop ze pas aan het einde van de zwangerschap of als je melkproductie goed op gang is gekomen, zodat je zeker weet dat je de goede maat hebt. Ik adviseer altijd om katoenen beha's te kopen met brede, verstelbare bandjes voor een goede ondersteuning.

- **Zoogkompressen:** deze zijn vooral in de eerste periode na de bevalling erg handig. Je vliegt er doorheen, dus sla er flink wat in.

- **Tepelzalf:** probeer eerst eens te voeden zonder zalf en kijk hoe het gaat. Als je pijnlijke tepels van het voeden krijgt, komt dat meestal door verkeerd aanleggen. Overleg liever eerst met de kraamverzorgster, het consultatiebureau of een lactatiekundige voordat je allerlei middeltjes gaat gebruiken.

- **Voedingskussen:** deze kussens zijn zo gevormd dat ze rond je middel passen, waardoor je baby'tje op de juiste hoogte voor de borstvoeding ligt. Koop er een met een afneembare en uitwasbare hoes. Heb je er nog eentje van de vorige keer, controleer dan of het nog in goede staat is.

- **Elektrische borstkolf:** ik moedig moeders altijd aan om een elektrische borstkolf te gebruiken in plaats van een handkolf. Deze is veel efficiënter in het gebruik en kan heel nuttig zijn tijdens de eerste dagen van de borstvoeding. Je kunt elektrische borstkolven huren, maar informeer daar ruim van tevoren naar, want er is veel vraag naar. Je hebt ook een voorraad diepvriesbakjes of -zakjes nodig om de afgekolfde melk in te bewaren. Het opgebouwde voorraadje ingevroren melk kun je gebruiken om de voedingen aan te vullen als je baby maar niet tot rust komt omdat jouw melkproductie op dat moment wat aan de lage kant is.

  Ik raad altijd aan om een paar zuigflessen in huis te hebben, ook als je borstvoeding wilt geven. Als je baby ook uit een fles kan drinken, hoef jij niet altijd degene te zijn die hem 's nachts voedt. Bovendien kan je partner zich op die manier ook een beetje betrokken voelen bij de voedingen. Je baby raakt gewend aan het drinken uit een fles en heeft daar later, als hij overgaat op flesvoeding, alleen maar profijt van.

Als je flesvoeding gaat geven, heb je nodig:

- **Flessen en spenen:** ik adviseer flessen met wijde hals van het merk AVENT. Begin bij pasgeboren baby's met een speen met langzame toevoer. Na een week of acht kun je overgaan op spenen met een iets snellere toevoer.
- **Borstels:** om flessen en spenen mee te reinigen.
- **Flesvoeding:** zorg dat je een voorraadje voor een paar weken in huis hebt.
- **Sterilisator:** ik ben zelf het meest te spreken over een stoomsterilisator, omdat die snel en efficiënt is. Als je er nog een hebt van de vorige keer, controleer dan of alle onderdelen er nog zijn en probeer hem uit om te kijken of hij het nog goed doet.
- Een elektrische flessenwarmer of -warmhouder kan best handig zijn, maar is beslist niet onmisbaar. Een kan heet water werkt net zo goed.

JE HUIS KLAARMAKEN VOOR DE KOMST VAN DE BABY

Als je eenmaal alle spullen verzameld hebt die je nodig hebt als de baby er is en gecontroleerd hebt of alles het nog doet en heel is, kun je beginnen met de boel thuis op orde brengen. In de eerste maanden na de bevalling zul je een balans proberen te zoeken tussen de zorg voor je peuter en die voor je baby. Je zult merken dat er weinig tijd voor jezelf overblijft. Hoe beter je alles voor de bevalling georganiseerd hebt, hoe gemakkelijker het zal gaan als de baby er eenmaal is.

- Als je alle babyspullen bij elkaar gezocht en gecontroleerd hebt, leg alles dan alvast op zijn plek. Zorg dat beddengoed, hydrofielluiers, babyhanddoeken en kleertjes gewassen en klaar voor gebruik zijn.

- Leg alvast flinke voorraden aan van wat je straks voor de baby nodig hebt, zoals luiers en lotiondoekjes, watten, zeepvrije wasgel, babyolie, billencrème etc.

- Vul ook je eigen voorraadkasten met houdbare waren, zodat je minstens een maand vooruit kunt met koffie, thee, blikken groente, schoonmaakmiddelen, wasmiddel, toiletpapier etc.

– Je zult in het begin niet zoveel tijd hebben om te koken, dus vul je diepvries vast met maaltijden die je nu kookt. Dat scheelt je straks een hoop tijd en wellicht stress. Bovendien kun je dan gezond blijven eten en hoef je je uit tijdgebrek niet te wenden tot ongezonde kant-en-klaarmaaltijden. Bereid tegen het eind van de zwangerschap samen met je partner porties van van alles, zodat je een goed gevulde diepvries hebt. Maak ook vast een flinke hoeveelheid kleine porties voor je peuter, zodat je altijd een maaltijd voor hem hebt.

– Dit is ook het moment om met je partner de laatste klusjes in en rond het huis te doen, of desnoods te laten doen. Als je straks een baby en een peuter hebt om voor te zorgen, zit je niet te wachten op allerlei dingen die nog gedaan moeten worden of werkmannen die de hele tijd in- en uitlopen.

– Als je uitgerekend bent in de periode voor Sinterklaas of kerst, schrijf dan vast je kerstkaarten, haal wat cadeautjes in huis en pak ze in. Cadeaus moeten kopen in de winter met een kleine baby en een peuter is geen pretje, dus alles wat je van tevoren kunt doen, is maar weer klaar. Dat geldt ook voor verjaardagen of andere vieringen vlak na je uitgerekende datum. Je kunt het jezelf een stuk gemakkelijker maken door dit soort dingen goed te organiseren.

ALLES KLAAR VOOR DE GROTE DAG

Tijdens je eerste zwangerschap had je je tas voor het ziekenhuis waarschijnlijk weken voor de uitgerekende datum al klaarstaan. Vrouwen die zwanger zijn van hun tweede hebben eerder de neiging snel nog even van alles in een plastic zak te proppen als de weeën al zijn begonnen. Toch is het aan te raden je tas op tijd klaar te zetten; het zorgt voor veel minder stress als het zover is.

Hoewel je je peuter misschien wilt betrekken bij de voorbereidingen, zou ik dat niet doen bij het inpakken van je ziekenhuistas. Doe dit bij voorkeur als je hem niet om je heen hebt, want hij kan het gevoel krijgen dat je weggaat en daar onrustig van worden.

Je ziekenhuistas

Stop er in elk geval in:
- Nachtkleding, slippers en ochtendjas
- Ondergoed en voedingsbeha
- Extra setje kleding (je hebt na de bevalling waarschijnlijk eerst nog een tijdje je zwangerschapskleding nodig)
- Toilettas met zeep, haarborstel, shampoo, tandenborstel en tandpasta, spiegeltje, hand- en gezichtscrème, tissues en wat je verder mee wilt

Voor de bevalling zelf heb je ook een aantal dingen nodig. Je krijgt waarschijnlijk wel een lijst van de verloskundige, maar denk in elk geval aan het volgende:
- Kopie van je geboorteplan, als je dat hebt
- Ponsplaatje van het betreffende ziekenhuis, als je dat hebt
- Druivensuiker of energiedrankjes
- Warme sokken
- Lippenbalsem
- Massageolie
- Waterspray
- Boek of tijdschrift
- Camera
- Tussendoortjes
- Lijst met telefoonnummers van mensen die je na de geboorte wilt bellen, of zorg dat ze in je mobiele telefoon of die van je partner staan

Tot slot moet je nog wat spulletjes voor de baby inpakken:
- Drie rompertjes
- Drie babypakjes of pyjamaatjes
- Drie vestjes
- Wikkeldoek of dekentje
- Twee paar sokjes (alleen als je pakjes zonder voetjes hebt)
- Mutsje
- Wantjes
- Buitenkleding

Het tasje voor je peuter

Ook je peuter heeft een logeertasje nodig voor het grote moment. Je kunt samen met hem een tas inpakken. Als hij zich verheugt op een logeerpartijtje zal hij dat leuk vinden om te doen, maar als je het gevoel hebt dat hij het niet fijn vindt om bij jou vandaan te zijn, kun je het beter zelf even doen en er niet te veel aandacht aan besteden. Er moet nachtkleding in, een paar setjes kleding en een toilettas. Vergeet niet om luiers en lotiondoekjes mee te geven als je peuter nog niet zindelijk is. Doe er ook wat spulletjes in waar hij aan gehecht is, zijn favoriete boekje, tekenspullen, wat speelgoed of een spelletje. Er zijn ook dingen die je pas op het laatste moment kunt inpakken, zoals zijn vaste knuffel. Vergeet die vooral niet als hij die heeft, want veel kinderen kunnen niet slapen zonder. Zorg er ook voor dat degene bij wie hij gaat logeren het bedritueel kent.

Als je peuter bij familie of vrienden gaat logeren als jij in het ziekenhuis gaat bevallen, draai dan van tevoren een paar keer proef, zodat hij vertrouwd is met de omgeving. Degene bij wie hij gaat slapen, kan dan ook even zien hoe zijn routine en rituelen in hun werk gaan. Datzelfde geldt overigens als degene die voor je peuter gaat zorgen tijdens de bevalling bij jullie thuis komt. Vraag of hij of zij een of twee keer komt logeren om vertrouwd te raken met de gang van zaken.

Maak een briefje met daarop het voedings- en slaappatroon van je peuter. Je kunt dit meegeven of thuis op de koelkast hangen. Zorg ook dat er een paar maaltijden in de diepvries staan die je peuter lekker vindt. Aan het begin van mijn carrière heb ik een keer de fout gemaakt om een peuter te geloven die zei dat hij na elke middag- en avondmaaltijd ijs mocht en elke middag een doosje Smarties. Uiteindelijk zat ik rond bedtijd met een hyperactieve peuter. Om dit soort situaties te voorkomen kun je beter opschrijven wat voor lekkers je peuter doorgaans krijgt en hoe vaak hij iets krijgt. Als je dit soort dingen allemaal goed geregeld hebt, laat je de zorg voor je peuter met een geruster hart aan iemand anders over.

Betaalde hulp regelen

Een beetje extra hulp na de bevalling en na het vertrek van de kraamverzorgster is eerder noodzaak dan luxe. Als je geen vrienden of familie in de buurt hebt die bij kunnen springen en je partner veel uit huis is om te werken, overweeg dan eens betaalde hulp te regelen, al is het maar voor een paar uur per week.

Als je je het kunt permitteren om te betalen voor wat extra hulp bij de verzorging van je kind, zijn er verschillende mogelijkheden:

- **Een au pair** helpt meestal tegen kost en inwoning (en wat zakgeld) met het huishouden en de kinderen. Geef een au pair niet de volledige verantwoordelijkheid over je kinderen.

- **Een kindermeisje** is een duurdere optie, maar is vaak gediplomeerd. Aan haar kun je de zorg voor je kinderen toevertrouwen. Een kindermeisje kan bij je inwonen, maar dat hoeft niet. Hoewel ze zich misschien wel bezighoudt met de kleren en kamers van de kinderen, is zij niet verantwoordelijk voor huishoudelijke taken die niet direct met de kinderen te maken hebben.

- **Een oppas** zorgt voor de kinderen in haar eigen huis of bij jou thuis. Maak bij voorkeur gebruik van de diensten van een geregistreerde oppas.

- **Een crèche:** het is niet eenvoudig om op korte termijn een plek in een crèche te vinden, dus als je al ver van tevoren weet dat je er gebruik van wilt maken, regel dan op tijd een plek. Als je oudste oud genoeg is, kun je hem ook een paar uurtjes per week naar de **peuterspeelzaal** laten gaan.

Het is belangrijk om de juiste persoon te vinden om voor je kinderen te zorgen. Persoonlijke aanbevelingen zijn meestal nuttig, maar doe ook zelf goed je huiswerk. Trek referenties na en vraag indien van toepassing om bewijs van kwalificaties. Ga eerst eens een gesprek aan en laat je peuter ook kennismaken met de persoon in kwestie, zodat je kunt zien hoe ze op elkaar reageren.

Als je peuter al naar een crèche of peuterspeelzaal gaat, houd dit dan zo. Zo gaat zijn normale leventje gewoon door en heb jij wat rustige momenten.

Alternatieve hulp

Als je geen geld hebt voor betaalde hulp, kun je nog aan de volgende mogelijkheden denken:

- Vraag je vriendinnen of ze niet toevallig al meedoen aan een oppaskring of er met jou een willen opzetten. Je hebt maar drie moeders nodig om het initiatief te laten slagen. Twee zorgen er voor alle kinderen en nummer drie heeft even vrijaf. Zo kun je af en toe wat tijd voor jezelf creëren. Voor je peuter kan het bovendien heel leuk zijn om met de andere kinderen te spelen.

- Mensen die hun kind naar enige vorm van geregistreerde kinderopvang willen brengen, kunnen in aanmerking komen voor een tegemoetkoming in de kosten, de zogenaamde kinderopvangtoeslag van de overheid. Deze toeslag kan voor mensen met weinig bestedingsruimte flink oplopen, dus is het de moeite waard uit te zoeken of je hiervoor in aanmerking komt.

DE LAATSTE DAGEN – WACHTEN OP DE WEEËN

De meerderheid van de zwangere vrouwen bevalt niet op de uitgerekende datum. Als je in loondienst bent, ben je waarschijnlijk al met zwangerschapsverlof en geniet je van je laatste dagen alleen met je peuter. Je moet in deze laatste fase niet meer te veel moeten doen. Als het goed is zijn alle voorbereidingen getroffen en staan alle spulletjes klaar. Je bent nu waarschijnlijk erg rond en moe en hebt vast niet meer zoveel energie. Dit is niet echt de tijd voor wilde spelletjes of energieke sportieve activiteiten, tenzij je de weeën op gang wilt brengen. Maar dat betekent niet dat je geen leuke dingen meer kunt doen met je peuter. Ga lekker samen boekjes lezen, maak een puzzel of doe een spelletje. Voor je peuter is het leuk en geruststellend en voor jou is het een ontspannen manier om met hem bezig te zijn.

Wat je misschien in deze laatste fase nog kunt doen, is namens de baby een cadeautje voor zijn grote broer of zus kopen, dat je geeft bij de eerste ontmoeting. Dit kan de komst van het nieuwe gezinslid wat gemakkelijker maken voor je oudste. Het hoeft niet iets duurs of groots te zijn. Tips: een stickerboek, een kleurboek, een autootje of iets anders wat hij leuk vindt. Pak het mooi in en maak er iets speciaals van. Op die manier begint de peuter zijn leven met een broertje of zusje gelijk met een positieve ervaring.

3 Na de geboorte

Na je eerste bevalling kon je al je tijd en energie steken in de verzorging van je baby'tje. Deze keer zul je die echter moeten verdelen tussen je baby en je peuter. Je weet hoeveel tijd je peuter van je vraagt, maar ook dat het behoorlijk intensief is om een pasgeboren baby te verzorgen. In de behoeften van beiden voorzien is niet altijd gemakkelijk, maar als je vanaf het begin een duidelijke structuur invoert, zul je merken dat alles een stuk eenvoudiger gaat. Ik kan niet genoeg benadrukken hoe belangrijk het is om de schema's die je voor je peuter wilt hanteren na de geboorte van de baby al voor de bevalling in te voeren. En om voor de bevalling zoveel mogelijk voor te bereiden, zodat je je in de eerste periode met twee kinderen volledig op je zorgtaken kunt richten.

HERSTEL NA DE BEVALLING

Het krijgen van een baby is een grote aanslag op je lijf, zelfs voor moeders met gemakkelijke, snelle bevallingen. Je lichaam heeft tijd nodig om te herstellen en het is belangrijk om dat te accepteren. Ik zie vaak dat moeders te vroeg te veel gaan doen, omdat ze het gevoel hebben dat hun leven zo snel mogelijk weer normaal moet worden. Na een paar dagen de stad in gaan om nog wat ontbrekende babykleertjes te halen of je baby in de eerste weken meenemen naar een lunchafspraak is helemaal niet nodig en kan een averechts effect hebben op zowel jou als de baby. Dit is de periode om te rusten en te herstellen, en daar zul je op de lange termijn alleen maar profijt van hebben.

Als je op natuurlijke wijze in het ziekenhuis bevalt, hangt het van jouw welzijn en dat van de baby af hoelang je daar blijft. Wie poliklinisch bevalt, gaat als alles goed gaat zelfs al dezelfde dag naar huis. Maar dat je zo snel weer thuis bent, hoeft niet te betekenen dat het leven onmiddellijk weer zo moet worden als daarvoor.

Veertig jaar geleden bleef een vrouw na de geboorte meestal twee weken in bed. In die periode werd ze verzorgd en hoefde ze niets te doen behalve haar baby voeden. Dat vinden we nu misschien niet meer nodig, maar het is nog steeds heel belangrijk om na de bevalling de tijd te nemen om te herstellen, vooral als je ook nog de zorg voor een ouder kind hebt.

Uit eigen ervaring weet ik dat moeders die tegemoetkomen aan hun behoefte aan rust en herstel niet alleen sneller herstellen, maar ook veel beter in staat zijn in de behoeften van baby en peuter te voorzien. Een rustig, vreedzaam thuis stelt alle gezinsleden in de gelegenheid aan het nieuwe lid te wennen. Ik raad moeders altijd aan de eerste dagen rustig aan te doen met het laten komen van kraamvisite en eerst alleen familie en goede vrienden toe te laten. Sommige ouders houden twee of drie keer per week een 'bezoekuur' en dat is veel beter te behappen dan een continue stroom goedbedoelde bezoekjes. Er is nog tijd genoeg om je baby te laten zien aan mensen die iets verder van je afstaan. Ik ben er ook van overtuigd dat een baby al die aandacht beter kan verdragen wanneer hij een paar weken oud is. Vergeet niet dat hij negen maanden lang heerlijk rustig in je buik heeft gezeten. Die eerste dagen zijn een enorme verandering voor hem en hoe rustiger en stresslozer die kunnen verlopen, hoe beter het is voor iedereen. Ik geloof niet dat baby's ervan houden om van hand tot hand te gaan en de hele tijd een ander gezicht voor zich te zien. Je baby moet in die eerste dagen jóu en je gezin leren kennen, niet je collega's of je buren.

Ook voor je peuter kan het beter zijn om de stroom bezoekers te beperken tot mensen die je goed kent en die echt om jullie geven. Je oudste moet al omgaan met alle opwinding en verwarring over zijn broertje of zusje, en dit is voor het eerst dat hij de aandacht van zijn ouders moet delen. Dit gaat het best als hij de tijd krijgt om daaraan te wennen, zonder een continue stroom bezoekers die allemaal voornamelijk voor het nieuwe kindje komen.

Veel vrouwen proberen direct na de geboorte van de baby veel te veel te doen. Iedereen wil een perfecte moeder zijn, maar om op je best te zijn moet je ook je eigen behoeften in de gaten houden, en dat betekent vooral voldoende rusten. Probeer een vriendin of een familielid bereid te vinden om je oudste naar de crèche of peuterspeelzaal te brengen en om af en toe met de kinderen een eindje te gaan wandelen, zodat jij even tot jezelf kunt komen. Aan jezelf denken in deze fase is niet egoïstisch, het is verstandig, en je gezin heeft er alleen maar baat bij als jij niet voortdurend uitgeput bent.

Herstel na een keizersnede

Als je met een keizersnede bevallen bent, moet je nog enkele dagen in het ziekenhuis blijven. We vergeten weleens dat een keizersnede een volwaardige operatie is en dat het lichaam tijd nodig heeft om daarvan te herstellen. Je kan dan misschien al wel vrij snel uit bed, maar het is nog steeds heel belangrijk om te rusten. Je zult na de operatie te horen krijgen wat je mag doen en wanneer, en ik raad je echt aan je daaraan te houden. Vermijd al te hevige bewegingen en het tillen van zware spullen. Algemeen wordt tevens aanbevolen een week of zes geen auto te rijden.

Als je thuiskomt, heb je in eerste instantie hulp in huis nodig. Vrouwen hebben in het begin vaak wat last van jeuk en gevoelloosheid rond het litteken en het duurt een paar weken tot de wond genezen is. Bespreek dit met de verloskundige of je huisarts.

Op de langere termijn is het goed om te bewegen teneinde het herstel te bespoedigen, maar doe het rustig aan en overdrijf het niet.

JE PEUTER LATEN KENNISMAKEN MET DE BABY

De eerste ontmoeting tussen je peuter en de baby is een spannend moment. Veel moeders willen graag dat alles vlekkeloos verloopt. Eerste indrukken zijn nu eenmaal belangrijk, dus probeer de kennismaking soepel te laten verlopen, maar maak je ook weer geen zorgen als ze niet geheel volgens plan loopt. Het gaat er vooral om hoe de kinderen op de langere termijn met elkaar omgaan. Als de kennismaking in het ziekenhuis plaatsvindt, voed de baby dan voordat je peuter komt, zodat je niet net met de baby bezig bent als hij binnenkomt. Zo heb je je handen vrij om je peuter te verwelkomen, wat zal helpen om de ontmoeting tussen de twee tot een succes te maken. Laat je peuter de baby idealiter in zijn wiegje zien en ga samen naar hem kijken. Daarna kun je het cadeautje van de baby aan je peuter geven (zie blz. 39-40). Je kunt overwegen om elke keer dat je peuter naar het ziekenhuis komt, iets lekkers of iets leuks voor hem te hebben, want in het begin zal zijn aandacht voor zijn broertje of zusje van vrij korte duur zijn.

Als je een keizersnede hebt gehad, moet je een paar dagen in het ziekenhuis blijven en zul je je peuter regelmatig willen zien. Het valt niet mee om zo lang van hem gescheiden te zijn, hoewel jij daar misschien wel meer last van hebt dan hij.

Een ziekenhuisbezoek kan voor een klein kind een indrukwekkende ervaring zijn, dus als je maar kort in het ziekenhuis verblijft, kun je ook overwegen om te wachten met de kennismaking tot je weer thuis bent.

THUISKOMEN

Voor het eerst met je baby thuiskomen is een groot moment, maar probeer die eerste uren vooral veel aandacht voor je peuter te hebben, zeker als jullie elkaar een paar dagen niet hebben gezien. Je kunt je partner de baby het huis in laten dragen, zodat jij je op je peuter kunt richten. Vraag wat hij allemaal gedaan heeft en wie hij gezien heeft toen jij er niet was. De meeste kinderen kunnen niet wachten om hun broertje of zusje te zien, maar het komt ook weleens voor dat een peuter ongeïnteresseerd of dwars doet. Als dat laatste het geval is, maak je dan geen zorgen. Je kind weet zich misschien even geen houding te geven, maar dat komt vanzelf.

DE EERSTE PAAR WEKEN

Na de bevalling zul je behoorlijk moe zijn en het zorgen voor twee kinderen kan de eerste weken vrij intensief zijn. Moeders hebben soms onrealistische verwachtingen van wat ze allemaal kunnen doen als ze een baby en een peuter thuis hebben. Als je van tevoren allerlei voorbereidingen hebt getroffen, zal het je gemakkelijker afgaan, en ik geloof er sterk in dat hoe goed het gaat in grote mate afhangt van hoeveel hulp je krijgt (zie blz. 49-50). Probeer niet al te ambitieus te zijn in wat je allemaal wilt en wees niet te trots om hulp te vragen.

Heb de eerste dagen ook niet al te hoge verwachtingen van je peuter. Het is heel normaal als hij een beetje jaloers en bozig is. Waarschijnlijk had hij een kirrende en lachende baby zoals uit de boekjes verwacht. De realiteit van een huilende baby die alle tijd opeist, kan een kleine schok voor hem zijn. Misschien dacht hij wel dat de baby zijn beste vriendje en speelkameraadje zou worden en zijn aanvankelijke interesse kan als sneeuw voor de zon verdwijnen als hij zich realiseert dat baby's niet geïnteresseerd zijn in peuterspelletjes en nog helemaal niets kunnen.

Probeer je peuter in te laten zien dat de baby bij het hele gezin hoort, net zo goed bij hem als bij jou. Sommige peuters zijn heel trots op hun kleine broertje of zusje en voelen zich heel wat als grote broer of zus. Je kunt hen soms zelfs zover krijgen dat ze jou wat meer helpen, omdat ze zich opeens heel verantwoordelijk voelen. Misschien vindt je peuter het leuk om een schone luier of lotiondoekjes aan te geven als je de baby verschoont. Je kunt hem zelfs af en toe de kleertjes voor de baby laten uitkiezen. Vertel hem hoe blij je met zijn hulp bent, maar dring niet aan als hij niet wil helpen. Het laatste wat je wilt is dat hij het gevoel krijgt dat hij opeens van alles moet nu de baby er is.

Maak als de baby slaapt tijd vrij om iets leuks met je peuter te doen, zoals samen een puzzel maken of een spelletje doen. Maak hem duidelijk dat dit jullie tijd is en zorg ervoor dat hij ook echt begrijpt dat je het leuk vindt om met hem samen te zijn, net zoals voordat de baby er was. Als de baby in die tijd begint te huilen, spring dan niet gelijk op en laat je peuter niet meteen achter met wat jullie aan het doen waren. Leg hem rustig uit dat je even bij de baby moet gaan kijken, maar dat je zo snel mogelijk terugkomt. Zorg ervoor dat je jullie bezigheid op een later tijdstip afmaakt. Leg ook uit dat het net zo ging toen hij een baby was en dat je toen ook veel tijd doorbracht met voeden en verschonen.

Als je meer bezoek begint te krijgen kun je je peuter een belangrijke rol geven door hem zijn broertje of zusje te laten voorstellen. De meeste mensen zullen iets meenemen voor de baby, maar niet iedereen zal eraan denken ook een kleinigheidje voor je peuter mee te nemen. Het kan helpen om wat kleine cadeautjes in de kast te hebben, zodat je peuter zich niet vergeten hoeft te voelen als zijn babybroertje of -zusje wordt bedolven onder de cadeaus.

Als je partner na de geboorte een tijdje thuis is geweest, zal een van de grootste veranderingen zijn dat hij op een gegeven moment weer aan het werk gaat. Het kan heel prettig zijn om een familielid of vriendin te vragen in het begin een deel van de dag met je door te brengen. Je kunt je best even eenzaam en hulpeloos voelen als je voor het eerst helemaal alleen met je peuter en baby bent.

DE BABY VOEDEN

Het voeden van een baby kan even duren en peuters kunnen het heel frustrerend vinden dat je dan even geen tijd voor hen hebt. Helemaal in het begin, als je nog hulp in huis hebt, hoeft dat niet zo'n probleem te zijn, maar als je na die eerste dagen alleen met je peuter bent, is het slim om ervoor te zorgen dat hij iets te doen heeft voordat je met voeden begint.

Laat je peuter iets doen wat hij leuk vindt terwijl jij de baby voedt, zoals naar zijn favoriete dvd kijken of knuffeltjes en popjes te eten geven. Probeer het hem te laten ervaren als iets speciaals voor tijdens de voedingen van zijn broertje of zusje. Sommige kinderen vinden het leuk om hun eigen babypop te hebben die ze kunnen aankleden en voeden met een klein flesje terwijl hun moeder met de baby bezig is. Als je iets kunt vinden wat werkt, zul je minder wrevel bij je oudste merken op de voedingsmomenten van je baby en heeft hij iets te doen om de tijd door te komen.

Enkele ideeën:

- Potloden of viltstiften en papier
- Prentenboeken om te bekijken
- Luisterboeken op cd
- Puzzels die je peuter zelfstandig kan maken
- Magnetisch tekenbord
- Zak met heel kleine cadeautjes waar je peuter elke dag een uit mag kiezen
- Klei
- Kinderserviesje voor een theekransje met knuffels en poppen (met of zonder water)

GOED ETEN

Ik kom regelmatig bij moeders die zo opgaan in het leven met hun baby'tje dat ze vergeten zelf goed te eten. Omdat je het met twee kinderen nog drukker hebt, kan je eigen eten er nog sneller bij inschieten. Toch kan ik niet genoeg benadrukken hoe belangrijk het is dat je goed en voldoende eet wanneer je lichaam moet herstellen van de bevalling en je borstvoeding geeft.

Het is goed om voordat je gaat bevallen je diepvries alvast te vullen met zelfbereide maaltijden voor jou en je partner (zie blz. 35). Maak gelijk ook porties voor je peuter. Op die manier kunnen jullie allemaal goed en gezond eten zonder dat het die eerste dagen na de bevalling veel tijd kost. Eet liever niet te veel kant-en-klaarmaaltijden, want die zitten vol zout, conserveermiddelen en andere additieven, die niet zo goed zijn voor moeders die borstvoeding geven. Door goed te eten kom je aan de energie die je zo hard nodig hebt.

Sommige moeders maken zich zorgen over de kilo's die ze zijn aangekomen tijdens de zwangerschap en willen die zo snel mogelijk kwijtraken. Maar dit is niet het moment om te beginnen met lijnen. Als je borstvoeding geeft, heeft je lichaam juist meer eten nodig, niet alleen voor jou, maar ook voor je baby. Zorg voor een evenwichtig dieet met veel eiwitten, koolhydraten, groenten, fruit en zuivelproducten en drink veel water.

BOODSCHAPPEN DOEN

Als je voor de bevalling je voorraadkasten al goed vult (zie blz. 34), vooral met houdbare waren, hoef je daar de eerste tijd na de bevalling niet aan te denken. Je zit er vast niet op te wachten veel boodschappen te moeten doen met een peuter en een heel klein baby'tje. Gelukkig valt dat goed te voorkomen.

Er zal echter een moment komen dat je voorraden op beginnen te raken en je weer eens flink moet inslaan. Als je het nog niet ziet zitten om de supermarkt in te gaan met je kinderen, kun je dat ook online doen. Probeer iemand bij je te hebben wanneer de boodschappen worden bezorgd. Zo kom je niet in de verleiding zelf met zware dozen te gaan sjouwen. Als het je niet lukt je boodschappen te laten bezorgen, vraag dan een vriendin of familielid wat boodschappen voor je te doen. In plaats van met de auto naar een grote supermarkt te gaan, kun je ook eerst je boodschappen lopend met de kinderwagen doen bij de buurtsuper, als die er is.

EROPUIT

In de eerste week na de bevalling ben je waarschijnlijk te moe om eropuit te gaan, maar probeer zodra je er weer aan toe bent elke dag even de deur uit te gaan. Een wandelingetje door het park of langs wat winkels kan al heel veel doen. Als je je peuter de hele dag bij je thuis hebt, zul je zelfs wel moeten als je wilt dat hij wat frisse lucht en lichaamsbeweging krijgt. Er zijn een paar dingen die je kunt doen om het 'eropuit gaan' wat te vergemakkelijken en te versnellen:

- Zorg ervoor dat je altijd een tas in of aan je kinderwagen hebt met spullen die je nodig hebt of zou kunnen hebben: luiers, lotiondoekjes, vestjes voor beide kinderen, drinkbeker met water, gezond tussendoortje, speeltje etc.
- Zorg ervoor dat je altijd de regenhoes van de kinderwagen paraat hebt.
- Stop in de zomer ook zonnebrandcrème en zonnehoedjes voor de kinderen in de tas, en een regenjasje voor je peuter.
- Controleer de inhoud van de tas regelmatig en check ook of de maten van de luiers en kleding nog kloppen. Ik ken genoeg moeders die er bij een ongelukje achterkwamen dat de reservekleertjes in de tas niet meer pasten.
- Bewaar jasjes en andere buitenkleding en regenlaarsjes op een vaste plek, zodat je er niet naar hoeft te zoeken als je weg wilt. Bij de kinderwagen is een handige plek.
- Verschoon voordat je weggaat de luiers van beide kinderen of laat je oudste naar het toilet gaan. Smeer beide kinderen in de zomer in met zonnebrandcrème voordat je naar buiten gaat.

Naarmate je baby ouder wordt en jijzelf steeds meer gewend raakt aan het hebben van twee kinderen, wordt alles een stuk gemakkelijker. Maar ook dan blijft een goede voorbereiding het halve werk.

HET HUISHOUDEN

Dit is niet het moment om alles spic en span te willen hebben. Probeer te accepteren dat je even niet alles tegelijk kunt – niemand verwacht van een moeder die net bevallen is dat ze de hele dag loopt te poetsen. In het begin heb je ook weinig puf om de perfecte gastvrouw te spelen, dus nodig eerst alleen mensen uit die je goed kent en die best even hun eigen kopje koffie of thee willen zetten of op je kinderen willen letten terwijl jij dat doet. Schakel hulp in, vraag of iemand het leuk vindt om even met je peuter te gaan wandelen of de eendjes te voeren zodat jij je baby rustig kunt voeden of een dutje kunt doen als de baby ook slaapt.

In deze fase moet de zorg voor je kinderen en voor jezelf je hoogste prioriteit zijn. Als je te veel hooi op je vork neemt, raak je uiteindelijk uitgeput, en daar zijn noch je kinderen noch jijzelf bij gebaat.

Ik ken moeders die het vervelend vinden als hun huis niet smetteloos is, maar in elk geval gedurende de eerste weken zul je moeten proberen dat soort gevoelens niet toe te laten.

Mijn advies aan moeders is altijd om 'minder spullen en meer hulp' in huis te halen. Veel ouders besteden een vermogen aan wat zij zien als essentieel voor de babyuitzet: nieuwe kinderwagens, buggy's, wiegen, accessoires in alle soorten en maten. Ik zou echter iedereen aan willen raden om spullen te lenen, zeker als je ze niet zo lang nodig hebt, als je daardoor wat geld overhoudt om betaalde hulp in te schakelen (zie blz. 37-38), al is het maar een paar uur per week. Iemand heeft maar een paar uurtjes nodig om je huis schoon te maken en de was te doen, maar voor een pas bevallen moeder kan dat een enorm verschil maken.

HULP KRIJGEN VAN FAMILIE EN VRIENDEN

Als je al een ouder kind hebt, is het nog belangrijker om hulp van anderen te accepteren in die eerste weken na de bevalling, zelfs al heb je ook betaalde hulp. Veel moeders zien zichzelf als superwoman en denken dat ze alles wat er bij het leven met een pasgeboren baby en een peuter komt kijken gemakkelijk aankunnen, maar in het begin valt het gewoon niet mee. In de generaties voor ons hadden moeders een heel familienetwerk in de buurt. Grootmoeders en tantes stonden klaar met hulp en advies als het moeilijk werd. Maar tegenwoordig wonen familieleden vaak niet meer zo dicht bij elkaar en hebben de meeste mensen dit soort hulp niet meer zo vanzelfsprekend bij de hand.

Als je het geluk hebt dat je familie in de buurt hebt, schroom dan niet hun hulp in te roepen. Als vrienden met kinderen aanbieden je peuter af en toe bij hen te laten spelen, grijp je kans dan. Je hoeft nooit het gevoel te hebben dat hulp accepteren een teken van zwakte is. Als je aan het begin hulp krijgt, zal het veel sneller allemaal wat gemakkelijker gaan. Als vriendinnen vragen of ze wat voor je kunnen doen, wees dan niet te bescheiden om te vragen of ze even de was willen ophangen of een boterham voor je peuter willen smeren. Mensen voelen zich graag nuttig en als er iets is waarmee ze je echt even kunnen helpen, geeft dat jullie allebei een goed gevoel.

DE REACTIES VAN JE PEUTER OP DE NIEUWE BABY

Rivaliteit tussen broertjes en zusjes is nooit helemaal te voorkomen, hoe goed je je oudste ook hebt voorbereid op de komst van de baby en hoezeer hij er ook naar uitkeek. Je kunt rivaliteit en jaloezie echter beperken door je peuter het gevoel te geven dat hij veilig en geliefd is en dat zijn leventje niet volledig op de kop komt te staan door de komst van de baby.

Leg je peuter uit dat de baby juist trots is om zo'n lieve grote broer of zus te hebben. Als de baby eenmaal goed kan focussen, laat dan aan je peuter zien hoe leuk de baby het vindt om te kijken naar wat hij doet. Het is voor peuters vaak wat lastig om heel voorzichtig om te gaan met pasgeboren baby's, maar moedig je oudste toch aan de interactie met zijn broertje of zusje aan te gaan. Laat hen echter niet met zijn tweetjes alleen, tenzij je de baby in de box kunt leggen, als er bijvoorbeeld iemand aan de deur komt of je de telefoon moet opnemen.

Wees niet ongerust als je peuter in deze periode een terugval lijkt te hebben in zijn vaardigheden en gedrag. Veel peuters willen opeens weer als baby's behandeld worden – opeens weer een speen willen, gedragen willen worden of in een wieg willen slapen. Het kan wel even vervelend zijn, maar probeer zo geduldig mogelijk te blijven. Het kan helpen als je uitlegt dat er eigenlijk niets aan is om baby te zijn. Een baby kan je niet vertellen wat hij wil, kan niet buitenspelen en geen spelletjes doen. Het grootste deel van de tijd ligt hij maar wat te slapen. Vertel je peuter dat de baby niet kan wachten tot hij net zo groot is als zijn grote broer of zus, zodat hij ook mee kan doen aan al die leuke spelletjes.

Je peuter zal de baby waarschijnlijk af en toe vervelend en lastig vinden en ook af en toe jaloers zijn. Probeer dan niet boos te worden, maar erachter te komen waarom hij zich zo voelt en of er iets is wat jij kunt doen om de situatie te verbeteren. Geef de baby niet de schuld van jouw vermoeidheid en verminderde beschikbaarheid. Probeer je te richten op de een-op-eenmomenten met je peuter, zodat hij begrijpt dat er elke dag tijd en ruimte voor hem is en dat jij daar ook echt naar uitkijkt.

Het belangrijkste op dit moment is misschien wel je peuter ervan te overtuigen dat zijn vertrouwde leventje gewoon doorgaat. Als zijn schema's en rituelen goed gevestigd zijn, weet hij wat hij elke dag verwachten kan en dat geeft hem zekerheid. Houd hem bezig en zorg ervoor dat hij plezier heeft. Zo wordt het voor iedereen gemakkelijker.

4 Een vast patroon instellen

Voor dit boek heb ik een serie schema's en richtlijnen opgesteld die je zullen helpen in zowel de behoeften van je baby als die van je peuter te voorzien. Het instellen van schema's kan even lastig zijn, maar als je volhoudt en consequent bent, zul je aan het eind van de rit beloond worden met twee blije, tevreden kinderen.

De belangrijkste punten die mij opvielen bij baby's die in korte tijd een goed voedings- en slaappatroon aannamen, waren:

- Er zat niet al te veel tijd tussen de voedingen overdag.
- De ouders hadden een positieve aanpak, wilden een vaste routine en probeerden het de eerste paar weken zo rustig mogelijk te houden.
- De baby ging zo weinig mogelijk van hand tot hand bij bezoek, zodat hij zich ontspannen en veilig voelde in zijn nieuwe omgeving.
- Na de voedingen overdag werd de baby korte tijd wakker gehouden.
- Als de baby goed gevoed was en een boertje had gelaten, werd hij geprikkeld en werd er even met hem gespeeld.
- Vanaf de eerste dag was er sprake van een avondritueel: elke avond ging het kindje in bad, werd gevoed en ging naar bed. Als hij niet meteen lekker ging slapen, zorgden de ouders ervoor dat het in huis zo rustig mogelijk was en troostten ze hem in een rustige, zwak verlichte kamer tot hij in slaap viel.

Bovengenoemde observaties tijdens mijn jarenlange ervaring met honderden baby's en hun ouders liggen aan de basis van wat nu bekend is als de 'Tevreden Baby'-schema's.

HET SCHEMA VAN DE TEVREDEN BABY EN PEUTER

Voor zowel baby's als ouders heeft het volgen van de Tevreden Baby-schema's veel voordelen, maar een van de grootste daarvan is wel dat de baby's bijna nooit huilen. Dat komt doordat de schema's je heel snel leren wat de tekenen van honger, vermoeidheid, verveling of een van de andere redenen zijn waarom baby's huilen. Het feit dat je in staat bent de behoeften van de baby te begrijpen en er snel en op vertrouwde wijze in kunt voorzien, zorgt ervoor dat jullie beiden kalm en onbezorgd blijven en zo onnodig huilen voorkomen. Het veelgeziene scenario van kribbige baby's en bezorgde ouders, dat je bij een tweede kind liever niet weer wilt, kan zo vermeden worden.

Om een goede start te maken met de schema's is het van groot belang dat je een voldoende grote melkproductie hebt als je borstvoeding geeft. Veel vrouwen die zwanger zijn van de tweede vragen zich af hoe ze een goede borstvoedingsroutine kunnen ontwikkelen met een energieke peuter in huis. Als je de eerste keer borstvoeding hebt gegeven, weet je ongetwijfeld nog wel dat je een groot deel van de tijd dat de baby wakker was aan het voeden was. Als je ervan uitgaat dat een voeding soms wel een uur duurt en de meeste baby's in het begin acht tot tien voedingen per dag krijgen, lijkt het een onmogelijke opgave om borstvoeding te geven en ook nog voor je peuter te zorgen. Ik zal niet beweren dat het eenvoudig is, maar van de moeders met wie ik gewerkt heb en via de duizenden berichten op mijn forums van moeders met twee of drie kinderen weet ik dat het te doen is. Als je dezelfde Tevreden Baby-schema's gebruikt voor je tweede als voor je eerste kind, kun je al te veel nachtvoedingen vermijden. Voor een pasgeboren baby en een peuter zorgen is op zichzelf al vermoeiend genoeg, daar heb je niet ook nog een paar nachtvoedingen bij nodig. Hoe gebroken je nachten zullen zijn, is in grote mate afhankelijk van hoe je je baby in de eerste week voedt.

Het geheim van een succesvolle borstvoeding is een goede start maken. Moedermelk wordt geproduceerd op basis van vraag en aanbod, en voor een goede melkproductie is het essentieel na de bevalling je baby vaak kleine beetjes te geven. Alle moeders die ik ken die al in het ziekenhuis begonnen met om de drie uur te voeden, merkten dat zich aan het eind van de week al een patroon had ontwikkeld. Ze konden dan heel snel van start met het eerste schema. Door vanaf het allereerste begin de voeding overdag goed te structureren konden ze excessief nachtelijk voeden voorkomen.

DE TEVREDEN BABY-BORSTVOEDING

De volgende richtlijnen zijn bedoeld voor een zo goed mogelijke start van de borstvoeding. Zie blz. 60-63 voor informatie over flesvoeding.

- Door je baby in het begin om de 3 uur te voeden begin je meteen meer melk aan te maken. Als je baby overdag genoeg te drinken heeft, zal hij 's nachts langere perioden achtereen doorslapen. De 3 uur wordt gerekend vanaf het begin van een voeding tot het begin van de volgende voeding.
- Een pasgeboren baby heeft maar een kleine maag en kan alleen nog maar verzadigd raken door vaak kleine beetjes te drinken. Als je je baby van 6.00 uur 's ochtends tot middernacht om de 3 uur voedt, zul je nooit de 'hele nacht aan het voeden' zijn. Als heel kleine baby's in staat zijn langere tijd op een voeding te teren, gebeurt dit 's nachts en niet overdag als je mijn schema's aanhoudt.
- Maak je baby de eerste dagen tussen 6.00 uur en middernacht elke 3 uur wakker voor korte voedingen. Op deze manier heb je de borstvoeding goed op gang voor het moment dat de melkproductie echt begint.
- Begin met 5 minuten per borst om de 3 uur en voer die tijd elke dag met een paar minuten op tot de melktoevoer goed op gang komt.
- Tegen de tijd dat de melkaanmaak goed op dreef is, moet je de tijd aan de borst opgevoerd hebben tot 15-20 minuten. Veel baby's krijgen voldoende melk uit de eerste borst en zingen het prima uit tot ze 3 uur later weer mogen. Heeft je baby echter lang voordat de 3 uur zijn verstreken al honger, dan moet je hem uiteraard voeden en bied je hem tijdens elke voeding desnoods beide borsten.
- Het is belangrijk om te controleren of je baby de eerste borst helemaal leeg heeft gedronken voordat je de tweede aanbiedt. Mijn ervaring is dat de baby's van moeders die te snel van borst wisselen te veel voormelk krijgen. Dit is volgens mij een van de belangrijkste redenen dat baby's niet verzadigd raken en last van darmkrampjes hebben (zie blz. 204-205). Een slaperige baby kan wel 20-25 minuten nodig hebben om die belangrijke achtermelk te bereiken (die minstens driemaal zo vet is als de voormelk). Andere baby's komen echter veel sneller bij de achtermelk. Laat je leiden door je baby in het bepalen van hoeveel tijd hij nodig heeft

om verzadigd te raken en let op de signalen dat hij de achtermelk bereikt heeft (zie onder). Als je baby goed drinkt binnen het tijdschema dat ik aanbeveel, blij en tevreden is en veel natte luiers heeft, is het duidelijk dat hij voldoende melk binnenkrijgt in de tijd dat hij aan de borst drinkt.

Voor- en achtermelk

Tegenwoordig hebben veel lactatiekundigen de instelling dat moeders zich niet te druk moeten maken om het verschil tussen voor- en achtermelk en dat een goed evenwicht tussen de twee soorten niet relevant is voor hoe verzadigd een baby raakt. Ik ben het hier niet mee eens en geloof nog steeds sterk in wat ik in mijn eerste boek heb gezegd, namelijk dat de hoeveelheid achtermelk die een baby binnenkrijgt in grote mate bepaalt hoelang een baby het uithoudt tot de volgende voeding. Aan het begin van de voeding krijgt de baby voormelk, die minder geconcentreerd is en een relatief laag vetgehalte heeft. Verderop in de voeding gaat de baby minder hard zuigen en pauzeert hij langer tussen het zuigen door. Dit is een teken dat hij de achtermelk bereikt heeft. Hoewel hij maar een kleine hoeveelheid achtermelk krijgt, geloof ik wel dat die heel belangrijk is. Laat je baby daarom lang genoeg aan een borst om bij de achtermelk te komen. Deze achtermelk helpt je baby het langer uit te zingen tussen de voedingen door.

De laatste tien jaar heb ik meer dan vijfduizend moeders bijgestaan en een groot deel van hen had problemen met het voedings- en slaappatroon van hun baby. Bij sommigen van hen was de hoofdreden dat hun baby niet lang genoeg aan een borst bleef om bij de achtermelk te komen. Als je van borst wisselt voordat je baby de eerste borst helemaal leeg heeft gedronken, krijgt hij waarschijnlijk tweemaal een hele sloot voormelk. Hierdoor raakt zijn maag snel gevuld, maar heeft hij na korte tijd alweer honger. Als hij dan weer een voeding met voormelk krijgt, kan dat al snel leiden tot darmkrampjes (zie blz. 204-205).

Voer de tijd dat je baby aan de borst ligt geleidelijk op. Aan het eind van de eerste week, als je baby minstens 25 minuten aan de eerste borst drinkt en dan 5-15 minuten aan de tweede, kun je er redelijk van op aan dat je baby de juiste balans tussen voor- en achtermelk krijgt. Hierop kan hij tussen de meeste dagvoedingen door blij en tevreden een uur of drie teren. Als je baby tijdens elke voeding aan beide borsten drinkt, begin dan altijd met de borst waarmee je de laatste keer bent geëindigd. Zo wordt elke borst om de voeding volledig geleegd.

Houd om de melk goed te laten stromen en voor de juiste balans tussen voor- en achtermelk de volgende richtlijnen aan:

- Zet van tevoren alles klaar wat je nodig hebt voor een voeding: een comfortabele stoel met armleuningen en een rechte rug en eventueel een voetenbankje; kussens om jezelf en de baby te ondersteunen; een glaasje water en wat rustige muziek voor een ontspannende, aangename voeding voor jullie allebei.
- Als je peuter bij de voeding aanwezig is, zorg dan van tevoren dat hij iets heeft om zich een tijdje mee te vermaken (zie blz. 46). Een noodplan voor onverwachte verveling kan ook handig zijn.
- Het is heel belangrijk dat je de tijd neemt om je baby goed aan te leggen, want een slechte positie kan leiden tot pijnlijke en soms zelfs bloedende tepels. Dit kan vervolgens de melkproductie negatief beïnvloeden.
- Zorg er altijd voor dat je baby de eerste borst helemaal leegdrinkt voordat je hem aanlegt aan de tweede. Het is de kleine hoeveelheid vette achtermelk waarop hij het langer volhoudt tussen de voedingen door.
- Tijdens de eerste dagen hebben niet alle baby's de tweede borst nodig. Als je baby de eerste borst helemaal leeg heeft, laat hem dan een boertje doen en verschoon zijn luier. Bied daarna de tweede borst aan. Als hij meer melk nodig heeft, zal hij drinken. Als hij verzadigd is, begin dan de volgende keer met de tweede borst.
- Ook als je baby wel uit de tweede borst drinkt, begin je de volgende voeding toch met die tweede borst. Op die manier worden beide borsten om de voeding volledig geleegd, een signaal voor de borsten om meer melk aan te maken.
- Als de melkproductie goed op gang is gekomen en je de tijd dat je baby aan de borst ligt hebt opgevoerd, is het belangrijk dat hij lang genoeg drinkt om de achtermelk te bereiken. Sommige baby's doen daar wel 30 minuten over, maar efficiënte drinkers hebben soms al na 15 minuten genoeg.
- Laat je baby nooit lekker doorzuigen aan een lege borst. Daar krijg je alleen maar heel pijnlijke tepels van.

– Sommige baby's zijn heel slaperige drinkers, vooral in de eerste weken na de geboorte. Ik kan mij goed vinden in het advies om je baby 'bloot op bloot' te laten drinken. Dit bevordert niet alleen de band tussen moeder en kind, maar houdt de baby ook lekker koel, waardoor hij wordt gestimuleerd om door te drinken. Hoewel ik aanraad de nachtvoedingen zo kort mogelijk te houden (verschoon zijn luier alleen als het echt nodig is), kan het zijn dat de baby te slaperig is om een hele voeding lang wakker te blijven. Het kan dan helpen zijn inbakerdoek uit te doen, als hij die heeft, en zelfs zijn pyjamaatje los te knopen, dan een borst te geven, zijn luier te verschonen, zijn pyjamaatje weer vast te maken en hem eventueel weer in te bakeren. Daarna maak je de voeding af. Zo wordt je kindje wakkerder en zal hij beter drinken. De kans dat hij die nacht dan nog een keer wakker wordt, is klein.

Onthouden met welke borst je moet beginnen

Sommige moeders met wie ik heb gewerkt, droegen een elastiekje om de pols van de kant van de borst waaraan hun baby de volgende voeding moest beginnen, andere speldden een veiligheidsspeld op hun behabandje. Wat je ook doet, bedenk een methode die je in het begin helpt herinneren welke borst je als eerste moet geven. Als je eenmaal een goed voedingspatroon hebt ingesteld, zul je vanzelf weten dat je bijvoorbeeld rechts begint bij de ochtendvoeding, links bij de middagvoeding etc. Dat is ook een voordeel van het aanhouden van mijn schema's.

Melk afkolven

In mijn eerste boek zei ik dat ik van mening ben dat het afkolven van melk tijdens de eerste dagen in belangrijke mate bepaalt of een moeder erin zal slagen de borstvoeding volgens een vast schema te geven. Veel moeders vinden het lastig om bij een tweede baby ook nog tijd te vinden om melk af te kolven en kiezen er daarom voor het niet te doen. Sommigen lukt het toch om de schema's aan te houden door de baby gewoon wat vaker of langer aan te leggen tijdens een groeispurt, maar uit de vele berichten op mijn forums heb ik kunnen opmaken dat dit weer tot andere problemen leidt, zoals meer gebroken nachten of eerder dan de moeder had gewild over moeten gaan op flesvoeding. Als je in het begin zo weinig tijd hebt, lijkt het niet erg realistisch om tweemaal per dag 10-20 minuten met afkolven bezig te zijn. Toch is dit eigenlijk helemaal niet zo lang, en als je iets hebt om je peuter mee bezig te houden, is het best te doen. Zet de tijd die je kwijt bent aan afkolven maar eens af tegen de tijd die extra nachtvoedingen en lange dagvoedingen kosten tijdens de groeispurts van je baby.

Hieronder vind je de redenen op een rij waarom ik denk dat het afkolven van melk belangrijk is voor het instellen van patronen in de eerste dagen:

- Moedermelk wordt aangemaakt op basis van vraag en aanbod. In de eerste dagen zullen de meeste baby's de eerste borst leegdrinken en misschien nog een slokje uit de tweede nemen. Maar weinig baby's drinken in dit stadium beide borsten leeg. Tegen het eind van de tweede week stabiliseert de melkproductie en produceren de meeste moeders precies zoveel als hun kindje vraagt.
- In de derde en vierde week maakt de baby een groeispurt door en heeft hij meer melk nodig. Als je je baby volgens een vast schema probeert te voeden en je hebt het gangbare advies opgevolgd om de eerste zes weken niet af te kolven, is dit het moment waarop de problemen vaak beginnen.
- Om aan de grotere vraag naar melk te voldoen, zou je weer om de 2-3 uur moeten gaan voeden en vaak ook nog twee keer per nacht. Dit voedingspatroon herhaalt zich elke keer dat de baby een groeispurt doormaakt en leidt er vaak toe dat de baby voortdurend vlak voor het naar bed gaan wordt gevoed. Dit kan tot een verkeerde slaapassociatie leiden, waardoor het nog moeilijker wordt om de baby weer in het vaste patroon te krijgen.
- Moeders die de extra melk die ze de eerste dagen produceren afkolven, zullen altijd meer melk aanmaken dan hun kindje nodig heeft. Wanneer hun kindje een groeispurt doormaakt, blijft het schema precies hetzelfde, aangezien een grotere eetlust meteen kan worden bevredigd door bij de eerste voedingen van de dag gewoon wat minder melk af te kolven. Wanneer je vanaf het begin afkolft, krijg je ook geen last van het probleem van de lage melktoevoer.
- Als je eerder problemen met afkolven hebt gehad, laat je daar dan niet door ontmoedigen. Als je afkolft op de tijdstippen die ik in mijn schema

voorstel en de volgende richtlijnen aanhoudt, zal het een stuk gemakkelijker worden:

- Het beste moment om melk af te kolven is 's ochtends, omdat je borsten dan meestal voller zijn. Afkolven gaat ook gemakkelijker als je het aan het begin van een voeding doet. Kolf één borst af vlak voor je je kindje gaat voeden, of laat je baby één borst leegdrinken, kolf de melk van de andere borst dan voor een groot deel af en laat je baby dan verder drinken.
- Sommige moeders vinden het gemakkelijker om melk af te kolven uit een borst terwijl hun baby aan de andere ligt te drinken. Het is goed om te weten dat als je afkolft aan het begin van een voeding die borst iets langer de tijd heeft om weer vol te raken voor de volgende voeding.
- In mijn schema stel ik voor dat de moeder de melk om 6.45 uur afkolft, maar als je veel melk produceert en dat te vroeg vindt, kun je de tweede borst ook rond 7.30 uur afkolven, nadat je baby de eerste heeft leeggedronken. Moeders die zich zorgen maken om hun melkproductie of die het programma voor een hogere productie (blz. 221-225) volgen, doen er wel goed aan zich aan de aanbevolen tijdstippen te houden.
- De eerste dagen heb je minstens 15 minuten nodig om bij de ochtendvoedingen 60-90 ml melk af te kolven; 's avonds kan dat tot 30 minuten oplopen. Probeer ervoor te zorgen dat het tijdens het kolven rustig en ontspannen is. Hoe meer je oefent, hoe gemakkelijker het gaat. Mijn ervaring is dat de meeste moeders tegen het einde van de eerste maand bij de avondvoeding van 22.00 uur met gemak 60-90 ml melk afkolven in 10 minuten tijd, mits ze een dubbel pompsysteem gebruiken (zie blz. 60).
- Als het je lukt om 15 minuten eerder op te staan en voor de voeding van 7.00 uur melk af te kolven, voordat je peuter wakker is en rondhuppelt, maak je het jezelf een stuk gemakkelijker.
- Als het je niet lukt om om 9.30 uur af te kolven, probeer het dan na de lunch, als het allemaal wat rustiger is. Ik zou niet later dan 13.30 uur afkolven, want de meeste moeders maken in de loop van de dag minder melk aan en het is heel belangrijk dat je genoeg hebt voor de avond, zodat je baby om 19.00 uur goed verzadigd raakt.

- Een elektrische, zware borstkolf, het type dat in ziekenhuizen wordt gebruikt, is verreweg de beste om de eerste dagen te gebruiken om af te kolven. De zuigkracht van deze apparaten is zo afgesteld dat hij het zuigritme van een baby nabootst, waardoor de melk goed gaat stromen. Wanneer je om 22.00 uur beide borsten afkolft, is het wellicht de moeite waard om een extra hulpstuk te kopen waarmee je beide borsten in één keer kunt afkolven; zo ben je er veel minder tijd mee kwijt.
- Soms schiet de melk 's avonds langzamer toe; de borsten produceren dan namelijk minder melk. Een onspannend warm bad of een warme douche helpt dan meestal ook wel. Je kunt je borsten voor en tijdens het kolven ook voorzichtig masseren.
- Sommige moeders hebben er baat bij naar een foto van hun kindje te kijken, andere kijken liever naar een favoriet televisieprogramma of kletsen wat met hun partner. Je moet zelf maar proberen wat voor jou het beste werkt.

FLESVOEDING

Als je ervoor gekozen hebt je tweede kindje de fles te geven, kun je hetzelfde schema volgen als voor borstvoeding (zie blz. 54). Het enige verschil is dat je kindje met de voeding van 7.00 uur waarschijnlijk langer dan 3 uur toe kan, maar verder is de timing precies dezelfde. Bij een gesplitste voeding – je geeft bijvoorbeeld één borst voor het badje en één erna – kun je hetzelfde patroon voor de flesvoeding aanhouden. Voor dit tijdstip maak ik altijd twee aparte, kleinere voedingen klaar.

Je kunt flesvoeding op kamertemperatuur geven. Als je om wat voor reden dan ook de flesvoeding wilt opwarmen, doe je dat met behulp van een elektrische flessenwarmer of door de fles in een pan kokend water te zetten. Verwarm de fles nooit in de magnetron, want de warmte is dan niet altijd gelijkmatig verdeeld, waardoor de baby zijn mondje kan branden. Hoe je de fles ook verwarmt, controleer altijd de temperatuur voordat je je baby laat drinken. Dit doe je door een paar druppels op de binnenkant van je pols te doen; de melk moet lauw aanvoelen, nooit heet. Als de melk eenmaal verwarmd is, mag je hem niet nog een keer opwarmen, aangezien de bacteriën in de melk zich hierdoor snel vermeerderen. Dat is een van de belangrijkste oorzaken van darmstoornissen bij flessenbaby's. Meestal geeft men voor flessenbaby's globaal hetzelfde advies als voor borstbaby's: laat de baby drinken wanneer en zoveel hij wil. Je hoeft er weliswaar niet voor te zorgen dat de melktoevoer op gang komt, maar de andere problemen die zich bij borstvoeding voordoen, kunnen ook nu optreden. Een flesgevoede baby die bij de geboorte 7 pond of meer woog, kan meteen het vaste schema voor twee tot vier weken volgen. Een kleinere baby redt dit nog niet en zal elke 3 uur gevoed moeten worden.

Hoeveel en hoe vaak?

Gezondheidsdeskundigen zeggen dat een baby jonger dan vier maanden 70 ml melk per pond lichaamsgewicht nodig heeft; een baby van 7 pond heeft dus ongeveer 500 ml per dag nodig. Die hoeveelheid moet dan over zes voedingen per dag verdeeld worden. Dit is slechts een richtlijn; hongerige baby's hebben bij sommige voedingen soms 30 ml extra nodig. Als jouw baby tot deze groep behoort, moet je de voedingen zo indelen dat hij de grootste porties op het juiste tijdstip krijgt, namelijk om 7.00 uur, 10.30 uur of 22.30 uur. Als je hem eraan laat wennen dat hij de grotere voedingen midden in de nacht krijgt, zal dat er uiteindelijk toe leiden dat hij 's ochtends bij het wakker worden niet zo'n honger heeft. Dan ontstaat er een vicieuze cirkel waarbij hij 's nachts moet worden gevoed omdat hij overdag niet genoeg binnenkrijgt.

Hier gelden dezelfde richtlijnen als voor borstvoeding: probeer ervoor te zorgen dat de baby het grootste gedeelte van zijn dagelijkse melkbehoefte tussen 7.00 en 23.00 uur binnenkrijgt. Op die manier heeft hij 's nachts alleen een kleinere voeding nodig en zal hij die uiteindelijk helemaal kunnen overslaan.

De voeding geven

Zet alles van tevoren klaar: stoel, kussens, slabbetje en spuugdoekje. Net als bij borstvoeding is het van belang dat je gemakkelijk zit; je kunt er eenzelfde soort stoel voor gebruiken. Ik adviseer moeders altijd de eerste dagen de arm waarin ze de baby vasthouden met een kussen te ondersteunen, zodat de baby iets omhoog wordt gehouden, met zijn ruggetje recht. Door de baby vast te houden zoals op tekening A is de kans kleiner dat er lucht in zijn maagje komt, wat wel bij de houding op tekening B kan gebeuren.

Zo houd je je baby vast tijdens het geven van de fles:

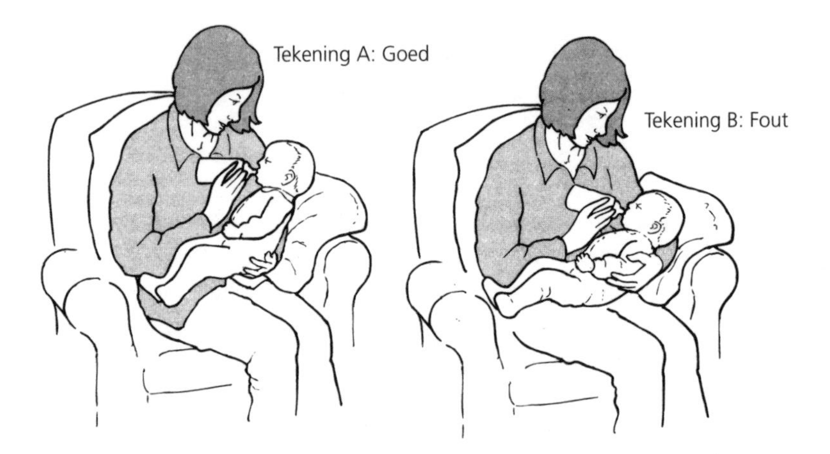

Als je peuter ook in de buurt is, zorg er dan voor dat hij zich een tijdje kan vermaken (zie blz. 46) en maak ook een noodplan voor het geval hij zich gaat vervelen.

Voor je gaat voeden, draai je de speen los en weer vast; hij moet een heel klein beetje loszitten. Als hij te strak op de fles is gedraaid, kan er geen lucht in, met als gevolg dat je kind wel zuigt maar geen melk binnenkrijgt.

Controleer ook of de melk niet te heet is; hij mag maar een beetje warm zijn. Als je kindje aan heel warme melk went, zul je merken dat als de melk tijdens de voeding afkoelt, hij niet meer wil drinken. Aangezien het is af te raden de melk opnieuw op te warmen of de fles langdurig in heet water te laten staan, kan het zijn dat je dan voor elke voeding twee flessen moet klaarmaken.

Als je de fles geeft, zorg er dan voor dat je deze zodanig schuin houdt dat de speen steeds met melk is gevuld. Zo voorkom je dat de baby te veel lucht binnenkrijgt. Laat je baby zoveel drinken als hij wil; stop dan en laat hem boeren. Als je hem probeert te laten boeren voordat hij klaar is, wordt hij waarschijnlijk boos en gaat hij huilen.

Sommige baby's drinken de fles grotendeels leeg, doen een boertje en willen dan een pauze van 10-15 minuten voordat ze de rest van de melk opdrinken. In de eerste dagen kan zo'n flesvoeding dan, inclusief een pauze halverwege, wel 40 minuten in beslag nemen. Zodra de baby zes tot acht weken oud is, zal hij zijn fles waarschijnlijk in een minuut of twintig leegdrinken.

Als je vindt dat je baby heel lang over zijn fles doet, of als hij telkens halverwege in slaap valt, kan het zijn dat je een speen met te weinig gaatjes gebruikt. Het is mijn ervaring dat veel baby's meteen een speen met twee gaatjes kunnen hebben, aangezien de melktoevoer door de speen met één gaatje te langzaam gaat (zie blz. 203).

Er zijn ook baby's die binnen 10-15 minuten een hele fles leegdrinken en die dan nog meer willen. Van deze baby's wordt vaak gezegd dat ze meer honger hebben, maar in werkelijkheid hebben ze gewoon een sterke zuigbehoefte. Daardoor hebben ze hun fles heel snel leeg. Zuigen is niet alleen bedoeld om voedsel binnen te krijgen, maar is in de eerste tijd ook een natuurlijke behoefte. Als je baby bij elke voeding de voorgeschreven hoeveelheid melk heel snel opheeft en dan meer wil, kun je proberen een speen met minder gaatjes te gebruiken. Door hem na de fles een fopspeen te geven kan hij zijn zuigbehoefte ook bevredigen.

Flessenbaby's kunnen gemakkelijk te snel aankomen als ze veel meer voeding krijgen dan de hoeveelheid die voor hun gewicht voorgeschreven wordt. Een extraatje van 50-100 ml per dag geeft meestal geen problemen, maar een baby die te veel drinkt en regelmatig meer dan 225 gram per week aankomt, wordt uiteindelijk te dik en komt in een stadium waarin zijn honger niet meer met melk alleen te stillen is. Als dit gebeurt voordat hij de leeftijd heeft bereikt waarop hij vast voedsel mag hebben (zie blz. 141), kan dat echt problemen geven.

Het is normaal dat baby's bij sommige voedingen 30 ml extra krijgen, maar pas op als je baby meer dan 150 ml melk per dag extra krijgt en regelmatig meer dan 225 gram per week aankomt. Bij flessenbaby's met een grote zuigbehoefte kan het helpen om tussen de voedingen door een fles met gekookt afgekoeld water en na de voedingen een fopspeen te geven.

Als je het gevoel hebt dat je je kindje aan het overvoeden bent, bespreek het probleem dan op het consultatiebureau of met je huisarts.

SLAPEN

Alle baby's zijn anders en als het op het slaappatroon van je tweede kind aankomt, kun je er niet van uitgaan dat het kindje op hetzelfde moment zal doorslapen als je eerste kind. Het doel van de Tevreden Baby-schema's in de eerste dagen is het verkrijgen van een vast slaappatroon waarin de baby overdag en 's avonds dutjes doet en na de late voeding 's nachts nog maar één keer wakker wordt. Een van de grootste vergissingen die ik veel moeders van tweede kinderen zie maken, is dat ze proberen op een bepaalde leeftijd een einde te maken aan de nachtvoeding omdat hun oudste er vanaf die leeftijd ook zonder kon. Weken zijn ze bezig hun baby midden in de nacht af te schepen met een flesje water of een knuffel, terwijl dat vaak alleen maar leidt tot een patroon van nachtelijk ontwaken en een prikkelbare, vermoeide baby overdag.

In dit geval is mijn advies altijd: keer terug naar het 's nachts voeden en richt je aandacht op het aanbrengen van structuur in de voedingen en slaapjes overdag. De meeste baby's gaan 's nachts doorslapen als ze eraan toe zijn, mits jij hun de juiste slaapassociaties aanleert, structuur aanbrengt in de voedingen en dutjes overdag en ervoor zorgt dat je baby overdag niet te veel slaapt.

Wil je de Tevreden baby-schema's laten slagen, dan moet je ervoor zorgen dat de voedingen 's nachts snel verlopen en je kindje gauw weer slaapt. Als hij 's nachts te lang wakker is, kan hij overdag prikkelbaar en oververmoeid raken. Een baby die overdag voortdurend moe is, slaapt en drinkt niet goed. Voordat je het weet zit je dan in een vicieuze cirkel van zowel overdag als 's nachts slecht slapen.

Inbakeren

Ik ben ervan overtuigd dat baby's de eerste weken beter slapen als ze ingebakerd zijn. Of je dit nu met een deken of een wikkeldoek doet, de lap moet altijd van heel dunne, zuivere katoen zijn die iets rekt. Als je je baby inbakert, is het heel belangrijk dat je de wikkeldoek niet dubbelslaat. Om oververhitting te voorkomen moet je de baby altijd in één enkele laag inbakeren. Als je je baby ingebakerd in bed legt, dek hem dan met minder dekentjes toe.

Het is belangrijk dat je je kindje er na een week of zes aan went dat hij half ingebakerd wordt (tot onder de armpjes). Het percentage kinderen dat sterft aan wiegendood is het hoogst bij kinderen tussen twee en vier maanden en oververhitting schijnt hiervan een van de belangrijkste oorzaken te zijn. Verder mag je je baby alleen op heel koude nachten nog een dekentje geven; controleer altijd of je hem niet met te veel lagen toedekt en of de temperatuur in de kamer tussen de 15 °C en 18 °C is, zoals wordt aanbevolen door wetenschappers die onderzoek hebben gedaan naar wiegendood.

Als je van plan bent je baby in te bakeren, raadpleeg dan bij voorkeur een deskundige of het consultatiebureau.

Zo baker je je baby in:

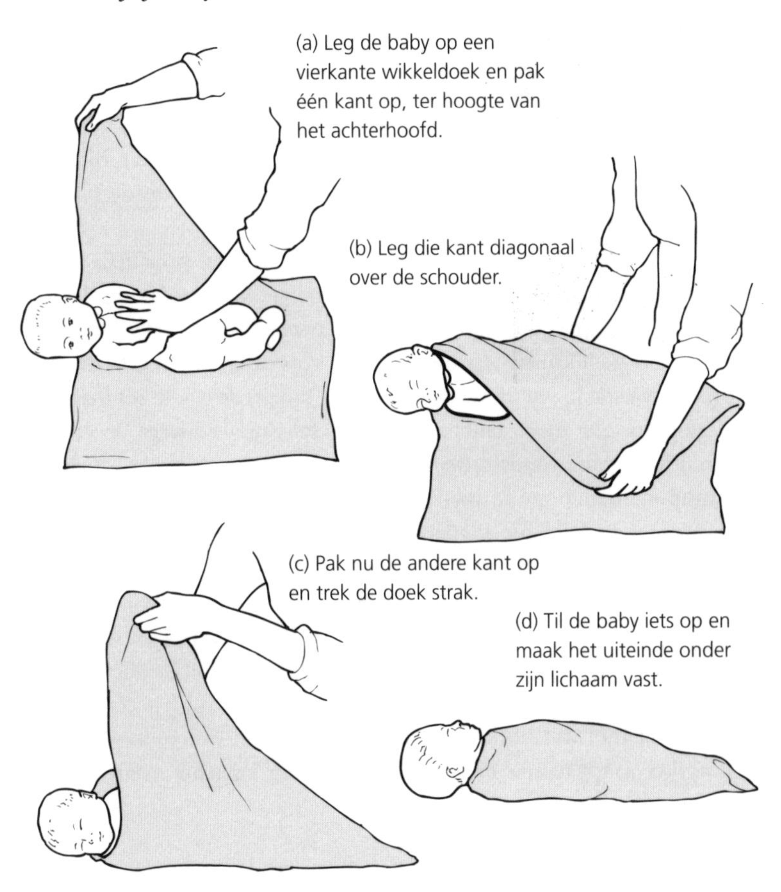

Structuur aanbrengen in dutjes overdag

Je strikt houden aan schema's is bij een eerste kind vaak gemakkelijker, maar dat wil niet zeggen dat het bij een tweede kind onmogelijk is om al in een vroeg stadium vaste patronen in te stellen. Het geheim van het instellen van vaste patronen voor je tweede kind is leren hoe je de schema's zo kunt aanpassen dat je voorziet in de voedings- en slaapbehoeften van je baby én dat ze te combineren zijn met de behoeften van je peuter.

Door vanaf het begin de Tevreden Baby-basisprincipes voor gezonde slaapgewoonten te volgen en deze aan te passen wanneer nodig, zul je je doel behalen: een tevreden baby die zowel overdag als 's nachts goed slaapt.

Een van de belangrijkste dingen om te onthouden is dat de meeste baby's in het begin van hun leven prima in staat zijn 2 uur wakker te blijven. Dat betekent niet dat ze de volle 2 uur wakker *moeten* zijn. Wat wel belangrijk is, is dat ze niet langer dan 2 uur wakker zijn, anders kunnen ze oververmoeid raken. Als je merkt dat je kindje in het begin maar een uurtje, anderhalf uur wakker is, maak je dan vooral geen zorgen. Blijkbaar heeft jouw baby wat meer slaap nodig; naarmate hij groter wordt, blijft hij vanzelf iets langer wakker.

Een ander verhaal is het als je baby overdag in totaal maar zo'n anderhalf uur wakker is en 's nachts urenlang ligt te spoken. In dat geval zul je harder je best moeten doen om hem overdag wakker te houden, zodat hij 's nachts meer gaat slapen. Zie blz. 234-235 voor advies hieromtrent.

Bij een tweede kindje zul je merken dat je tijdens de eerste zes maanden meer aanpassingen moet aanbrengen in de schema's vanwege de crèche- of schooltijden van je oudste, diens speelafspraakjes etc. Op blz. 78 vind je een aantal manieren om de voedings- en slaapschema's aan te passen aan het leven met twee kleine kinderen. Laat je niet ontmoedigen door alle aanpassingen en het gegoochel met tijden in het begin. Het belangrijkste wat je probeert te bereiken zijn de juiste slaapassociaties en een baby die overdag en 's nachts goed slaapt. De dutjes overdag vallen soms misschien niet helemaal op de tijden die het schema voorstelt, en het kan best zo zijn dat je veel meer gesplitste voedingen en dutjes hebt dan bij je eerste kind. Maar vergeet niet wat het doel is: dat je kindje niet oververmoeid raakt, dat hij goed slaapt tussen 19.00 en 22.00 uur en 's nachts maar één keer wakker wordt.

Het belang van dutjes

In mijn eerste boek heb ik het belang benadrukt van het aanbrengen van structuur in de dutjes overdag, zodat het langste slaapje 's middags valt en je baby 's ochtends en aan het eind van de middag, begin van de avond nog een kort slaapje heeft. Ik raad af om het langste slaapje 's ochtends te laten vallen, gevolgd door een korter dutje 's middags, want dat kan er in de tweede helft van het eerste jaar toe leiden dat je kindje 's ochtends heel vroeg wakker is.

Het kan heel verleidelijk zijn om je kindje 's ochtends langer te laten slapen, want dan heb je meer tijd voor huishoudelijke beslommeringen en voor je peuter. Ik kan echter niet genoeg benadrukken hoe belangrijk het is om het ochtenddutje kort te houden. Rond vier tot zes maanden hebben baby's vaak minder behoefte aan slapen overdag. Meestal wordt het late middagdutje korter. Dat betekent dat het ochtendslaapje dan het langste dutje van de dag wordt. Je kindje zal aan het eind van de middag uitgeput zijn en om 18.30 uur naar bed moeten, met als gevolg dat hij om 6.00 uur alweer wakker zal zijn. En als het je wel lukt om hem aan het eind van de middag nog een dutje te laten doen, krijg je waarschijnlijk daarna weer het probleem dat hij om 19.00-19.30 uur niet kan slapen. Een huilerige baby kan je peuter vervolgens ook prikkelbaar maken, en twee geïrriteerde kinderen rond bedtijd is een scenario dat je graag vermijdt.

Hieronder vind je enkele richtlijnen waarmee je ervoor kunt zorgen dat je baby overdag de juiste hoeveelheid slaap krijgt en 's avonds ook lekker wil gaan slapen:

- Heel kleine baby's kunnen niet langer dan 2 uur wakker blijven voordat ze moe worden. Als je baby langer dan 2 uur wakker is, kan hij zo uitgeput raken dat hij bij zijn eerstvolgende dutje veel langer dan normaal slaapt. Dit kan een kettingreactie teweegbrengen in zijn hele vaste patroon en ertoe leiden dat hij 's avonds en 's nachts slecht slaapt. Het is daarom heel belangrijk dat je structuur aanbrengt in de wakkere perioden, zodat het voedings- en slaapplan goed blijft werken.

- Om te achterhalen of je baby veel slaap nodig heeft of niet, kun je het best kijken naar hoe hij 's nachts slaapt. Als hij overdag 1,5 uur wakker kan blijven en 's avonds lekker gaat slapen en 's nachts ook snel drinkt en weer verder slaapt, is het een kindje dat wat meer slaap nodig heeft. Uiteindelijk zal hij langer wakker kunnen blijven als je hem daartoe de gelegenheid geeft. Bijvoorbeeld door hem zijn dutjes te laten doen in een heel rustige omgeving en hem in de tijd ertussen juist in een lichte, sociale, lawaaiige omgeving te houden.

Als je baby overdag maar een uurtje achter elkaar wakker kan blijven, maar 's nachts wel uren wakker ligt, kan het zijn dat hij een omgekeerd dag- en nachtritme heeft en is het de moeite waard om hem overdag wat langer wakker te houden. Zie blz. 234-235 voor advies hierover.

- Baby's leren door associatie. Het is dus heel belangrijk om je baby vanaf dag een de juiste associaties bij te brengen en duidelijke verschillen te laten zien tussen voeden, spelen, knuffelen en slapen.
- Op sommige delen van de dag zal je baby wel meer dan 2 uur heel tevreden wakker kunnen blijven, terwijl hij op andere tijdstippen na een uur al moe is. Dat is heel normaal in het begin. Ik zeg dan ook niet voor niets dat ze 2 uur wakker kunnen blijven, niet dat ze dat moeten.

In combinatie met de schema's helpen de volgende richtlijnen je baby gezonde slaapgewoonten te ontwikkelen:

- Probeer hem na een voeding overdag een tijdje wakker te houden.
- Laat hem tijdens zijn ochtend- of middagdutje niet al te lang slapen.
- Laat hem na 15.15 uur niet meer drinken, anders wil hij bij zijn volgende voeding niet drinken.
- Houd je elke avond aan hetzelfde schema en laat geen bezoek komen op het tijdstip dat je baby ontspant voor het naar bed gaan.
- Laat je baby niet oververmoeid worden; trek minstens een uur uit voor zijn badje, voeding en ontspanning voor het slapengaan.
- Prikkel hem na zijn badje niet meer te veel en speel niet meer met hem.
- Wieg hem niet in je armen in slaap; leg hem wakker in zijn bedje.
- Als je een fopspeen gebruikt (zie blz. 209-211) om je baby rustig te laten worden, haal die dan voordat hij in slaap valt uit zijn mondje. Laat je kindje niet met een fopspeen in zijn mond in slaap vallen, want dan leert hij verkeerde slaapassociaties aan.

– Als je baby in slaap valt aan je borst of aan de fles, maak hem dan weer een beetje wakker voordat je hem in zijn bedje legt.

Slaap structureren

Het is heel belangrijk dat je in een gestaag tempo door de schema's gaat. Maar al te vaak werk ik met ouders die zeggen dat hun baby eerst een perfecte slaper was maar nu 's ochtends steeds heel vroeg wakker wordt. Aangenomen dat het voeden goed gaat, is de reden bijna altijd dat de ouders niet met de schema's mee zijn gegaan en de dutjes overdag niet op tijd hebben teruggebracht. Sommige baby's gaan overdag uit zichzelf wel minder slapen zodra ze er fysiek toe in staat zijn om langere perioden achtereen wakker te blijven, maar heel veel doen dat ook niet uit zichzelf. Voor die baby's is het essentieel dat hun ouders geleidelijk verdergaan in het schema en hun kind overdag minder laten slapen voordat zich problemen voordoen, in plaats van wachten tot hun baby 's ochtends vroeger of zelfs 's nachts wakker wordt. Je kunt de dutjes overdag eenvoudig korter maken en zelfs schrappen door ze steeds een paar minuten minder lang te laten duren. Door zelf het initiatief te nemen het slapen overdag terug te brengen kun je eventuele problemen voor zijn en kan iedereen in huis genieten van 12 uur slaap per nacht.

Het bedritueel

Als je baby eenmaal weer op zijn geboortegewicht zit en goed aankomt, kun je beginnen met het invoeren van een vaste bedtijd om 18.30-19.00 uur. Je kunt hem ook de voeding van 21.00 uur voorbij laten slapen en hem om 22.00 uur voeden. In deze fase moet hij 's nachts iets langer kunnen doorslapen. Als hij bij de laatste voeding goed verzadigd is en om 23.00-23.30 uur weer gaat slapen, zal hij hopelijk tot 2.00-3.00 uur blijven slapen. Als hij ook dan goed drinkt en binnen een uur weer slaapt, zou hij tot 6.00-7.00 uur door moeten kunnen slapen. Hoe snel na middernacht je baby weer wakker wordt, is in het begin sterk afhankelijk van hoe wakker hij was tijdens de laatste voeding en hoeveel hij toen gedronken heeft. Het kan de moeite waard zijn wat meer tijd aan die voeding te besteden om ervoor te zorgen dat je baby zo veel binnenkrijgt dat hij wat langer slaapt.

Het instellen van een goed slaappatroon en je baby goed laten slapen tussen 19.00 en 22.00 uur zijn heel bepalend voor hoe goed je kindje 's nachts doorslaapt. Een baby die om 18.00 uur goed drinkt en tussen 19.00 en 22.00 uur goed slaapt, zal fris wakker worden en weer alle energie hebben voor een volgende voeding. Er zijn echter ook andere factoren die het slaappatroon beïnvloeden: je baby moet overdag een gestructureerd voedings- en slaappatroon hebben, zodat hij hongerig genoeg is om zijn buikje om 17.00-18.15 uur helemaal vol te drinken. Hij moet overdag ook genoeg wakker zijn, zodat hij er om 19.00 uur klaar voor is om te gaan slapen.

Van de gedachte dat je voor je baby én je peuter een patroon voor het slapengaan moet invoeren, kan de moed je flink in de schoenen zakken. Maar als je baby om 18.30-19.00 uur goed gevoed en klaar voor zijn bedje is, is het goed te doen. Als je je baby 's middags echter te lang laat slapen, is hij om 19.00 uur vast nog niet moe genoeg om naar bed te gaan, ook al heeft hij zijn buikje vol.

Hoe gemakkelijk je je baby 's avonds goed in bed krijgt, hangt sterk af van hoe de dag eruitziet. Hieronder zie je een samenvatting van een typische dag voor een tevreden baby en peuter, met twee verschillende opties voor het badritueel. De exacte tijdstippen variëren met de leeftijd van je baby. Je leest daar meer over bij de leeftijdgebonden schema's in de hoofdstukken 5-13.

VOORBEELDSCHEMA VOOR EEN TEVREDEN BABY EN PEUTER

6.00-8.00 uur

- Je voedt je baby en legt hem afhankelijk van hoe laat hij wakker werd weer te slapen of zet hem in een wipstoel terwijl je peuter ontbijt.
- Als je baby om 6.00 uur uit één borst heeft gedronken, kun je hem het best wakker maken en hem de andere borst geven terwijl je peuter ontbijt.
- Probeer beide kinderen om 8.00 uur gevoed te hebben, zodat je nog tijd genoeg hebt voor wassen en aankleden.

8.00-10.00 uur

- Was beide kinderen en kleed ze aan.
- Rond 8.30/9.00 uur is je baby klaar voor een dutje. Als je peuter naar de crèche of peuterspeelzaal gaat, zal je baby dit dutje eventueel in de auto of kinderwagen doen.
- Als je je peuter hebt weggebracht en de tijd laat het toe, kun je de dagelijkse boodschappen gaan doen. Zo slaapt je baby goed tijdens zijn ochtenddutje.

10.00-12.00 uur

- Ergens tussen 10.00 en 11.00 uur moet je baby gevoed worden. Tussen 11.30 en 12.00 uur is hij weer klaar voor een dutje.
- Leg hem na de voeding korte tijd op het speelkleed of in de box zodat jij wat dingen in huis kunt doen.

11.30/12.00 uur

- Je baby is nu toe aan zijn dutje. Als je je peuter moet ophalen, zal de baby het eerste deel van dit dutje weer in de auto of kinderwagen doen.
- Maak zijn bedje klaar voor je de deur uitgaat, zodat je hem er bij thuiskomst zo in kunt leggen. Geef hem indien nodig nog een kleine bijvoeding.

12.30-14.00 uur

- Lunch met je peuter. In deze ontwikkelingsfase heeft hij er veel profijt van als je samen met hem eet. Hij zal beseffen dat hij je weliswaar moet delen met zijn kleine broertje of zusje, maar dat hij ook nog zijn eigen tijd met mama heeft.
- Als je peuter 's middags niet meer slaapt, is het toch goed voor hem als hij na het eten wat rustigs gaat doen. Ontmoedig hem om lawaaiige spelletjes te doen en rond te rennen. Zo kunnen jullie je allebei even opladen. Bovendien komt het het middagdutje van je baby ten goede als het rustig is in huis.

14.00-17.00 uur

- Probeer je baby op zijn laatst om 14.00 uur wakker te hebben en te voeden, zodat minstens de helft van zijn voeding tijdens het middagdutje van je peuter of diens rustige tijd valt.
- Rond 14.30 uur begint je peuter waarschijnlijk een beetje onrustig te worden en wordt het lastig voor hem om te wachten tot je helemaal klaar bent met het voeden van de baby. Dit is een goed moment voor wat drinken en iets te eten erbij. Als je peuter je aandacht vraagt, probeer hem dan een verhaaltje voor te lezen terwijl jij de voeding afmaakt. Zie ook blz. 46 voor manieren om je peuter bezig te houden tijdens het voeden.
- Tegen 15.00 uur slaat vast en zeker de verveling toe bij je peuter, dus plan bij voorkeur voor elke middag een activiteit, zoals een wandeling door het park of een speelafspraak met een vriendje. Wissel de activiteiten zo af dat het niet elke dag even hectisch is. Als je kind 's ochtends naar de crèche of peuterspeelzaal gaat, houd de middagactiviteiten dan een beetje rustig om oververmoeidheid te voorkomen.
- Tussen 16.00 en 17.00 uur heeft je baby een kort dutje nodig. Dat kan in de kinderwagen terwijl jij en je peuter een wandeling door het park maken of, als je thuis bent, in de tuin of een rustig plekje in de woonkamer.
- Als er een vriendje bij jullie komt spelen, vraag diens moeder dan rond 16.30 uur om je even te helpen met het opruimen van het grootste deel van het speelgoed. Hoe minder speelgoed er dan nog ligt, hoe beter de peuters zullen kunnen samenwerken om te helpen opruimen op een moment dat ze moe en hongerig worden.

17.00-18.00 uur

- Je baby heeft rond 17.00 uur de helft van zijn borstvoeding of fles nodig.
- Geef je peuter afhankelijk van hoe actief jullie 's middags zijn geweest rond 17.00 uur zijn avondeten. Het is beter om hem te eten te geven voordat hij echt honger krijgt, want het is behoorlijk lastig om borstvoeding te geven met een prikkelbare peuter om je heen. Het handigst is het om je baby te voeden terwijl je peuter zit te eten.
- Als je je baby voedt terwijl je peuter eet, ga dan zo dicht mogelijk bij hem zitten. Een klein kind mag niet alleen gelaten worden met zijn eten. Dat is niet alleen gevaarlijk, hij kan zich ook in de steek gelaten voelen als jij in een andere kamer of ver bij hem vandaan je baby gaat zitten voeden.

- Als je peuter vriendjes te spelen heeft, kan het eten waarschijnlijk wel even wachten tot 17.30 uur. Dat geeft jou de tijd om eerst je baby te voeden.
- Als je baby goed gevoed en tevreden is, kun je hem even in zijn wipstoeltje zetten of onder de babygym leggen terwijl jij het eten voor je peuter klaarmaakt en geeft.

18.00-19.30 uur

Dit is vaak even spitsuur voor ouders met een baby en een peuter, vooral als je alles in je eentje moet doen. Als je partner rond die tijd thuiskomt en kan bijspringen, is dat heel fijn, maar er zijn heel wat moeders die zich er alleen doorheen moeten slaan. Hieronder vind je wat tips:

- De meeste baby's en peuters worden rond deze tijd wat moe en prikkelbaar. Hen beiden op tijd in bad en in bed krijgen vereist daardoor geduld en discipline.
- Probeer beide kinderen niet later dan 18.00 uur boven te hebben. Het is vooral in het begin heel belangrijk dat je baby niet oververmoeid raakt. De eerste tijd is hij 2 uur na zijn laatste dutje alweer toe aan slapen. Houd er ook rekening mee hoelang hij 's middags geslapen heeft. Als het een kort dutje was, probeer hem dan om 18.30 uur in bed te hebben.
- Probeer de sfeer zo kalm en vredig mogelijk te houden, zodat geen van beiden overprikkeld of over zijn toeren raakt. Zorg ervoor dat er niet te veel speelgoed voor het grijpen ligt, waardoor je peuter weer helemaal hyper zou kunnen worden.
- Of je je peuter en je baby tegelijk in bad doet, hangt erg af van de leeftijd van je oudste en hoe actief hij doorgaans in bad is.

Het badritueel

Ik kan onmogelijk voorspellen wat voor temperament je peuter heeft en hoe hij erop zal reageren dat hij het bad met zijn broertje of zusje moet delen. Zoals bij alle omgang tussen kinderen is het heel belangrijk dat je probeert conflicten te vermijden, vooral in een kleine ruimte. Als je peuter altijd voorzichtig en lief met de baby omgaat, zal hij er ook weinig op tegen hebben om samen in bad te gaan. Je kunt zijn energie een beetje leiden door hem bijvoorbeeld voorzichtig de voetjes van de baby te laten wassen als hij dat leuk vindt. Dring niet aan als hij dat niet wil. Als je merkt dat je peuter het maar niets vindt om samen in bad te gaan, is het misschien beter om hen eerst nog maar even apart in bad te doen. Zoals ik al zei: dit is het drukste moment van de dag, dus kies gewoon wat voor jou het gemakkelijkst is.

Hieronder vind je twee manieren om het badritueel aan te pakken. Probeer ze allebei en kies dan welke het best werkt voor jou.

In bad: benadering 1

- Doe de kinderen samen in bad. Je kunt je baby in een speciaal plastic badzitje zetten. Hoewel je daardoor je handen vrij hebt, mag je kinderen *nooit* zonder toezicht in bad laten.
- Was je peuter eerst, zodat hij daarna kan spelen terwijl jij de baby snel wast. Leg een aankleedkussen op de badkamervloer waar je de baby op af kunt drogen, masseren en aankleden terwijl je een oogje op je peuter houdt.
- Aangezien hij om 17.00 uur gevoed is, kan je baby hopelijk even op het aankleedkussen blijven liggen terwijl jij je peuter afdroogt.
- Moedig je peuter aan om zelf zijn pyjama aan te trekken terwijl jij je baby de tweede borst of fles geeft.
- Als je peuter is aangekleed, laat hem dan naast je komen zitten om de melk te drinken die je eerder al hebt klaargemaakt, terwijl je hem een verhaaltje voorleest of nog even naar een dvd'tje laat kijken.
- Zeg je peuter liever niet te vaak dat hij niet mag schreeuwen of rennen omdat de baby moet slapen. Dat werkt namelijk averechts. Leg hem uit dat het nu tijd voor rust is en dat hij nog even zijn eigen tijd met mama krijgt als de baby slaapt. Als een peuter erg actief was en slecht stil kon zitten, kon ik hem altijd een tijdje bezighouden met een paar kleine 'bedden' (geverfde schoenendozen met zelfgemaakte dekentjes) waarin hij zijn speelgoed kon laten slapen. Daarna kreeg elk speeltje nog wat te drinken uit een speciaal bekertje, werd lekker ingestopt en kreeg een nachtzoentje. Je kunt je peuter ook een speciaal knuffeltje in een eigen bedje naast dat van de baby te slapen laten leggen, zodat hij daar rustig mee bezig kan zijn terwijl jij de baby instopt.

- Begin enkele minuten voordat je je baby in zijn bedje legt op zachte, rustige stem tegen hem te praten. Vertel hem dat hij nu lekker rustig moet worden, dat het bedtijd is zodat jij zijn grote broer of zus nog even voor kunt lezen. Benadruk ook hoe goed het is van zijn grote broer of zus dat die zo rustig doet. Dit alles uiteraard binnen gehoorsafstand van je peuter.
- Als je baby eenmaal in bed ligt, kun je je peuter gaan voorlezen. Wees strikt in hoelang je voorleest, anders wil hij telkens nog een verhaaltje en duurt het bedritueel steeds langer. Ik stel voor dat je er maximaal 10-15 minuten voor uittrekt.

In bad: benadering 2

Als je het samen in bad doen de eerste dagen niet ziet zitten, trek er dan wat meer tijd voor uit en doe de kinderen apart in bad. Je kunt dan het best iets eerder beginnen als je beiden om 19.30 uur in bed wilt hebben.

- Laat je baby even lekker trappelen zonder luier, terwijl jij alles klaarmaakt voor bad en bed. Als hij dat leuk vindt, laat je peuter dan helpen met het baden, afdrogen, masseren en aankleden van de baby. Ik stimuleerde een ouder kind altijd om de voetjes te wassen, af te drogen en in te smeren en de teentjes te tellen. Dat leidt hopelijk de aandacht af van de wat kwetsbaardere delen van het babylijfje, zoals het hoofdje, de ogen, de mond en de geslachtsdelen.
- Als je baby klaar is voor de voeding, houd dan hetzelfde ritueel als in benadering 1 aan, behalve de melk van de peuter. Zorg dat je je baby om 18.30 uur in bed hebt. Als hij gevoed en tot rust is gekomen, maar toch nog niet helemaal klaar is om te gaan slapen, kun je hem gewoon in zijn bedje leggen. Laat dan wel een gedimd lichtje aan en leg iets in zijn bedje waar hij naar kan kijken, zoals een spiegeltje of een stoffen boekje. Ik deed dat vaak als ik 's avonds een tweeling naar bed bracht. Binnen de kortste keren hadden ze zich de gewoonte eigen gemaakt om nog wakker naar bed te gaan en tevreden naar hun boekjes of spiegeltjes te kijken voordat ze in slaap vielen.
- Op deze manier kun jij of kan je partner rond 18.30-19.00 uur met het badritueel van je peuter beginnen en hem om 19.00-19.15 uur zijn melk geven en voorlezen. Op deze manier ligt hij om 19.30 uur in bed.

Peuter die 's nachts of 's ochtends vroeg wakker wordt

Na de komst van een broertje of zusje gaan veel peuters die altijd goed sliepen door een fase waarin ze 's nachts of 's ochtends vroeg wakker worden. De beste manier om daarmee om te gaan is dat je snel naar je peuter toe gaat en hem de geruststelling biedt die hij nodig heeft, zonder daarbij eindeloze gesprekken of discussies aan te gaan. Als je merkt dat hij redelijk gemakkelijk weer gaat slapen, kun je je nachtelijke bezoekjes aan zijn kamertje al vrij snel afbouwen. Doe dat door eerst steeds een beetje minder dicht bij zijn bed te komen en daarna door hem geruststellend toe te spreken vanuit de deuropening. Als je in die fase bent beland, wil een babyfoon waardoor je met elkaar kunt praten ook nog weleens uitkomst bieden. Daarmee kun je je peuter vanuit je eigen bed geruststellen. Wat je ook nog kunt doen zodra je hebt bereikt dat jij niet meer uit je bed hoeft als je peuter wakker is, is hem met gebruik van een stickerkaart stimuleren uit zichzelf weer te gaan slapen zonder jou te roepen.

Voor peuters die rond 6.00 uur al wakker worden, kun je een kinderwekker, cd-speler of lampje met een tijdschakelaar gebruiken, waarmee je hem stimuleert langer in zijn bedje te blijven. De stickerkaart is ook hier handig. Je peuter kan bijvoorbeeld een sticker verdienen als hij tot 7.00 uur in zijn bed blijft zonder jullie wakker te maken. Als je peuter voortdurend uit bed gaat en naar jouw kamer komt, kan het het overwegen waard zijn om een traphekje in zijn deuropening te monteren. Dit weerhoudt hem ervan zijn kamer te verlaten en als het meezit ook om zijn bed uit te gaan. Bovendien is het veiliger als hij in zijn kamer blijft, vooral met een baby'tje in huis. Wat regelmatig gebeurt in de periode waarin er een baby bij komt, is dat de oudste opeens bang in het donker wordt. Ik ben van mening dat als dat gebeurt, je je kind niet moet dwingen in het aardedonker te gaan slapen. Ik adviseer meestal om een nachtlampje te gebruiken in plaats van de deur open en het licht op de overloop aan te laten. Dat laatste kan je peuter namelijk het gevoel geven dat de dag is begonnen. Je kunt ook met je peuter afspreken dat hij een lievelingsspeeltje mee naar bed mag nemen. Als je peuter voor 6.00 uur wakker wordt en dan verwacht dat de dag gaat beginnen, vertel hem dan kort en bondig dat het nog geen tijd is om op te staan. Ga er niet over in discussie. Als je consequent bent, hoe vaak het zich ook voordoet, zal deze methode uiteindelijk zijn vruchten afwerpen.

Het is belangrijk om te bekijken hoeveel slaap je peuter eigenlijk krijgt. Het is me opgevallen dat onrustig slapen en wakker worden vaak simpelweg is terug te voeren op het feit dat ze overdag minder slaap nodig hebben, en niet per se op de komst van de baby. Een dreumes van anderhalf jaar heeft tussen 7.00 en 19.00 uur 30 minuten tot 2 uur slaap nodig, hoewel het bij de meeste dreumesen dichter bij de 2 uur ligt. Maar er zijn ook kinderen die met 1,5 jaar overdag al helemaal niet meer slapen. Als je peuter overdag nog lang slaapt en 's nachts wakker wordt, is het verstandig hem een korter dutje te laten doen, anders beland je misschien in een vicieuze cirkel. Hij moet dan overdag slapen om zijn nachtelijke slaaptekort te compenseren, en dat is niet de bedoeling. Hoewel oververmoeidheid ook tot gevolg kan hebben dat je baby 's nachts wakker wordt, is dat probleem meestal beter te herkennen (aan een kind dat midden in de nacht of 's ochtends vroeg schreeuwend wakker wordt en bijna niet weer in slaap te krijgen is). In dat geval zal je peuter vroeger naar bed brengen het probleem direct oplossen en zal hij weer lekker tot 7.00 uur doorslapen. Als dat niet gebeurt en je peuter blijft 's nachts spoken, maak zijn dutjes overdag dan steeds een beetje korter, net zolang tot hij 's nachts weer lekker doorslaapt tot 7.00 uur.

SCHEMA'S AANPASSEN

Zoals gezegd kan het zijn dat je met een tweede kind, afhankelijk van de leeftijd van de oudste, in het begin de schema's een beetje moet aanpassen. Het beste is echter wel om die aanpassingen te maken in de periode tussen 7.00 een 19.00 uur.

Ik heb in de loop der jaren heel wat schema's geprobeerd, en zonder uitzondering kan ik zeggen dat het schema van 7.00-19.00 uur de meest blije en tevreden baby's oplevert. Het past bij hun natuurlijke slaapritme en hun behoefte om vaak kleine beetjes voeding te krijgen. Ik wil ouders op het hart drukken om zich zoveel mogelijk te houden aan het schema dat ze volgen. Als je baby ouder dan vier maanden is en op vier voedingen per dag zit en minder slaapt, kun je het schema aanpassen zonder dat dat al te veel effect heeft op de natuurlijke behoefte aan slaap van je baby en op het aantal voedingen.

Houd tot zes maanden rekening met de volgende punten bij het opstellen van een schema:

- In de eerste weken moet je je baby voor middernacht minstens vijf tot zes voedingen geven om te voorkomen dat hij er 's nachts meer dan één nodig heeft. Dat lukt alleen als je de eerste voeding geeft om 6.00 of 7.00 uur.
- Als je een schema aanhoudt van 8.00-20.00 uur, betekent dat dat je kindje tussen middernacht en 7.00 uur twee voedingen krijgt.

Het schema aanpassen aan de breng- en haaltijden van de crèche

Veel ouders die een tweede kindje verwachten, vragen zich af of ze mijn schema's wel kunnen combineren met de breng- en haaltijden van de crèche of peuterspeelzaal van hun peuter. Al mijn schema's kunnen daar aan worden aangepast als je rekening houdt met onderstaande suggesties.

Als je peuter 's ochtends naar de crèche of peuterspeelzaal gaat, zal je baby de eerste vier weken een deel van zijn ochtenddutje in de auto of kinderwagen moeten doen. Na die eerste vier weken kun je zijn ochtenddutje opsplitsen om het brengen van je peuter heen (zie blz. 233).

Als je tijdens het dutje tussen de middag weg moet, slaapt je kindje weer in de auto of kinderwagen. Als hij nog verder moet slapen als je weer thuiskomt, leg hem dan gauw in zijn bedje. Geef hem zo nodig nog een kleine bijvoeding.

Het komt heel vaak voor dat een baby onderweg naar de crèche om je peuter op te halen in slaap valt ook al hoeft hij volgens het schema niet te slapen. Probeer hem dan niet wakker te houden. Laat hem maar een kort dutje doen, gevolgd door nog een kort dutje op het tijdstip dat hij eigenlijk moet slapen. Door de dutjes op te splitsen zorg je er in elk geval voor dat hij niet te veel slaapt.

Als het ophalen van je peuter samenvalt met een voeding, voed je baby dan voordat je vertrekt en geef hem het laatste deel van de voeding als je weer terug bent. Dat is tevens handig als je baby op weg naar huis in slaap valt en je hem thuis in bed verder wilt laten slapen.

Vanaf zes maanden

Vanaf zes maanden, als je baby is begonnen met vast voedsel (zie blz. 141) en je de voeding van 22.00 uur overslaat, wordt het gemakkelijker om het schema aan te passen. Als je kindje doorslaapt tot 7.00 uur, kun je het beginmoment uit gaan stellen tot 7.30/8.00 uur en ook de rest van het schema vooruitschuiven. Je baby gaat dan 's avonds ook iets later naar bed. Als je wilt dat je kindje later gaat slapen, maar wel om 19.00 uur naar bed gaat, probeer dan het volgende:

- Verkort het ochtenddutje of sla het helemaal over, zodat je baby om 12.00/12.30 uur klaar is om naar bed te gaan.
- Laat het dutje tussen de middag niet langer dan 2 uur duren. Het namiddagdutje is nu komen te vervallen.

Zoals gezegd is het heel belangrijk dat je je zoveel mogelijk houdt aan het schema dat bij de leeftijd van je baby hoort. Ik begrijp dat dat soms lastig is omdat je ook rekening hebt te houden met de behoeften van je peuter. Onderstaande voorstellen kunnen helpen, maar vormen slechts richtlijnen. Je kent je baby zelf het best, dus voel je vrij om andere aanpassingen te maken.

Het schema aanpassen om je baby tot 7.30/8.00 uur te laten slapen

In eerdere edities van de Tevreden Baby-boeken stelde ik dat als je baby ouder dan zes maanden is en 's nachts goed slaapt totdat je hem om 7.00 uur wakker maakt, je hem op een gegeven moment tot 7.30/8.00 uur kunt laten slapen en daarna zijn ochtenddutje kunt overslaan. Voor een aantal baby's voor wie ik zorgde, gold dat inderdaad, maar via mijn website schreven veel ouders me dat de extra slaap 's ochtends tot gevolg had dat hun baby's in de nachten daarna wakker werden. Als je dit uitprobeert en merkt dat je kind 's nachts weer wakker wordt, is het beter om terug te gaan naar het slapen tot 7.00 uur. Een ander probleem dat zich kan voordoen als je baby 's ochtends langer slaapt, is dat hij pas om 8.00/8.30 uur ontbijt. Als hij zijn ochtenddutje overslaat, zal hij te moe zijn om tot na 12.00 uur te wachten met zijn lunch, maar omdat hij zo laat ontbeten heeft, heeft hij dan nog geen honger. Dit probleem kun je opvangen door zijn ontbijt klein te houden (bijvoorbeeld wat fruit en een beetje yoghurt). Als je merkt dat je baby tussen de middag niet goed eet, kun je echter beter teruggaan naar het oude tijdschema.

Avondrituelen bij iemand anders thuis

Als je de hele dag bij vrienden op bezoek bent, probeer dan toch de gewone avondrituelen aan te houden. Leg het je vrienden uit en vraag of het goed is dat je je kinderen bij hen in bad doet voor je huiswaarts keert. Op die manier kan je peuter zijn melk drinken en om 19.00 uur in zijn pyjama in de auto zitten op weg naar huis. Als hij niet te moe is van de dag, vindt hij het vast nog leuk ook om ergens anders in bad te gaan! Met een beetje geluk kun je je slapende baby en peuter thuis linea recta naar bed brengen. Als dat met je baby niet lukt, geef hem dan nog een beetje melk. Hierdoor kan het gebeuren dat hij de volgende ochtend wat minder melk wil, maar daar hoef je je geen zorgen over te maken – dat haalt hij overdag wel weer in.

Als je ergens anders bent dan bij goede vrienden is het natuurlijk lastiger om het badritueel aan te houden. Maak je daarover geen zorgen. Je peuter zal geen last hebben van een badje meer of minder. Was hem de volgende morgen gewoon extra goed!

Frisse lucht en lichaamsbeweging

Waar je overdag ook naartoe gaat, probeer je baby en peuter altijd frisse lucht en lichaamsbeweging te bieden. Als je op bezoek gaat bij vrienden of familie laat je baby dan toch gewoon even lekker trappelen op een kleed en laat je peuter rondrennen. Frisse lucht helpt kinderen beter te slapen, dus ook al slaapt je kind tussendoor in de auto, als hij veel frisse lucht en lichaamsbeweging heeft gehad, kan hij tegen bedtijd nog steeds afgemat zijn. Als je met je baby op pad gaat, laat hem dan niet te veel van hand tot hand gaan, want dan zit hij het grootste deel van de tijd bij iemand op schoot. Je vrienden en familie vinden het vast heerlijk om met hem te knuffelen, maar vertel hun gewoon hoe lekker hij het vindt om vrij te kunnen trappelen.

De volgende dag

Een kind dat drukke sociale activiteiten nogal overdonderend vindt, kan de volgende dag vermoeider dan normaal zijn dan een wat meer sociaal ingesteld kind. Als je baby of peuter de dag na een drukke dag uitgeput lijkt, zorg er dan voor dat je het die dag lekker rustig en voorspelbaar houdt, zodat hij bij kan komen. Laat je hierbij leiden door je kind. Een rustig dagje thuis is voor jou misschien saai, maar kan heerlijk zijn voor kinderen die regelmaat nodig hebben om zich veilig en in hun eigen tempo te kunnen ontwikkelen.

BELANGRIJKE ADVIEZEN

Het meest recente advies van de Stichting Wiegedood is dat baby's tot zes maanden bij voorkeur overdag en 's nachts bij jou in de kamer slapen. Volgens hun adviezen is de veiligste slaapplek voor een baby een wieg, reiswieg of ledikantje en moet je regelmatig bij hem gaan kijken als hij slaapt. Leg voor de veiligheid alleen beddengoed in bed, geen knuffels of doekjes en ook geen hoofdbeschermer. Gebruik geen dekbed.

Een autostoeltje is in huis geen ideale slaapplek voor jonge baby's. Tijdens lange autoritten moeten baby's in hun autostoeltje goed in de gaten worden gehouden. Stop regelmatig voor frisse lucht en voedingen.

Deze aanbevelingen gelden voor de eerste zes maanden. Daarna kun je je baby in zijn eigen kamer laten slapen, zowel overdag als 's nachts. Als je geen hulp hebt bij het in bad doen van de kinderen zul je tot je baby zes maanden is het schema voor het slapengaan enigszins moeten aanpassen. Neem na het bad je baby en peuter beiden mee naar de woonkamer, zodat je het laatste deel van het ritueel kunt laten plaatsvinden in de ruimte waar je baby 's avonds gaat slapen. Probeer in de kamer dezelfde sfeer te creëren als je in de slaapkamer zou doen, door het licht te dimmen, de gordijnen dicht te doen en alles rustig en stil te houden. Je hebt waarschijnlijk niet zowel in de babykamer als in de woonkamer een babybedje. Volgens de aanbevelingen is een kinderwagen met een goede, stevige matras een acceptabel alternatief en, in mijn ogen, de veiligste optie in de buurt van een drukke peuter. Als je je baby in de kinderwagen in slaap wilt krijgen, is het belangrijk de richtlijnen te volgen die ook gelden voor zijn bedje. Leg je baby met zijn voetjes helemaal aan de onderkant van de kinderwagenbak en stop de dekentjes en het lakentje goed in, zodat ze niet los komen te liggen.

Het kan voorkomen dat ouders overdag en 's avonds af en toe de kamer verlaten waarin de baby slaapt, bijvoorbeeld om hun peuter naar bed te brengen. Volgens de richtlijnen is dat acceptabel zolang de baby niet al te lang alleen ligt. Als je hier twijfels over hebt, neem dan contact op met het consultatiebureau of je huisarts.

Het kan met deze richtlijnen wat langer duren voordat je je schema's goed hebt ingesteld, maar bedenk dat je tweede kindje vanzelf een goed slaappatroon krijgt en 's nachts gaat doorslapen.

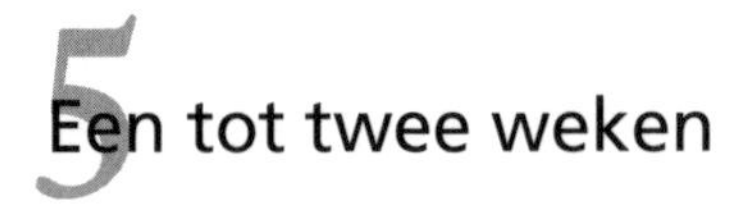

5 Een tot twee weken

BEGINNEN MET HET SCHEMA

Als je vordert in de schema's, realiseer je dan wel dat de voedings- en slaapbehoeften van je baby niet automatisch helemaal passen in de tijden van het volgende schema. Ga niet beginnen met het volgende schema totdat je baby goed in zijn huidige schema zit. Het kan echter gebeuren dat een baby voor zijn voeding nog in het ene schema zit, terwijl hij voor het slapen al in het volgende zit. Aan de hand van de volgende checklist kun je bepalen of je baby er klaar voor is om van voedingen om de 3 uur (zie blz. 54) over te gaan op het schema voor een tot twee weken:

- Je baby zit weer op zijn geboortegewicht.
- Hij houdt het prima 3 uur vol tot zijn volgende voeding, gerekend vanaf het begin van de ene tot het begin van de volgende voeding. Dat houdt in dat als een voeding ongeveer een uur heeft geduurd, na 2 uur alweer zijn volgende voeding begint.
- Je merkt aan je baby dat hij wat meer tijd tussen de voedingen kan gebruiken. Je moet hem bijvoorbeeld soms wakker maken voor zijn volgende voeding.
- Na de voedingen overdag blijft hij heel tevreden een tijdje wakker.

Als bovenstaande allemaal opgaat voor jouw kindje, kun je met een gerust hart overgaan op het schema voor een tot twee weken. Dat is niet zo heel anders dan het schema van om de 3 uur voeden, behalve dat er echte dutjestijd komt, vooral tussen de middag. Ook komt er een vast patroon voor het slapengaan 's avonds en een langere slaapperiode na het badje.

Op sommige delen van de dag moet je je kindje nog steeds om de 3 uur voeden, maar in het schema voor een tot twee weken is er een gesplitste voeding om 10.00/11.00 uur, die het dutje tussen de middag helpt invoeren. Er is ook een gesplitste voeding om 17.00/18.00 uur, die een langere periode van slaap tussen 19.00 en 22.00 uur bevordert.

SCHEMA VOOR BABY EN PEUTER – EEN TOT TWEE WEKEN

Voedingstijden	**Dutjes tussen 7.00 en 19.00 u**
7.00 u	8.30-10.00 u
10.00-11.15 u	11.30-14.00 u
14.00 u	15.30-17.00 u
17.00 u	
18.00 u	
22.00-23.15 u	**Maximum aantal uren slaap overdag:** 5,5

Afkolven: 6.45 u en 9.15/9.30 u

7.00 uur

- Zorg ervoor dat je baby wakker is en zijn luier is verschoond. Begin niet later dan 7.00 uur met voeden.
- Laat hem 25-35 minuten drinken aan de volste borst en dan nog 10-15 minuten aan de tweede borst, nadat je daar 90 ml uit afgekolfd hebt.
- Als hij om 5.00 of 6.00 uur gedronken heeft, laat hem dan 20-25 minuten aan de tweede borst drinken, nadat je daar 90 ml uit afgekolfd hebt.
- Afhankelijk van hoe laat je peuter wakker wordt, kan hij ontbijten terwijl jij de baby voedt. Als je baby om 6.00 uur uit één borst gedronken heeft, geef dan de tweede borst terwijl je peuter ontbijt.
- Voed de baby niet na 8.00 uur, want dan heeft hij bij de volgende voeding minder trek. Hij mag nu maximaal 1,5 uur wakker blijven.
- Zorg ervoor dat je zelf ontbeten hebt vóór 8.00 uur.

8.00 uur

- Stimuleer je peuter om zichzelf te wassen en aan te kleden, en laat de baby even lekker trappelen op het speelkleed of in de box.

8.15 uur

- Je baby zal tegen deze tijd al een beetje slaperig zijn. Zelfs als hij daarvan geen tekenen vertoont, zal hij toch moe beginnen te worden, dus

breng je hem naar zijn kamer. Kijk of zijn luier moet worden verschoond, controleer of zijn beddengoed nog schoon is en doe de gordijnen dicht.
- Als je je peuter naar de crèche of peuterspeelzaal moet brengen, laat je baby zijn dutje dan in de auto of kinderwagen doen.

8.30 uur

- Leg de baby voor hij slaapt of voor hij in een diepe slaap raakt volledig ingebakerd in zijn bedje (zie blz. 65), in het donker met de deur dicht en niet later dan 9.00 uur. Hij heeft voldoende aan een slaapje van hooguit 1,5 uur.
- Was en steriliseer de flessen en kolfspullen.
- Als je je peuter hebt afgezet bij de crèche of peuterspeelzaal, kun je zolang de baby slaapt op de terugweg misschien nog even de dagelijkse boodschappen doen.
- Als je peuter thuis is, kun je hem even laten tekenen of kleuren terwijl jij de ontbijtspullen opruimt en bijvoorbeeld even een wasje doet.

9.15/9.30 uur

- Kolf 90 ml melk af van de borst die je om 7.00 uur als eerste hebt gegeven.

9.45 uur

- Doe de gordijnen open en maak de doek los waarmee de baby ingebakerd is, zodat hij op natuurlijke wijze wakker kan worden.

10.00 uur

- Zorg dat de baby goed wakker is, ongeacht hoelang hij heeft geslapen.
- Laat hem 25-35 minuten drinken aan de borst waaraan hij bij de vorige voeding het laatst gedronken heeft, terwijl je zelf een groot glas water drinkt.
- Geef je peuter een tussendoortje en wat water of sap. Geef hem na 10.30 uur geen tussendoortje meer, want dan wil hij straks zijn lunch niet.
- Leg de baby in de box of in zijn reiswieg zodat hij even lekker kan trappelen en niet te slaperig wordt.

10.45 uur

- Zorg ervoor dat je peuter iets leuks te doen heeft.
- Was de baby en kleed hem aan. Smeer alle huidplooien en schrale plekjes goed in. Als je peuter wil helpen, betrek hem er dan bij en moedig hem aan voorzichtig met de baby om te gaan.

11.00 uur

- Laat de baby nu 15-20 minuten drinken uit de borst die je om 9.15/9.30 uur hebt afgekolfd.

11.20 uur

- Je baby zal tegen deze tijd al een beetje slaperig zijn. Zelfs als hij daarvan geen tekenen vertoont, zal hij toch moe beginnen te worden, dus breng je hem naar zijn kamer. Kijk of zijn luier moet worden verschoond, controleer of zijn beddengoed schoon is en doe de gordijnen dicht.
- Leg de baby voor hij slaapt of voor hij in een diepe slaap raakt volledig ingebakerd in zijn bedje (zie blz. 65), in het donker met de deur dicht en niet later dan 11.30 uur.
- Als hij niet binnen 10 minuten slaapt, laat hem dan nog 10 minuten drinken aan de volste borst. Doe dit in het donker, zonder oogcontact te maken of tegen hem te praten.
- Als je je peuter moet ophalen van de peuterspeelzaal, laat je baby het eerste deel van zijn dutje dan in de auto of kinderwagen doen. Maak zijn bedje vast klaar zodat je hem er bij thuiskomst zo in kunt leggen.

11.30-14.00 uur

- Laat de baby in totaal niet langer dan 2,5 uur slapen.
- Als hij na 45 minuten wakker wordt, controleer dan of hij nog goed is ingebakerd, maar praat niet tegen hem en doe ook geen licht aan.
- Laat hem 10 minuten proberen zelf weer in slaap te komen; als hij nog steeds onrustig is, geef je hem de helft van zijn voeding van 14.00 uur en probeer je hem zover te krijgen dat hij tot 14.00 uur slaapt.

12.00 uur

- Lunch samen met je peuter.
- Als hij overdag niet meer slaapt, stimuleer hem dan iets rustigs op zijn kamer te gaan doen of even op de bank te gaan liggen. Je kunt hem ook even naar een cd laten luisteren of naar een dvd laten kijken.
- Als hij overdag nog wel slaapt, laat hem dan nu een middagslaapje doen. Neem zelf ook rust.
- Was en steriliseer de kolfspullen.

14.00 uur

- Zorg ervoor dat je baby niet later dan 14.00 uur wakker is en gevoed wordt, ongeacht hoelang hij heeft geslapen.
- Maak de doek los waarmee je baby ingebakerd is, zodat hij op natuurlijke wijze wakker kan worden. Geef hem een schone luier.
- Laat je baby 25-35 minuten drinken aan de borst waaraan hij het laatst gedronken heeft en daarna eventueel nog 10-15 minuten aan de tweede borst, terwijl je zelf een groot glas water drinkt.
- Geef je peuter een tussendoortje.
- Verschoon de luier van je baby.
- Laat je baby na 15.15 uur niet meer drinken, anders heeft hij bij zijn volgende voeding geen trek.
- Het is belangrijk dat je baby nu tot 15.30 uur goed wakker blijft, zodat hij om 19.00 uur goed kan slapen. Als hij 's ochtends heel wakker is geweest, zal hij nu wat slaperiger zijn. Trek hem niet te veel kleertjes aan, want door die extra warmte wordt hij doezelig.

15.30 uur

- Is je peuter 's ochtends naar de crèche of peuterspeelzaal geweest, houd het dan 's middags wat rustiger. Is hij nog niet de deur uit geweest, dan kun je 's middags iets actievers doen. Als het lekker weer is, is het voor zowel je baby als je peuter goed om een frisse neus te halen in het park of in de tuin.
- Laat je baby een dutje doen van maximaal 1,5 uur.
- Laat hem tot hooguit 17.00 uur slapen, anders krijg je hem om 19.00 uur niet goed in bed.

17.00 uur

- Avondmaaltijd voor je peuter.
- Als je wilt dat je baby om 19.00 uur snel in slaap valt, moet hij nu goed wakker zijn.
- Laat hem 25-30 minuten aan de borst drinken waaraan hij het laatst gedronken heeft.
- Het is heel belangrijk dat hij niet doezelig is als hij drinkt (zie blz. 176-177) en dat je met de tweede borst wacht tot na het badje.

17.45 uur

- Laat je baby even lekker trappelen zonder luier (bijvoorbeeld op het aankleedkussen op de grond), terwijl je alles klaarzet voor het badje. Misschien wil je peuter helpen. Als hij dat niet wil, laat hem dan even rustig spelen.
- Doe je baby kort in bad. Droog hem af en smeer alle huidplooien en schrale plekjes goed in.

18.00 uur

- Voed de baby niet later dan 18.00 uur. Doe dit in de slaapkamer, bij gedimd licht en zonder oogcontact te maken of tegen hem te praten.
- Als hij om 17.00 uur de eerste borst niet heeft leeggedronken, laat hem dan eerst 5-10 minuten aan die borst en daarna 20-25 minuten aan de volle borst drinken.
- Laat je peuter tijdens het voeden lekker naast je zitten met een boekje, een dvd of een cd.
- Zorg ervoor dat je baby om 18.30 uur ingebakerd in bed ligt. Laat een gedimd lichtje aan en leg iets in zijn bedje waar hij naar kan kijken, zoals een spiegeltje of een stoffen boekje.

18.30/19.00 uur

- Badtijd voor je peuter. Trek hier 10-15 minuten voor uit.
- Stimuleer je peuter om zichzelf af te drogen en aan te kleden.
- Laat je peuter daarna een beker melk drinken en lees een verhaaltje voor.

19.00/19.30 uur

- Leg je peuter na het voorlezen in bed.
- Als je baby nog niet slaapt, laat hem dan nog 10 minuten drinken aan de volste borst. Doe dit zonder oogcontact te maken of tegen hem te praten.

20.00 uur

- Zorg ervoor dat je zelf goed eet en wat rust neemt voor de volgende voeding.

22.45 uur

- Doe het licht aan en maak de doek los waarmee je baby ingebakerd is, zodat hij op natuurlijke wijze wakker kan worden.
- Laat hem minstens 10 minuten liggen voordat je hem gaat voeden, zodat hij goed wakker is en dus goed zal drinken.
- Leg een luier en schoon beddengoed klaar voor het geval je baby midden in de nacht een verschoning nodig heeft.
- Laat hem 25-35 minuten drinken aan de eerste borst, of geef hem het grootste deel van zijn flesvoeding. Geef hem dan een schone luier en baker hem weer in.
- Dim het licht wat en geef hem de andere borst of de resterende flesvoeding, zonder oogcontact te maken of tegen hem te praten.

's Nachts

- Tijdens de eerste week is het belangrijk dat er bij baby's die borstvoeding krijgen 's nachts niet al te veel tijd tussen de voedingen zit.
- Een baby met een geboortegewicht van minder dan 6,4 pond moet rond 2.30 uur wakker gemaakt worden voor een voeding; een baby met een geboortegewicht van 6,4-7,2 pond niet later dan 3.30 uur.
- Een baby van 7,2 pond of meer die flesvoeding krijgt of een baby met een geboortegewicht van 7,2 pond of meer die overdag goed gedronken heeft, kan misschien iets langer doorslapen, maar niet langer dan 5 uur achter elkaar.
- Als je niet precies weet hoelang je je baby 's nachts tussen de voedingen door moet laten slapen, neem dan contact op met het consultatiebureau.

AANPASSINGEN IN HET SCHEMA VAN EEN TOT TWEE WEKEN

Slaap

Afhankelijk van hoelang je baby slaapt na de voeding van 22.00 uur, heb je de volgende opties:

- Als je baby goed drinkt en daarna lekker gaat slapen tot na 2.00 uur, dan weer goed drinkt en vervolgens slaapt tot rond 6.00 uur, is het prima om het schema aan te houden en hem rond 22.00 uur een uurtje wakker te houden voor zijn voeding.
- Als je baby goed drinkt en lekker gaat slapen als hij een uur wakker is geweest voor zijn voeding van 22.00 uur, maar vervolgens vóór 2.00 uur en dan weer vóór 6.00 uur wakker wordt, raad ik aan om verder te gaan met een gesplitste voeding om 22.00 uur om het twee keer wakker worden 's nachts te voorkomen. Het kan wel een week duren voordat je die gesplitste voeding goed ingevoerd hebt, dus laat je niet ontmoedigen als je niet direct resultaat ziet. Als je de gesplitste voeding goed wilt laten werken, maak je baby dan om 21.45 uur wakker en begin om 22.00 uur met voeden. Geef hem zo veel als hij wil en laat hem even lekker trappelen op het speelkleed. Breng hem tegen 23.00 uur naar zijn slaapkamer, verschoon zijn luier en geef hem het tweede deel van zijn voeding. Als hij flesvoeding krijgt, kun je het best twee aparte flessen klaarmaken.

Voeden

Wanneer je baby 's nachts wakker wordt, is het heel belangrijk dat hij genoeg drinkt om daarna tot 6.00/7.00 uur te kunnen slapen. Probeer de nachtvoeding dus niet beperkt te houden, want dan loop je het risico dat je baby om 5.00 uur alweer komt. Het gaat er in dit stadium om dat je je baby zo veel te drinken geeft dat hij tussen 19.00 en 6.00/7.00 uur maar twee keer gevoed hoeft te worden.

Afhankelijk van hoe laat hij zijn nachtvoeding heeft gehad, wordt je baby waarschijnlijk wakker tussen 6.00 en 7.00 uur, maar als dat niet gebeurt, maak hem dan om 7.00 uur wakker. Als hij om 6.00 uur wakker wordt, kun je hem het grootste deel van zijn ochtendvoeding geven voordat je peuter opstaat (behandel dit als een nachtvoeding), en het laatste deel geven wanneer je peuter ontbijt. Als je baby tot 7.00 uur slaapt, kan je peuter zijn melk lekker bij jou in bed drinken terwijl jij de baby voedt. Laat je baby 20-25 minuten aan de borst drinken, verschoon dan zijn luier, neem hem mee naar de keuken of woonkamer en geef hem daar de rest van de voeding. Dit zorgt er niet alleen voor dat je peuter zich niet gaat vervelen, maar stimuleert de baby ook, die op dit tijdstip nog weleens wat slaperig wordt aan de borst.

De volgende voeding is meestal rond 10.00 uur. Ik weet dat het met een energieke peuter om je heen verleidelijk kan zijn om je baby wat langer te laten liggen, maar het doel is nu eenmaal om je baby overdag heel regelmatig te voeden, zodat dat tussen 23.00 een 6.00/7.00 uur maar één keer hoeft. Hopelijk kan iemand er nog even met je peuter opuit en heb jij wat een-op-een-tijd met je baby. Probeer voor de ochtenden waarop je peuter bij jou thuis is, alles van tevoren zo goed mogelijk te organiseren voor de voeding en alvast een tussendoortje en wat drinken voor je peuter klaar te zetten, zodat hij het eerste deel van de voeding in elk geval zoet is. Wees realistisch over hoelang hij het vol kan houden zonder verveeld te raken. Als hij 10-15 minuten bezig is met zijn hapje en drankje, doet hij het heel goed! Merk je dat hij zich begint te vervelen, geef hem dan snel wat ideetjes om zichzelf bezig te houden (zie blz. 46) en ga door met voeden.

Bedenk bij het volgen van de schema's dat het richtlijnen zijn die je helpen te beslissen hoelang je baby tussen zijn dutjes door wakker kan blijven. De meeste baby's kunnen de eerste dagen prima 2 uur wakker blijven, maar dat hoeft niet; ze mogen natuurlijk eerder gaan slapen. Om oververmoeidheid te voorkomen is het wel goed om je baby niet langer dan 2 uur wakker te houden. Als je merkt dat je kindje in het begin maar 1-1,5 uur wakker is, maak je dan geen zorgen. Blijkbaar heeft hij die slaap nu nodig. Als hij groter wordt, blijft hij vanzelf wat langer wakker (zie blz. 68).

Tijdens dit schema stel ik voor dat je je baby altijd nog wat bijvoeding geeft om 11.15 uur of vlak voor zijn middagdutje. Dit voorkomt als het goed is dat hij midden in zijn dutje wakker wordt van de honger. Mocht hij nu wel voor 14.00 uur wakker worden, dan denk ik dat honger daarvoor toch de reden is. Voed hem in dat geval voordat je hem weer verder probeert te laten slapen. Als dat niet lukt, haal hem dan uit bed en laat hem om 14.30 en 16.00 uur twee korte dutjes doen.

Als je peuter overdag nog slaapt, probeer het dan zo te plannen dat de baby in elk geval een deel van de voeding van 14.00 uur heeft gehad als je peuter wakker wordt. Als hij niet meer slaapt en alleen nog maar rustige tijd na de lunch heeft, probeer dan de dvd-tijd van de dag te verschuiven naar het moment dat jij de baby voedt. Vlak na de bevalling van je tweede kunnen dvd en televisie een uitkomst zijn, aangezien een borstvoeding wel een uur kan duren, maar probeer je peuter er wel zo laat mogelijk op de dag naar te laten kijken.

Probeer het zo te organiseren dat het avondeten van je peuter samenvalt met de 17.00 uur-voeding van de baby. Kies iets wat snel en gemakkelijk is, iets wat je in 10 minuten kunt klaarmaken. Als je peuter aan tafel zit, kun jij je baby gaan voeden. Zie blz. 196-198 voor advies als je peuter rond die tijd wat lastig gedrag vertoont.

Hoe ingewikkeld het ook kan lijken, dit is een goed moment om een gezamenlijke bedtijd in te voeren. Zie blz. 73-75 voor aanwijzingen voor het bad- en bedritueel voor baby en peuter.

RICHTING HET SCHEMA VAN TWEE TOT VIER WEKEN

Tegen het eind van de tweede week ben je er als het goed is aan toe om over te gaan op het schema voor twee tot vier weken.

Tekenen dat jij en je baby klaar zijn voor het volgende schema:

- Je baby weegt meer dan 6,4 pond, is terug op zijn geboortegewicht en komt elke dag aan.
- Hij slaapt overdag goed en meestal moet je hem wakker maken voor een voeding.
- Hij begint efficiënter te drinken en drinkt een borst vaak in 25-30 minuten leeg.
- Hij wordt alerter en blijft met gemak 1,5 uur wakker.

Als je merkt dat je baby het langer vol begint te houden tussen de voedingen door, maar nog wel meer slaap nodig heeft dan wat er in het schema voor twee tot vier weken staat, kun je voor het voeden overgaan op het nieuwe schema maar voor het slapen het oude nog even aanhouden tot je merkt dat hij iets minder slaapbehoefte krijgt. Bedenk wel dat een baby die veel slaap nodig heeft, dat zowel overdag als 's nachts heeft. Als je baby overdag goed slaapt, maar 's nachts vaker wakker begint te worden, kan dat betekenen dat hij overdag wat minder moet slapen.

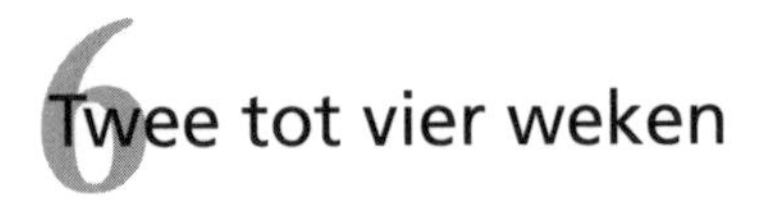

6 Twee tot vier weken

SCHEMA VOOR BABY EN PEUTER – TWEE TOT VIER WEKEN

Voedingstijden	**Dutjes tussen 7.00 en 19.00 u**
7.00 u	8.30/9.00-10.00 u
10.00/10.30 u	11.30/12.00-14.00 u
14.00 u	16.00-17.00 u
17.00 u	
18.00 u	
22.00/22.30 u	**Maximum aantal uren slaap overdag:** 5

Afkolven: 6.45 en 9.15/9.30 u en 21.30 u

7.00 uur

- Zorg ervoor dat je baby wakker is en dat zijn luier is verschoond. Begin niet later dan 7.00 uur met voeden.
- Laat hem 20-25 minuten aan de volle borst drinken. Heeft hij nog honger, laat hem dan nog 10-15 minuten aan de tweede borst drinken, nadat je daar 30-60 ml uit afgekolfd hebt.
- Als hij om 5.00 of 6.00 uur gedronken heeft, laat hem dan 20-25 minuten aan de tweede borst drinken, nadat je daar 30-60 ml uit afgekolfd hebt.
- Afhankelijk van hoe laat je peuter wakker wordt, kan hij ontbijten terwijl jij de baby voedt. Als je baby om 6.00 uur uit één borst gedronken heeft, geef dan de tweede borst terwijl je peuter ontbijt.
- Voed de baby niet na 7.45 uur, want dan heeft hij bij de volgende voeding minder trek. Hij mag nu maximaal 2 uur wakker blijven.
- Zorg ervoor dat je zelf ontbeten hebt vóór 8.00 uur.

8.00 uur

- Stimuleer je peuter om zichzelf te wassen en aan te kleden, en laat de baby even lekker trappelen op het speelkleed of in de box.

8.30/8.45 uur

- Je baby zal tegen deze tijd al een beetje slaperig zijn. Zelfs als hij daarvan geen tekenen vertoont, zal hij toch moe beginnen te worden. Verschoon zijn luier en laat hem tot rust komen.
- Als je je peuter naar de crèche of peuterspeelzaal moet brengen, laat je baby zijn dutje dan in de auto of kinderwagen doen. Laat het dutje niet langer dan 1,5 uur duren.

9.00 uur

- Als je baby thuis slaapt, was en steriliseer dan intussen de flessen en kolfspullen. Laat je peuter even rustig spelen of tekenen. Misschien vindt hij het leuk je te helpen en wat flessen in warm water 'af te wassen'.

9.15/9.30 uur

- Kolf 60 ml melk af van de borst die je om 7.00 uur als eerste hebt gegeven.

9.45 uur

- Maak de doek los waarmee je baby ingebakerd is, zodat hij op natuurlijke wijze wakker kan worden.
- Leg alles klaar voor het kort wassen en verschonen van je baby.
- Zet een tussendoortje klaar voor je peuter.

10.00 uur

- Zorg dat je baby goed wakker is, ongeacht hoelang hij heeft geslapen.
- Laat je baby 20-25 minuten drinken aan de borst waaraan hij bij de vorige voeding het laatst gedronken heeft en daarna nog 10-15 minuten aan de tweede borst, terwijl je zelf een groot glas water drinkt.
- Geef je peuter een tussendoortje. Zorg ervoor dat hij het om 10.30 uur op heeft, anders heeft hij tijdens de lunch geen trek meer.
- Was de baby en kleed hem aan. Smeer alle huidplooien en schrale plekjes goed in. Als je peuter wil helpen, betrek hem er dan bij.

10.30 uur

- Leg je baby op het speelkleed om even lekker te trappelen voor hij daar weer te moe voor is. Let erop dat hij veilig ligt, zodat je peuter niet per ongeluk op hem kan vallen. Je kunt hem ook in de box of reiswieg leggen.
- Laat hem 10-15 minuten drinken aan de borst waar je als laatste van gekolfd hebt.

11.30 uur

- Als je baby de afgelopen 2 uur heel wakker en alert is geweest, begint hij nu waarschijnlijk moe te worden. Leg hem tegen 11.45 uur in zijn bedje.

11.45 uur

- Ongeacht wat je baby hiervoor heeft gedaan, laat je hem nu tot rust komen voor zijn dutje.
- Geef je baby een schone luier en controleer of zijn beddengoed nog schoon is.
- Als je je peuter moet ophalen van de peuterspeelzaal, laat je baby het eerste deel van zijn dutje dan in de auto of kinderwagen doen. Maak zijn bedje vast klaar zodat je hem er bij thuiskomst zo in kunt leggen.
- Doe de gordijnen dicht en leg je baby, half of volledig ingebakerd, in bed. Doe dat niet later dan 12.00 uur.

11.30/12.00 uur-14.00 uur

- Laat je baby in totaal niet langer dan 2,5 uur slapen.
- Als hij tijdens zijn ochtenddutje 1,5 uur heeft geslapen, laat hem dan nu niet langer dan 2 uur slapen.
- Als hij na 45 minuten wakker wordt, controleer dan of hij nog goed is ingebakerd, maar praat niet tegen hem en doe ook geen licht aan.
- Laat hem 10-20 minuten proberen zelf weer in slaap te komen; als hij nog steeds onrustig is, geef je hem de helft van zijn voeding van 14.00 uur en probeer je hem zover te krijgen dat hij tot 14.00 uur slaapt.

12/12.30 uur

- Lunch samen met je peuter en laat hem daarna eventueel een middagslaapje doen. Neem zelf ook rust.
- Was en steriliseer de kolfspullen.

14.00 uur

- Zorg ervoor dat je baby niet later dan om 14.00 uur wakker is en gevoed wordt, ongeacht hoelang hij heeft geslapen.
- Maak de doek los waarmee je baby ingebakerd is, zodat hij op natuurlijke wijze wakker kan worden. Geef hem een schone luier.
- Laat je baby 20-25 minuten drinken aan de borst waaraan hij het laatst gedronken heeft en daarna eventueel nog 10-15 minuten aan de tweede borst, terwijl je zelf een groot glas water drinkt.
- Geef je peuter een tussendoortje.
- Laat je baby na 15.15 uur niet meer drinken, anders heeft hij bij zijn volgende voeding geen trek. Probeer hem wakker te houden.
- Het is belangrijk dat je baby nu tot 16.00 uur goed wakker blijft, zodat hij om 19.00 uur goed kan slapen. Als hij 's ochtends heel wakker is geweest, zal hij nu wat slaperiger zijn. Trek hem niet te veel kleertjes aan, want door die extra warmte wordt hij doezelig.
- Leg hem op het speelkleed en stimuleer hem even lekker te trappelen.

15.30-16.00 uur

- Verschoon de luier van je baby.
- Ga even wandelen met je baby, zodat hij goed slaapt en lekker fris is voor zijn badje en voeding. Voor je peuter is het ook goed om een frisse neus te halen.
- Als je wilt dat je baby om 19.00 uur snel in slaap valt, laat hem dan nu tot hooguit 17.00 uur slapen.

17.00 uur

- Avondmaaltijd voor je peuter.
- Je baby moet nu goed wakker zijn. Geef hem zijn voeding niet later dan 17.00 uur.
- Laat hem 20 minuten aan de borst drinken waaraan hij het laatst gedronken heeft.
- Wacht met de andere borst tot na het badje.

17.45 uur

- Laat je baby even lekker trappelen zonder luier (bijvoorbeeld op het aankleedkussen op de grond), terwijl je alles klaarzet voor het badje.

Misschien wil je peuter helpen. Als hij dat niet wil, laat hem dan even rustig spelen.
- Doe je baby kort in bad. Droog hem af en smeer alle huidplooien en schrale plekjes goed in.

18.00 uur

- Voed de baby niet later dan om 18.00 uur. Doe dit in de slaapkamer, bij gedimd licht en zonder oogcontact te maken of tegen hem te praten.
- Als hij om 17.00 uur de eerste borst niet heeft leeggedronken, laat hem dan eerst 10-15 minuten aan die borst en daarna 20-25 minuten aan de volle borst drinken.
- Laat je peuter tijdens het voeden lekker naast je zitten met een boekje, een dvd of een cd.
- Zorg ervoor dat je baby om 18.30 uur ingebakerd in bed ligt. Laat een gedimd lichtje aan en leg iets in zijn bedje waar hij naar kan kijken, zoals een spiegeltje of een stoffen boekje.

18.30/19.00 uur

- Badtijd voor je peuter. Trek hier 10-15 minuten voor uit.
- Stimuleer je peuter om zichzelf af te drogen en aan te kleden.
- Laat je peuter daarna een beker melk drinken en lees een verhaaltje voor.

19.00/19.30 uur

- Leg je peuter na het voorlezen in bed.
- Als je baby nog niet slaapt, laat hem dan nog 10 minuten drinken aan de volste borst. Doe dit zonder oogcontact te maken of tegen hem te praten.

20.00 uur

- Zorg ervoor dat je zelf goed eet en wat rust neemt voor de volgende voeding en het afkolven.

21.30 uur

- Kolf beide borsten af als je 's avonds een flesje geeft.

22.00/22.30 uur

- Doe het licht aan en maak de doek los waarmee je baby ingebakerd is, zodat hij op natuurlijke wijze wakker kan worden.
- Laat hem minstens 10 minuten liggen voordat je hem gaat voeden, zodat hij goed wakker is en dus goed zal drinken.
- Leg een luier en schoon beddengoed klaar voor het geval je baby midden in de nacht een verschoning nodig heeft.
- Laat hem 20 minuten drinken aan de eerste borst, of geef hem het grootste deel van zijn flesvoeding. Geef hem dan een schone luier en baker hem weer in.
- Dim het licht wat en geef hem de andere borst of de resterende flesvoeding, zonder oogcontact te maken of tegen hem te praten.

's Nachts

- Als je baby vóór 4.00 uur wakker wordt, geef hem dan een volledige voeding.
- Als hij tussen 4.00 en 5.00 uur wakker wordt, geef je hem één borst. De tweede geef je om 7.00 uur, nadat je hebt gekolfd.
- Als hij om 6.00 uur wakker wordt, geef je hem één borst. De tweede geef je om 7.30 uur, nadat je hebt gekolfd.
- Zorg ervoor dat het licht gedimd blijft en je je baby zo min mogelijk prikkelt. Geef hem alleen een schone luier als dat echt noodzakelijk is.

De fase van het schema voor twee tot vier weken is meestal die waarin je de zorg voor beide kinderen volledig op je moet nemen. De hulp van het begin is er vaak niet meer. Maar bovendien is het de fase waarin je baby zijn eerste groeispurt doormaakt. Veel baby's worden tijdens groeispurts wat prikkelbaar en slapen minder goed. Als je partner alweer volledig aan het werk is, laat hem dan proberen wat vroeger dan normaal thuis te zijn, zodat hij kan helpen met het ritueel rond bedtijd. De meeste baby's en peuters raken rond 17.00 uur wat prikkelbaar en het is meestal het drukste moment van de dag; neem het jezelf niet kwalijk als het niet altijd helemaal soepel verloopt. De grootste peuterdriftbuien vinden vaak plaats op dit moment van de dag. Ik kan me nog herinneren dat het beklimmen van de Mount Everest me soms gemakkelijker leek dan een huilende baby en een schreeuwende peuter in bad en in bed krijgen.

Hoe verleidelijk het ook mag zijn, zet het eropuit gaan niet op een laag pitje om het schema in te kunnen voeren. Ik hoor moeders weleens zeggen dat ze wachten met het maken van speelafspraakjes voor hun oudste tot de baby meer in een vast stramien zit. Er zijn het eerste jaar echter meer dan acht schema's, dus als je alles steeds maar uitstelt, kom je nooit meer ergens. Het is ook niet eerlijk om van je peuter te verwachten uren in huis te zitten terwijl jij de baby voedt. Juist dan wordt de kans op driftbuien en jaloezie groter.

Op blz. 195-196 vind je adviezen over hoe je de schema's kunt aanpassen aan uitstapjes, en vooral hoe je speelafspraakjes van je peuter in kunt passen. Er zullen vast dagen zijn waarop je het gevoel hebt dat je hele schema in het honderd loopt, maar zolang je erin slaagt beide kinderen om 19.00/19.30 uur in bed te hebben, heb je het zo slecht nog niet gedaan. En morgen is er altijd weer een nieuwe dag.

Als het echt allemaal even misloopt en het lukt je niet om de kinderen rond bedtijd in bed te krijgen, richt je dan eerst op een van de twee. Zolang de baby nog redelijk rustig in zijn wipstoel zit of in de box of kinderwagen ligt, zou ik ervoor kiezen eerst je peuter naar bed te brengen. Zo kun je in elk geval een kind in zijn routine houden. Dat is nog altijd beter dan dat je ernaar streeft het schema voor beiden aan te houden en er voor allebei niet in slaagt.

In de gevallen dat je baby later naar bed gaat, krijg je hem betrekkelijk eenvoudig weer in zijn schema door zijn voeding van 22.00 uur iets uit te stellen.

AANPASSINGEN IN HET SCHEMA VAN TWEE TOT VIER WEKEN

Slaap

Met drie à vier weken merk je waarschijnlijk aan je baby dat hij wakkerder is en ook langer wakker kan blijven. Probeer het zo te regelen dat die wakkere perioden overdag vallen, zodat zijn slaap 's nachts er niet onder lijdt. Met vier weken zou het ochtenddutje niet langer dan een uur mogen duren, zodat hij ook tussen de middag goed slaapt. Je kunt ertoe overgaan hem langzaam maar zeker 's ochtends wat langer wakker te houden, totdat hij om 9.00 uur kan gaan slapen. Als je merkt dat hij om 8.30 uur in slaap valt en tussen 9.15 en 9.30 uur weer wakker wordt, wat een ongewenst effect heeft op de rest van de dag, kun je meestal volstaan met hem om 8.20 uur uit- en aan te kleden om hem wakker genoeg te maken om het tot 9.00 uur uit te zingen. Als dit niet lukt, door schoolgaande kinderen, en hij om 9.15 uur wakker is, zou je hem rond 10.45/11.00 uur een hazenslaapje van 10 minuten kunnen laten doen. Dit betekent dat hij om 12.15/12.30 uur voor zijn middagdutje naar bed kan, en dus niet op het veel vroegere tijdstip van 11.15 uur, als hij al vanaf 9.15 uur wakker zou zijn. Het middagdutje mag in totaal niet langer dan 1 uur duren; het kan ook worden opgedeeld in enkele hazenslaapjes tussen 16.00 en 17.00 uur.

Met vijf weken moet je hem voor het dutje van 9.00 uur, dat van tussen de middag en dat van de namiddag half inbakeren (onder de armen, zie blz. 65). Met een week of vier wordt het duidelijk wanneer de baby in zijn lichte slaap raakt: normaal is dat elke drie kwartier, maar bij sommige baby's kan het ook wel om het halfuur zijn. Wanneer ze niet aan een voeding toe zijn, kunnen de meeste baby's, mits ze daar de kans voor krijgen, zelf wel weer in slaap komen. Wanneer je je baby te snel oppakt of hem helpt door hem in slaap te wiegen of een speen te geven, kan dit tot langdurige problemen met slaapassociaties leiden. Dit betekent dat wanneer je baby 's nachts in zijn lichte slaap raakt, je er een paar keer uit moet om hem weer te helpen in slaap te komen, ook als hij al lang geen nachtvoedingen meer nodig heeft.

Voeden

De meeste baby's maken omstreeks de derde week een groeispurt door. Wanneer je baby een groeispurt doormaakt, kun je 's ochtends om 6.45 uur 30 ml melk minder afkolven, en tegen het eind van de vierde week om 10.30 uur nog eens 30 ml minder. Zo zorg je ervoor dat je baby de extra melk die hij nodig heeft ook onmiddellijk krijgt. Als je niet hebt afgekolfd, zul je je baby vaker en langer moeten voeden, zodat hij wel binnenkrijgt wat hij nodig heeft. Probeer in deze periode wat extra rust te nemen, zodat de grotere behoefte van je baby er niet toe leidt dat jij oververmoeid raakt, want dan neemt je melktoevoer alleen maar af. Als je zijn slaappatroon wilt aanhouden, kun je het schema op blz. 221-225 proberen te volgen, waarbij de melktoevoer toeneemt zonder dat afbreuk wordt gedaan aan het slaappatroon. Zodra je melktoevoer groter is, kun je weer overgaan op het schema dat bij de leeftijd van je kindje past.

Als je borstvoeding geeft en besloten hebt elke dag één fles te geven, is dit een goede leeftijd om daarmee te beginnen. Als je het langer uitstelt, zou je baby de fles pertinent kunnen weigeren, en dat kan later voor problemen zorgen, vooral wanneer je weer aan het werk gaat. Je doet er verstandig aan tussen 21.30 en 22.00 uur wat melk af te kolven; maak allebei de borsten helemaal leeg, zodat de melktoevoer op peil blijft. Deze melk kun je hetzij voor de voeding van 22.30 uur gebruiken, hetzij invriezen en bewaren voor als je je baby een keer aan een oppas toevertrouwt. Als je om 22.30 uur je partner een fles met afgekolfde melk of met flesvoeding laat geven, krijgt hij ook de kans wat meer betrokken te raken en kun jij iets eerder naar bed. Die extra slaap kunnen alle moeders de eerste weken goed gebruiken. Wanneer je langer dan zes weken borstvoeding wilt geven, kun je bij de andere voedingen beter geen flesvoeding geven, tenzij je kraamverzorgster of het consultatiebureau je anders adviseert.

Bij flessenbaby's moeten tijdens een groeispurt om te beginnen de voedingen van 7.00, 10.30 en 22.30 uur wat opgebouwd worden. Sommige flessenbaby's kunnen nu al van de speen voor pasgeborenen overgaan op de speen met langzame toevoer.

Een slechte gewichtstoename bij borstbaby's is meestal het gevolg van een slechte melktoevoer of van verkeerd aanleggen – die twee dingen gaan overigens meestal hand in hand. Je doet er verstandig aan het schema voor het verhogen van de melktoevoer te volgen, zoals beschreven op blz. 221-225. Ik zou je ook willen adviseren het consultatiebureau of een lactatiekundige te raadplegen, om er zeker van te zijn dat je de baby goed aanlegt.

Als je baby flesvoeding krijgt en niet genoeg aankomt, kun je proberen hem van een speen voor pasgeborenen met één gaatje over te laten gaan op de speen met twee gaatjes. Bespreek alle vragen die je hebt over de lage gewichtstoename van je kindje altijd met je kraamverzorgster of de verpleegkundige van het consultatiebureau.

Als je merkt dat je baby nog steeds om 2.00 uur en daarna om 5.00 uur wakker wordt, raad ik je aan om hem precies om 22.00 uur wakker te maken, hem het grootste deel van zijn voeding te geven en hem dan langer wakker te houden dan het voorgeschreven uur. Verschoon hem om 23.15 uur, met het licht in de babykamer gedimd, en geef hem nog een kleine bijvoeding. Door de voeding te splitsen en hem iets langer wakker te houden is de kans groter dat hij tot na 3.00 uur slaapt, vooropgesteld natuurlijk dat hij zich niet loswoelt.

Als je baby vier weken is, merk je waarschijnlijk al dat hij het heel goed wat langer volhoudt tussen de voedingen door en kun je, mits hij elke week goed aankomt, overgaan op het schema voor vier tot zes weken. Komt je baby niet voldoende aan, dan kun je beter nog even het schema voor twee tot vier weken volgen tot zijn gewichtstoename verbetert.

In mijn ervaring zijn baby's die in de eerste maanden wekelijks 180-225 gram aankomen meestal meer tevreden dan baby's die minder dan 180 gram per week aankomen; ze slapen ook beter. Ik moet wel bekennen dat tussen de baby's die ik heb verzorgd ook kinderen zaten die heel blij en tevreden waren en toch maar 115-140 gram per week aankwamen. Maar als je merkt dat je baby tussen de voedingen door steeds prikkelbaar is, 's nachts niet slaapt en minder dan 180 gram per week aankomt, kan het heel goed zijn dat hij niet genoeg voeding binnenkrijgt. Het is verstandig zijn gewichtstoename dan te bespreken op het consultatiebureau of met je huisarts.

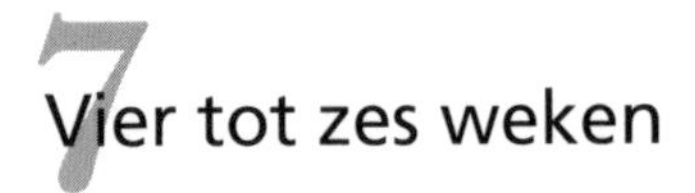

7 Vier tot zes weken

SCHEMA VOOR BABY EN PEUTER – VIER TOT ZES WEKEN

Voedingstijden	**Dutjes tussen 7.00 en 19.00 u**
7.00 u	9.00-10.00 u
10.00/10.30 u	11.30/12.00-14.00/14.30 u
14.00/14.30 u	16.15-17.00 u
17.00 u	
18.00 u	
22.00/22.30 u	**Maximum aantal uren slaap overdag:** $4\frac{3}{4}$

Afkolven: 6.45, 9.15/9.30 en 21.30 u

7.00 uur

- Zorg ervoor dat je baby wakker is en zijn luier is verschoond. Begin niet later dan om 7.00 uur met voeden.
- Als hij om 3.00 of 4.00 uur gedronken heeft, laat hem dan 20-25 minuten aan de volle borst drinken. Heeft hij nog honger, laat hem dan nog 10-15 minuten drinken aan de tweede borst, nadat je daar 60 ml uit afgekolfd hebt.
- Als hij om 5.00 of 6.00 uur gedronken heeft, laat hem dan 20-25 minuten aan de tweede borst drinken, nadat je daar 60 ml uit afgekolfd hebt.
- Afhankelijk van hoe laat je peuter wakker wordt, kan hij ontbijten terwijl jij de baby voedt. Als je baby om 6.00 uur uit één borst gedronken heeft, geef dan de tweede borst terwijl je peuter ontbijt.
- Voed de baby niet na 7.45 uur, want dan heeft hij bij de volgende voeding minder trek. Hij mag nu maximaal 2 uur wakker blijven.
- Zorg ervoor dat je zelf ontbeten hebt vóór 8.00 uur.

8.00 uur

– Stimuleer je peuter om zichzelf te wassen en aan te kleden, en laat de baby even lekker trappelen op het speelkleed of in de box.

8.45 uur

– Je baby zal tegen deze tijd al een beetje slaperig zijn. Zelfs als hij daarvan geen tekenen vertoont, zal hij toch moe beginnen te worden. Kijk of zijn luier moet worden verschoond en laat hem tot rust komen.
– Als je je peuter naar de crèche of peuterspeelzaal moet brengen, laat je baby zijn dutje dan in de auto of kinderwagen doen.

9.00 uur

– Leg de slaperige baby half of volledig ingebakerd (zie blz. 64-65) in zijn bedje of elders. Doe dat niet later dan 9.00 uur.
– Laat hem niet langer dan 1 uur slapen.
– Als hij zijn dutje thuis doet, was en steriliseer de flessen en kolfspullen dan ondertussen. Misschien wil je peuter wel meehelpen, maar dring niet aan als hij geen zin heeft.

9.15/9.30 uur

– Kolf 20 ml melk af van de borst die je om 7.00 uur als eerste hebt gegeven.

9.45 uur

– Maak de doek los waarmee de baby ingebakerd is, zodat hij op natuurlijke wijze wakker kan worden.
– Zet alles klaar voor het kort wassen en verschonen van je baby.
– Zet een tussendoortje klaar voor je peuter.

10.00 uur

– Zorg dat je baby goed wakker is, ongeacht hoelang hij heeft geslapen.
– Was hem en kleed hem aan. Smeer alle huidplooien en schrale plekjes goed in.
– Als je baby om 7.00 uur een volledige voeding heeft gehad, zou hij het tot 10.45 uur moeten kunnen uitzingen. Heeft hij eerder gedronken, gevolgd door wat extra voeding om 7.30 uur, dan zal hij voor deze voeding wellicht iets eerder komen.

- Stimuleer hem op het speelkleed even lekker te trappelen.
- Geef je peuter een tussendoortje en wat water of sap. Geef hem na 10.30 uur geen tussendoortje meer, want dan wil hij straks zijn lunch niet.

10.30 uur

- Laat je baby 20-25 minuten drinken aan de borst waaraan hij bij de vorige voeding het laatst gedronken heeft.
- Leg hem op het speelkleed om even lekker te trappelen. Leg hem daarna nog 10-15 minuten aan de borst die je als laatste afgekolfd hebt.
- Begin niet later dan om 11.30 uur met voeden, anders heeft hij bij de volgende voeding minder trek.

11.30 uur

- Als je baby de afgelopen 2 uur heel wakker en alert is geweest, begint hij nu waarschijnlijk moe te worden. Leg hem tegen 11.45 uur in zijn bedje.
- Als je je peuter moet ophalen van de peuterspeelzaal, laat je baby het eerste deel van zijn dutje dan in de auto of kinderwagen doen. Maak zijn bedje vast klaar zodat je hem er bij thuiskomst zo in kunt leggen.

11.45 uur

- Ongeacht wat je baby hiervoor gedaan heeft, laat je hem nu tot rust komen voor zijn dutje.
- Geef je baby een schone luier en controleer of zijn beddengoed nog schoon is.
- Doe de gordijnen dicht en leg je baby, volledig ingebakerd, in bed. Doe dat niet later dan om 12.00 uur.

11.30/12.00 uur-14.00/14.30 uur

- Laat je baby niet langer dan 2,5 uur slapen.
- Als hij na 45 minuten wakker wordt, controleer je of hij nog goed is ingebakerd. Praat echter niet tegen hem en doe ook geen licht aan.
- Laat hem 10-20 minuten proberen zelf weer in slaap te komen; als hij nog steeds onrustig is, geef je hem de helft van zijn voeding van 14.00 uur.
- Probeer hem zover te krijgen dat hij tot 14.30 uur slaapt.

12.00 uur

- Lunch samen met je peuter en laat hem daarna eventueel een middagslaapje doen. Neem zelf ook rust.
- Was en steriliseer de kolfspullen.

14.00/14.30 uur

- Zorg ervoor dat je baby niet later dan om 14.30 uur wakker is en gevoed wordt, ongeacht hoelang hij heeft geslapen.
- Maak de doek los waarmee je baby ingebakerd is, zodat hij op natuurlijke wijze wakker kan worden. Geef hem een schone luier.
- Laat je baby 20-25 minuten drinken aan de borst waaraan hij het laatst gedronken heeft en daarna nog 10-15 minuten aan de tweede borst, terwijl je zelf een groot glas water drinkt.
- Geef je peuter een tussendoortje.
- Laat je baby na 15.15 uur niet meer drinken, anders heeft hij bij de volgende voeding minder trek.
- Het is belangrijk dat je baby nu tot 16.15 uur goed wakker blijft, zodat hij om 19.00 uur goed kan slapen. Als hij 's ochtends heel wakker is geweest, zal hij nu wat slaperiger zijn. Trek hem niet te veel kleertjes aan, want door die extra warmte wordt hij doezelig.
- Stimuleer hem op het speelkleed even lekker te trappelen.

15.00-16.00 uur

- Is je peuter 's ochtends naar de crèche of peuterspeelzaal geweest, houd het dan 's middags wat rustiger. Is hij nog niet de deur uit geweest, dan kun je 's middags iets actievers doen. Als het lekker weer is, is het voor zowel je baby als je peuter goed om een frisse neus te halen in het park of in de tuin.
- Verschoon de luier van je baby. Ga daarna wandelen met je baby en peuter, zodat de baby goed slaapt en lekker fris is voor zijn badje en voeding.
- Als je wilt dat je baby om 19.00 uur snel in slaap valt, laat hem dan nu tot hooguit 17.00 uur slapen.

17.00 uur

– Als je wilt dat je baby om 19.00 uur snel in slaap valt, moet hij nu goed wakker zijn.
– Avondmaaltijd voor je peuter.
– Laat je baby 20 minuten aan de borst drinken waaraan hij het laatst gedronken heeft.
– Laat hem tot na zijn badje wachten voordat je de andere borst geeft.

17.45 uur

– Laat je baby even lekker trappelen zonder luier (bijvoorbeeld op het aankleedkussen op de grond), terwijl je alles klaarzet voor het badje. Misschien wil je peuter helpen. Als hij dat niet wil, laat hem dan even rustig spelen.
– Doe je baby kort in bad. Droog hem af en smeer alle huidplooien en schrale plekjes goed in.

18.00 uur

– Voed de baby niet later dan om 18.00 uur. Doe dit in de slaapkamer, bij gedimd licht en zonder oogcontact te maken of tegen hem te praten.
– Als hij om 17.00 uur de eerste borst niet heeft leeggedronken, laat hem dan eerst 10-15 minuten aan die borst en daarna 20-25 minuten aan de volle borst drinken.
– Laat je peuter tijdens het voeden lekker naast je zitten met een boekje, een dvd of een cd.
– Leg je baby volledig ingebakerd om 18.30 uur in bed. Laat een gedimd lichtje aan en leg iets in zijn bedje waar hij naar kan kijken, zoals een spiegeltje of een stoffen boekje.

18.30/19.00 uur

– Tijd voor je peuter om in bad te gaan. Trek hier 10-15 minuten voor uit.
– Moedig hem aan zichzelf af te drogen en aan te kleden.
– Laat je peuter daarna een beker melk drinken en lees hem voor.

19.00/19.30 uur

- Leg je peuter na het voorlezen om 19.00/19.30 uur in bed.
- Als je baby nog niet slaapt, laat hem dan nog 10 minuten drinken uit de volste borst. Doe dit zonder oogcontact te maken of tegen hem te praten.

20.00 uur

- Zorg ervoor dat je zelf goed eet en wat rust neemt voor de volgende voeding en het afkolven.

21.30 uur

- Kolf beide borsten af als je 's avonds een flesje geeft.

22.00/22.30 uur

- Doe het licht aan en maak de doek los waarmee je baby ingebakerd is, zodat hij op natuurlijke wijze wakker kan worden.
- Laat hem minstens 10 minuten liggen voordat je hem gaat voeden, zodat hij goed wakker is en dus goed zal drinken.
- Leg een luier en schoon beddengoed klaar voor het geval je baby midden in de nacht een verschoning nodig heeft.
- Laat hem 20 minuten drinken aan de eerste borst, of geef hem het grootste deel van zijn flesvoeding. Geef hem dan een schone luier en baker hem weer in.
- Dim het licht wat en geef hem de andere borst of de resterende flesvoeding, zonder oogcontact te maken of tegen hem te praten.

's Nachts

- Als je baby vóór 4.00 uur wakker wordt, geef hem dan een volledige voeding.
- Als hij tussen 4.00 en 5.00 uur wakker wordt, geef je hem één borst; de tweede geef je om 7.30 uur, nadat je hebt gekolfd.
- Als hij om 6.00 uur wakker wordt, geef je hem één borst; de tweede geef je om 7.30 uur, nadat je hebt gekolfd.
- Zorg ervoor dat het licht gedimd blijft en je je baby zo min mogelijk prikkelt. Praat niet tegen hem en maak geen oogcontact Geef hem alleen een schone luier als dat echt noodzakelijk is.

AANPASSINGEN IN HET SCHEMA VAN VIER TOT ZES WEKEN

Slaap

De meeste baby's voor wie ik heb gezorgd, sliepen rond de zesde week 's nachts al een heel stuk langer achter elkaar. Veel sliepen er zelfs al door tot 7.00 uur. Ouders die tevergeefs hun best deden om hun baby langer te laten doorslapen, vroegen me hoe ik dat voor elkaar kreeg. Mijn antwoord was altijd dat het gewoon vanzelf ging als mijn schema's werden gevolgd en dat de baby's op een gegeven moment uit zichzelf langer gingen slapen 's nachts. Als ik mag afgaan op de reacties op het forum van mijn website, geldt dit voor de meeste ouders. Maar wat ook duidelijk wordt uit de duizenden posts van de afgelopen jaren is dat veel ouders wier baby's met zes weken nog niet langer doorslapen, hun kinderen overdag veel langer laten slapen dan ik voor die leeftijd adviseer. Ze denken dat hun baby veel slaap nodig heeft en overdag veel moet slapen. Hoewel ik absoluut geloof dat sommige baby's meer slaap nodig hebben dan andere, bleek in de praktijk dat de baby's die echt meer slaap nodig hadden, ook degenen waren die 's nachts eerder doorsliepen. Als je baby 's nachts nog niet langer achtereen slaapt, kijk dan eens goed naar zijn slaappatroon overdag en probeer de hoeveelheid slaap overdag wat af te bouwen. Door zijn ochtenddutje om de drie of vier dagen met 5 minuten te verkorten, voorkom je dat hij oververmoeid raakt, maar breng je toch de hoeveelheid slaap overdag terug.

Je baby's dagelijkse dutjes tussen 7.00 en 19.00 uur mogen nu niet meer bestrijken dan strikt 4,5 uur: het ochtenddutje mag niet langer zijn dan 1 uur, het dutje tussen de middag niet langer dan 2,5 uur en tussen 14.15 en 17.00 uur mag het hooguit 30 minuten zijn. Een probleem dat zich in deze fase vaak voordoet bij tweede kinderen is dat de baby rond 8.30 uur in slaap valt tijdens het ritje naar de crèche, peuterspeelzaal of school, en dan tot tegen 10.00 uur slaapt. Dit leidt tot te veel slaap overdag, met alle gevolgen voor de nachtslaap van dien. Als je het gevoel hebt dat dit bij jouw baby ook gebeurt, adviseer ik je je kindje om 9.00 uur wakker te maken, zodat hij maar 30 minuten slaapt. Eventueel kan hij dan rond tienen nog een hazenslaapje doen van 15 minuten. Zo komt zijn dutje van tussen de middag niet in gevaar.

Het is belangrijk dat je kindje er na een week of zes aan went dat hij om 9.00 en 19.00 uur nog maar voor de helft wordt ingebakerd (onder de armpjes). Tussen de twee en vier maanden komen de meeste gevallen van wiegendood voor, en oververhitting is daarbij een van de belangrijkste oorzaken. Als je je baby half inbakert, stop het beddengoed dan goed in. Als hij eerder wakker wordt dan wat het schema voorstelt, controleer dan of hij misschien zijn dekentje heeft losgewoeld; baby's worden rond deze leeftijd wat actiever en dat kan een reden zijn dat ze 's nachts eerder wakker worden.

Je baby hoort inmiddels wat sneller in slaap te vallen. De knuffeltijd moet langzaam maar zeker worden afgebouwd. Dit is een goed moment om hem eraan te laten wennen dat hij al in bed wordt gelegd terwijl hij nog wat wakkerder is. Een nachtlampje waaruit een melodietje komt en dat gedurende een minuut of tien figuurtjes op het plafond projecteert, kan daarbij goed van pas komen.

Je baby hoort nu 's nachts ook langer achter elkaar te slapen, mits hij het grootste deel van zijn dagelijkse melkbehoefte tussen 6.00/7.00 uur en 23.30 uur heeft binnengekregen. Zijn gewichtstoename is hiervoor een goede indicator; hij zou regelmatig 180-225 gram per week moeten aankomen.

Zodra hij een paar nachten achter elkaar zo'n tijd heeft doorgeslapen, kun je hem het best niet voeden als hij plotseling weer vroeger wakker wordt. De uren na de voeding van 22.30 uur worden wel de belangrijkste uren van de nacht genoemd (zie blz. 217-219). Laat hem als hij op dit tijdstip wakker wordt, eerst een paar minuten proberen zelf weer in slaap te komen. Als dat niet lukt, zijn er nog andere methoden, afgezien van voeden, om hem tot rust te brengen. Ik zou proberen hem met wat afgekoeld gekookt water of een knuffel in slaap te krijgen; anderen raden een fopspeen aan. Terwijl je je kleintje geruststelt, moet je hem toch zo min mogelijk aandacht geven. Op die manier leert de baby een van de belangrijkste slaapvaardigheden: weer in slaap vallen nadat hij uit een niet-remslaap wakker is geworden. Wanneer hij niet tot rust kan komen, zul je hem natuurlijk toch moeten voeden. Deze methode kun je ook gebruiken om een oudere baby die de gewoonte heeft ontwikkeld om elke nacht rond hetzelfde tijdstip wakker te worden, zover te krijgen dat hij wat langer doorslaapt.

Lees voordat we op deze methode doorgaan de volgende punten aandachtig door, zodat je zeker weet dat je baby echt in staat is 's nachts langer achter elkaar door te slapen.

- Deze methoden mogen nooit worden toegepast op een heel kleine baby of op een baby die niet aankomt.
- De hiervoor genoemde methoden mogen alleen toegepast worden als de baby regelmatig 180-225 gram per week aankomt en je zeker weet dat zijn laatste voeding voldoende is om er wat langer op door te kunnen slapen.
- Het belangrijkste teken dat een baby een nachtvoeding kan overslaan, is regelmatige gewichtstoename en het feit dat hij bij de voeding van 7.00 uur niet zo'n trek heeft of minder drinkt.
- Het doel van deze methode is de tijdsduur vanaf de laatste voeding te verlengen, en dus niet om de nachtvoeding in één keer over te slaan. Je kunt deze methode toepassen als je baby drie of vier nachten heeft laten zien dat hij wat langer kan doorslapen. Ik kan echter niet genoeg benadrukken hoe belangrijk het is dat je deze methode niet toepast als je baby 's nachts niet snel weer in slaap valt. Als de methode niet binnen drie tot vier nachten werkt, laat haar dan voor wat ze is en blijf je baby 's nachts nog even voeden. Als je toch doorzet en je baby valt niet snel weer in slaap, creëer je een slaapassociatieprobleem dat ertoe kan leiden dat je baby nog heel wat weken 's nachts niet doorslaapt.

Voeden

Als je je baby tussen 3.00 en 4.00 uur voedt en hem elke ochtend om 7.00 uur wakker moet maken, kun je de hoeveelheid melk die hij 's nachts krijgt heel geleidelijk afbouwen. Hierdoor zal hij overdag meer drinken en 's nachts minder, en uiteindelijk zal hij de nachtvoeding helemaal overslaan. Het is belangrijk dat je niet te snel of met te grote hoeveelheden tegelijk afbouwt, aangezien je baby dan ruim voor 7.00 uur wakker zou kunnen worden, en dat zou de hele opzet, om hem van 23.00 tot 7.00 uur te laten doorslapen, tenietdoen.

De meeste baby's maken met zes weken een groeispurt door. Kolf overdag de eerste keer nog eens 30 ml minder af en sla met zes weken het afkolven om 10.30 uur helemaal over. De meeste baby's kunnen na de voeding van 7.00 uur best wat langer wachten, dus dan kun je de voeding van 10.00 uur doorschuiven naar 10.30 uur. De uitzondering hierop is een baby die het 's ochtends maar tot bijna 5.00 uur uitzingt en om 7.30 uur een bijvoeding krijgt. Hij haalt het waarschijnlijk niet tot 10.30 uur, aangezien hij om 7.30 uur alleen een slokje extra heeft gehad. Hem moet je dus om 10.00 uur blijven voeden, totdat hij zijn eerste voeding tussen 6.00 en 7.00 uur krijgt.

Op dagen dat je vroeg op pad gaat met je baby en peuter, vind je het misschien gemakkelijker om om 10.00 uur een gesplitste voeding te geven met een bijvoeding als je weer thuiskomt of vlak voor het dutje tussen de middag.

Tijdens een groeispurt moet je je baby bij sommige voedingen wat langer aan de borst houden, vooral als je niet gekolfd hebt op de voorgestelde tijdstippen. Het is belangrijk om je baby die extra tijd te geven, eventueel aangevuld met bijvoedingen. Je kunt even het gevoel krijgen dat je een terugval op de schema's hebt, maar de extra voedingen overdag zijn maar tijdelijk en je voorkomt ermee dat je baby 's ochtends vroeger of 's nachts vaker wakker wordt omdat hij overdag niet voldoende gedronken heeft. Zie blz. 221-225 voor een programma voor een hogere melkproductie.

Tijdens een groeispurt moeten voor flessenbaby's om te beginnen de voedingen van 7.00, 10.30 en 18.15 uur wat opgebouwd worden. Als je baby het met gemak uithoudt tot 10.30 uur en tijdens deze groeispurt het dutje tussen de middag in het gedrang komt, kun je hem vlak voordat hij naar bed gaat eventueel nog een kleine bijvoeding geven. Zodra hij een week lang tussen de middag ononderbroken heeft geslapen, kun je die bijvoeding weer afbouwen en uiteindelijk helemaal overslaan. Merk je echter dat je baby zonder bijvoeding niet goed in slaap valt tussen de middag, dan kun je gerust die bijvoeding blijven geven. Het belangrijkste in dit stadium is dat je baby tussen de middag goed slaapt.

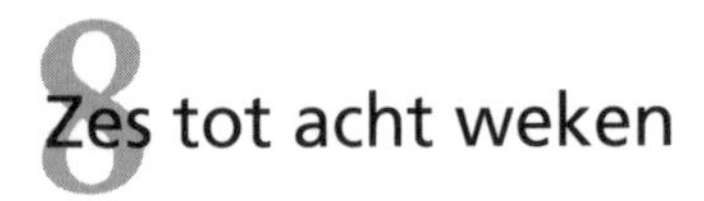

8 Zes tot acht weken

SCHEMA VOOR BABY EN PEUTER – ZES TOT ACHT WEKEN

Voedingstijden	**Dutjes tussen 7.00 en 19.00 u**
7.00 u	9.00-9.45 u
10.45 u	11.45/12.00-14.00/14.30 u
14.00/14.30 u	16.30-17.00 u
17.00 u	
18.15 u	
22.00/22.30 u	**Maximum aantal uren slaap overdag:** 4

Afkolven: 6.45 en 21.30 u

7.00 uur

- Zorg ervoor dat je baby wakker is en zijn luier is verschoond. Begin niet later dan 7.00 uur met voeden.
- Als hij om 4.00 of 5.00 uur gedronken heeft, laat hem dan 20-25 minuten aan de volle borst drinken. Heeft hij nog honger, laat hem dan nog 10-15 minuten drinken aan de tweede borst, nadat je daar 30-60 ml uit afgekolfd hebt.
- Als hij om 6.00 uur gedronken heeft, laat hem dan 20-25 minuten drinken aan de tweede borst, nadat je daar 30-60 ml uit afgekolfd hebt.
- Afhankelijk van hoe laat je peuter wakker wordt, kan hij ontbijten terwijl jij de baby voedt. Als je baby al om 6.00 uur uit één borst gedronken heeft, geef dan de tweede borst terwijl je peuter ontbijt.
- Voed de baby niet na 7.45 uur, want dan heeft hij bij de volgende voeding minder trek. Hij mag nu maximaal 2 uur wakker blijven.
- Zorg ervoor dat je zelf ontbeten hebt vóór 8.00 uur.

8.00 uur

- Was de baby en kleed hem aan. Smeer alle huidplooien en schrale plekjes goed in.
- Stimuleer je peuter om zichzelf te wassen en aan te kleden.

8.50 uur

- Kijk of je baby's luier moet worden verschoond en laat hem tot rust komen.

9.00 uur

- Leg de slaperige baby half ingebakerd in zijn bedje of elders. Doe dat niet later dan om 9.00 uur.
- Laat hem niet langer dan 45 minuten slapen.
- Was en steriliseer de flessen en kolfspullen. Misschien wil je peuter wel meehelpen.

9.45 uur

- Maak de doek los waarmee je baby ingebakerd is, zodat hij op natuurlijke wijze wakker kan worden.
- Zet een tussendoortje klaar voor je peuter.

10.00 uur

- Zorg dat je baby goed wakker is, ongeacht hoelang hij heeft geslapen.
- Als je baby om 7.00 uur een volledige voeding heeft gehad, zou hij het tot 10.45 uur moeten kunnen uitzingen. Heeft hij eerder gedronken, gevolgd door wat extra voeding om 7.30 uur, dan zal hij voor deze voeding wellicht iets eerder komen.
- Stimuleer hem om op het speelkleed even lekker te trappelen.
- Geef je peuter een tussendoortje.

10.45 uur

- Laat je baby 20-25 minuten drinken aan de borst waaraan hij bij de vorige voeding het laatst gedronken heeft en daarna nog 10-15 minuten aan de tweede borst, terwijl je zelf een groot glas water drinkt.

11.30 uur

- Als je baby heel wakker en alert is geweest de afgelopen 2 uur, begint hij nu waarschijnlijk moe te worden. Leg hem tegen 11.45 uur in zijn bedje.

11.45 uur

- Ongeacht wat je baby hiervoor heeft gedaan, laat je hem nu tot rust komen voor zijn dutje.
- Geef hem een schone luier en controleer of zijn beddengoed nog schoon is.
- Doe de gordijnen dicht en leg je baby, half of volledig ingebakerd, in bed. Doe dat niet later dan om 12.00 uur.

11.45/12.00 uur-14.00/14.30 uur

- Laat je baby niet langer dan 2,5 uur slapen.

12.00 uur

- Lunch samen met je peuter en laat hem daarna een middagslaapje doen. Neem zelf ook rust.
- Was en steriliseer de kolfspullen.

14.00/14.30 uur

- Zorg ervoor dat je baby niet later dan om 14.30 uur wakker is en gevoed wordt, ongeacht hoelang hij heeft geslapen.
- Maak de doek los waarmee je baby ingebakerd is, zodat hij op natuurlijke wijze wakker kan worden. Geef hem een schone luier.
- Laat je baby 20-25 minuten drinken aan de borst waaraan hij het laatst gedronken heeft en daarna nog 10-15 minuten aan de tweede borst, terwijl je zelf een groot glas water drinkt.
- Geef je peuter een tussendoortje.
- Laat je baby na 15.15 uur niet meer drinken, anders heeft hij bij zijn volgende voeding geen trek.
- Het is belangrijk dat je baby nu tot 16.30 uur goed wakker blijft, zodat hij om 19.00 uur goed kan slapen.

- Als hij 's ochtends heel wakker is geweest, zal hij nu wat slaperiger zijn. Trek hem niet te veel kleertjes aan, want door die extra warmte wordt hij doezelig.
- Stimuleer hem om op het speelkleed even lekker te trappelen.

15.00 uur

- Is je peuter 's ochtends naar de crèche of peuterspeelzaal geweest, houd het dan 's middags wat rustiger. Is hij nog niet de deur uit geweest, dan kun je 's middags iets actievers doen.

16.15 uur

- Geef je baby een schone luier en geef hem afgekoeld gekookt water te drinken. Doe dat niet later dan om 16.30 uur.
- Ga er even uit met je baby en peuter en maak daarna alvast de avondmaaltijd voor je peuter.

17.00 uur

- Avondmaaltijd voor je peuter.
- Als je wilt dat je baby om 19.00 uur snel in slaap valt, moet hij nu goed wakker zijn.
- Laat hem als hij wil 10-15 minuten aan de borst drinken waaraan hij het laatst gedronken heeft. Wacht anders tot na zijn badje voordat je een volledige voeding geeft. Met acht weken zou hij het tot na het badje moeten kunnen volhouden.

17.30 uur

- Laat je baby even lekker trappelen zonder luier (bijvoorbeeld op het aankleedkussen op de grond), terwijl je alles klaarzet voor het badje.
- Stimuleer je peuter zichzelf uit te kleden.

17.45 uur

- Badtijd voor je baby en peuter. Zie blz. 73-75 voor verdere aanwijzingen voor het bad- en bedritueel.

18.15 uur

- Voed de baby niet later dan om 18.15 uur. Doe dit in de slaapkamer, bij gedimd licht en zonder oogcontact te maken of tegen hem te praten.
- Als hij om 17.00 uur niet heeft gedronken, laat hem dan beginnen met de borst waaraan hij het laatst gedronken heeft. Laat hem 20 minuten aan beide borsten drinken.
- Als hij om 17.00 uur wel heeft gedronken, laat hem dan nog 10-15 minuten aan de laatste borst drinken om die helemaal leeg te maken en leg hem dan aan de tweede borst.
- Laat je peuter ondertussen een beker melk drinken.
- Het is belangrijk dat je baby 2 uur nadat hij voor het laatst wakker is geworden, in bed ligt.

19.00 uur

- Leg de slaperige baby, half ingebakerd, in bed, niet later dan 19.00 uur.
- Leg je peuter na het voorlezen om 19.00/19.30 uur in bed.

20.00 uur

- Zorg ervoor dat je zelf goed eet en wat rust neemt voor de volgende voeding en het afkolven.

21.30 uur

- Kolf beide borsten af als je 's avonds een flesje geeft.

22.00/22.30 uur

- Doe het licht aan en maak de doek los waarmee je baby ingebakerd is, zodat hij op natuurlijke wijze wakker kan worden.
- Laat hem minstens 10 minuten liggen voordat je hem gaat voeden, zodat hij goed wakker is en dus goed zal drinken.
- Leg een luier en schoon beddengoed klaar voor het geval je baby midden in de nacht een verschoning nodig heeft.
- Laat hem 20 minuten drinken aan de eerste borst, of geef hem het grootste deel van zijn flesvoeding. Geef hem dan een schone luier en baker hem weer in.
- Dim het licht wat en geef hem de andere borst of de resterende flesvoeding, zonder oogcontact te maken of tegen hem te praten.

's Nachts

- Als je baby vóór 4.00 uur wakker wordt, goed drinkt en zijn belangstelling voor de voeding van 7.00 uur een beetje verliest, kun je hem beter met wat afgekoeld gekookt water tot rust brengen. Ook al drinkt hij maar 30 à 60 ml voordat hij aan de borst gaat, toch moet dit het effect hebben dat hij om 7.00 uur beter drinkt. Het doel is dat je hem zover krijgt dat hij zijn dagelijkse melkbehoefte helemaal tussen 7.00 en 23.00 uur binnenkrijgt. Wanneer hij wekelijks voldoende aankomt, is het van belang dat je hem aanmoedigt de nachtvoeding af te bouwen en uiteindelijk helemaal over te slaan (zie blz. 217-219).
- Als hij tussen 4.00 en 5.00 uur wakker wordt, geef je hem één borst; de tweede geef je om 7.00 uur, nadat je hebt gekolfd.
- Als hij om 6.00 uur wakker wordt, geef je hem één borst; de tweede geef je om 7.30 uur, nadat je hebt gekolfd.
- Zorg dat het licht gedimd blijft en je je baby zo min mogelijk prikkelt. Geef hem alleen een schone luier als dat echt noodzakelijk is.

AANPASSINGEN IN HET SCHEMA VAN ZES TOT ACHT WEKEN

Slaap

De meeste baby's die meer dan 8 pond wegen, zouden onderhand 's nachts wat langer mogen doorslapen, mits ze het grootste deel van hun dagelijkse melkbehoefte tussen 6.00/7.00 uur en 23.00 uur binnenkrijgen. Ze kunnen dan tussen 7.00 en 19.00 uur in totaal beter niet meer dan 4 uur slapen. Zodra je baby een paar nachten achter elkaar wat langer heeft geslapen, kun je proberen hem niet meer vóór dat tijdstip te voeden. Het ochtenddutje mag niet langer dan 45 minuten duren, het dutje tussen de middag 2,25-2,5 uur – en niet langer – en het dutje in de namiddag hooguit 30 minuten. Je baby mag op dat tijdstip ook zo nu en dan een hazenslaapje doen; sommige baby's slaan dit dutje helemaal over. Sta hem echter niet toe dit dutje helemaal over te slaan als hij nog niet tot 19.00 uur wakker kan blijven. Wil je dat hij tot 7.00 uur 's ochtends doorslaapt, dan is het van groot belang dat hij tegen 19.00 uur naar bed gaat. Zorg ervoor dat zijn ochtenddutje op deze leeftijd niet langer dan 45 minuten duurt, omdat je baby anders tussen de middag korter gaat slapen. Slaapt hij al wat slechter rond lunchtijd, ondanks een extra voeding vlak voor zijn slaapje, laat zijn ochtenddutje dan maar 30 minuten duren, zelfs als dat betekent dat je zijn dutje van tussen de middag wat naar voren moet halen.

Dutje tussen de middag

Zodra je baby zes weken is en de volledige 45 minuten 's ochtends slaapt, moet je hem tussen de middag na 2,25 uur slaap wekken. Als zijn ochtenddutje om de een of andere reden veel korter duurde, kun je hem de volledige 2,5 uur laten slapen. Gaat je baby 's nachts slechter slapen, maak dan vooral niet de fout dat je hem overdag de slaap in laat halen, maar beperk zijn ochtenddutje tot 30 minuten en zijn dutje tussen de middag tot maximaal 2 uur.

Met acht weken kan het met dit dutje soms mislopen: je baby wordt dan bijvoorbeeld na 30-40 minuten wakker en valt niet weer in slaap. Dit is een teken dat hij een 'volwassener' slaappatroon ontwikkelt, omdat hij van een lichte slaap overgaat naar een droomslaap (de remslaap) en daarna naar een diepe slaap. Sommige baby's bewegen alleen wat als ze in de lichtere slaapfase komen, maar andere worden helemaal wakker. Als je baby niet geleerd heeft zelf weer in te slapen en altijd door jou in slaap gesust wordt, kan zich een probleem gaan ontwikkelen. Wordt hij wakker tijdens zijn dutje tussen de middag (en geef je hem vlak voor dit dutje al wat extra melkvoeding), geef hem dan 10-15 minuten de kans zelf weer in slaap te vallen. Lukt het niet of raakt hij overstuur, ga dan naar hem toe en geef hem de helft van zijn voeding van 14.00 uur (op de manier zoals je een nachtvoeding geeft) voor je hem weer in zijn bedje legt. Heeft dit ook geen effect, haal hem dan uit bed en laat hem opblijven.

Uiteraard zal hij de middag slecht doorkomen als hij maar zo kort heeft geslapen rond lunchtijd. Mijn ervaring is dat je dan het beste een dutje van 30 minuten na de voeding van 14.30 uur kunt inlassen, zodat hij niet oververmoeid raakt en je alles verder op schema kunt houden, zodat hij om 19.00 uur gewoon goed gaat slapen. Zie blz. 229-231 voor meer over dit onderwerp.

Leg je baby om 9.00 en 19.00 uur half ingebakerd in bed (en tijdens de andere slaapjes volledig ingebakerd). Wanneer er acht weken voorbij zijn, doe je dit ook bij het dutje van 12.00 uur 's middags en van 23.00 tot

7.00 uur. Sommige baby's worden, zodra ze niet meer ingebakerd worden, 's nachts weer vroeger wakker. Is dat het geval bij jouw baby, probeer hem dan weer in slaap te krijgen zonder hem te voeden of opnieuw in te bakeren.

Voeden

Gedurende groeispurts laat je je baby langer aan de borst, zodat je aan zijn groeiende voedingsbehoefte tegemoetkomt. Kolf de eerste keer van de dag 30 ml minder af. Heb je niet gekolfd, dan kun je gewoon het schema blijven volgen, maar geef hem als extraatje vlak voor elk dutje overdag een korte voeding. Nadat je dit een week hebt gedaan, is je melkproductie waarschijnlijk voldoende toegenomen. Een teken hiervan is dat je baby overdag goed slaapt en niet héél geïnteresseerd is bij zijn volgende voeding. In dat geval kun je geleidelijk de tijd aan de borst weer wat verkorten, tot je weer op je oude voedingsschema zit. Geef een flessenbaby met een toegenomen eetlust 30 ml extra voeding per sessie, beginnend bij de ochtendvoeding.

Op deze leeftijd zal een baby die regelmatig aankomt en meer dan 8 pond weegt, 's nachts wat langer kunnen doorslapen na zijn laatste voeding, mits hij overdag voldoende binnen heeft gekregen en dan niet meer dan de aanbevolen uren slaapt. Wordt hij nog steeds wakker tussen 2.00 en 3.00 uur 's nachts, ondanks een goede voeding tussen 22.00 en 22.30 uur, dan adviseer ik, als je dit niet al doet, de voeding te splitsen in een sessie om 22.00 en een om 23.15 uur. De extra melk en de extra tijd dat hij wakker is, zijn vaak genoeg om hem daarna langer te laten doorslapen. Daartoe is het van belang dat je je baby niet later dan om 21.45 uur wakker maakt, zodat hij rond 22.00 uur klaarwakker aan de voeding kan beginnen. Laat hem zoveel drinken als hij wil en laat hem vervolgens op het speelkleed even lekker trappelen. Rond 23.00 uur neem je hem mee naar de slaapkamer en geef je hem een schone luier, gevolgd door de rest van de voeding. Als je baby de fles krijgt, maak dan voor de tweede voeding een extra fles klaar, zodat hij steeds verse melk krijgt.

Mocht je baby 's nachts toch nog wakker worden, kijk dan eerst of hij zijn beddengoed niet van zich afgeschopt heeft, want dit is een andere veelvoorkomende oorzaak van nachtelijk ontwaken op deze leeftijd. Probeer hem te sussen met een slokje afgekoeld gekookt water. Helpt dat niet, geef hem dan melkvoeding, maar blader ook even door hoofdstuk 14 en 15 om te zien of er andere oorzaken zijn aan te wijzen. Helpt het wel, dan zal hij vermoedelijk tegen 5.00 uur wakker worden en dan kun je hem een volledige voeding geven, gevolgd door wat extra melk om 7.00/7.30 uur. Zo houd je het slaap- en voedingsschema voor de rest van de dag intact.

Binnen een week slapen de meeste baby's tot ongeveer 5.00 uur in de ochtend, en geleidelijk zullen ze steeds iets langer doorslapen. In dit stadium, als je baby om 7.00/7.30 uur wat extra melkvoeding in plaats van een volledige melkvoeding drinkt, duurt de pauze tot zijn voeding om 10.45 uur mogelijk te lang. Geef hem dan gewoon om 10.00/10.15 uur een volledige voeding, gevolgd door wat extra vlak voor zijn dutje tussen de middag, zodat hij niet wakker wordt tijdens dat dutje.

Als je baby eerder wakker begint te worden, laat hem dan 10 minuutjes begaan voor je naar hem toe gaat. Wanneer hij niet vanzelf weer in slaap valt, probeer je hem eerst tot rust te brengen met een slokje water of een knuffel voor je hem eventueel gaat voeden.

Blijf de voedingen overdag groter maken – niet de nachtvoedingen. De meeste baby's kunnen het na de voeding van 7.00 uur inmiddels wat langer volhouden, dus blijf de volgende voeding verschuiven totdat die om 10.45 uur valt. Als je baby nog steeds om 5.00/6.00 uur een voeding krijgt, met wat extra om 7.00/7.30 uur, zal hij er niet in slagen het langer uit te zingen en zal hij minimaal de helft van zijn volgende voeding om 10.00 uur nodig hebben.

De meeste baby's maken met zes weken een tweede groeispurt door. Kolf de eerste keer van de dag 30 ml minder af en schrap, zodra er acht weken voorbij zijn, het afkolven om 6.45 uur helemaal, zodat je baby de extra melk die hij nodig heeft, kan drinken. Hij zal tijdens groeispurts bij sommige voedingen wellicht ook wat langer aan de borst willen blijven.

Geef een flessenbaby tijdens een groeispurt eerst alleen om 7.00, 10.45 en 18.15 uur meer melkvoeding. Om 22.30 uur geef je alleen méér voeding als je dat bij de andere voedingssessies ook al doet en je baby 's nachts nog steeds niet wat langer doorslaapt. Probeer hem bij deze late voeding niet meer dan 180 ml te geven, tenzij je baby bij de geboorte ruim 9 pond woog. Sommige baby's kunnen in dit stadium beter overschakelen op een speen met drie gaatjes.

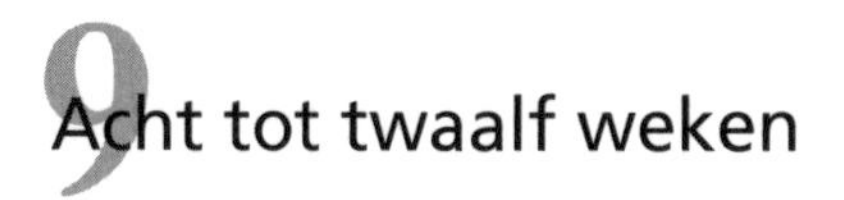

9 Acht tot twaalf weken

SCHEMA VOOR BABY EN PEUTER – ACHT TOT TWAALF WEKEN

Voedingstijden	**Dutjes tussen 7.00 en 19.00 u**
7.00 u	9.00-9.45 u
10.45/11.00 u	12.00-14.00/14.15 u
14.00/14.15 u	16.45-17.00 u
17.00 u	
18.15 u	
22.00/22.30 u	**Maximum aantal uren slaap overdag:** 3,5
Afkolven: 21.30 u	

7.00 uur

- Zorg ervoor dat je baby wakker is en zijn luier is verschoond. Begin niet later dan 7.00 uur met voeden.
- Laat hem 20 minuten drinken aan de eerste borst en dan nog 10-15 minuten aan de tweede borst.
- Je peuter kan ontbijten terwijl jij de baby voedt.
- Je baby mag nu maximaal 2 uur wakker blijven.
- Zorg ervoor dat je zelf ontbeten hebt vóór 8.00 uur.

8.00 uur

- Was de baby en kleed hem aan. Smeer alle huidplooien en schrale plekjes goed in.
- Stimuleer je peuter om zichzelf te wassen en aan te kleden.

8.50 uur

- Controleer of je baby's luier en beddengoed moeten worden verschoond.

9.00 uur

- Leg de slaperige baby half ingebakerd in zijn bedje of elders. Doe dat niet later dan om 9.00 uur.
- Laat hem niet langer dan 45 minuten slapen.
- Was en steriliseer de flessen en kolfspullen.

9.45 uur

- Maak de doek los waarmee je baby ingebakerd is, zodat hij op natuurlijke wijze wakker kan worden.

10.00 uur

- Zorg dat je baby goed wakker is, ongeacht hoelang hij heeft geslapen.
- Stimuleer hem om op het speelkleed even lekker te trappelen.
- Geef je peuter een tussendoortje.

10.45/11.00 uur

- Laat je baby 20 minuten drinken aan de borst waaraan hij het laatst gedronken heeft en daarna nog 10-15 minuten aan de tweede borst, terwijl je zelf een groot glas water drinkt.
- Maak de lunch klaar voor jou en je peuter.

11.45 uur

- Ongeacht wat je baby hiervoor heeft gedaan, laat je hem nu tot rust komen voor zijn dutje.
- Geef je baby een schone luier en controleer of zijn beddengoed nog schoon is.
- Doe de gordijnen dicht en leg je baby, half ingebakerd, in bed. Doe dat niet later dan om 12.00 uur.

12.00 uur-14.00/14.15 uur

- Laat je baby niet langer dan 2,25 uur slapen.
- Was en steriliseer de kolfspullen als je dat nog niet hebt gedaan vandaag.

- Lunch samen met je peuter.
- Laat je peuter een middagslaapje of iets anders rustigs doen. Neem zelf ook rust.

14.00/14.15 uur

- Zorg ervoor dat je baby niet later dan om 14.30 uur (dus na maximaal 2,25 uur) wakker is en aan zijn voeding is begonnen, ongeacht hoelang hij heeft geslapen.
- Maak de doek los waarmee je baby ingebakerd is, zodat hij op natuurlijke wijze wakker kan worden. Geef hem een schone luier.
- Laat je baby 20 minuten drinken aan de borst waaraan hij het laatst gedronken heeft en daarna nog 10-15 minuten aan de tweede borst, terwijl je zelf een groot glas water drinkt.
- Geef je peuter een tussendoortje.
- Laat je baby na 15.15 uur niet meer drinken, anders heeft hij bij zijn volgende voeding geen trek.
- Het is belangrijk dat je baby nu tot 16.45 uur goed wakker blijft, zodat hij om 19.00 uur goed kan slapen.

15.00 uur

- Is je peuter 's ochtends naar de crèche of peuterspeelzaal geweest, houd het dan 's middags wat rustiger. Is hij nog niet de deur uit geweest, dan kun je 's middags iets actievers doen.

16.15 uur

- Geef je baby een schone luier en geef hem afgekoeld gekookt water te drinken. Doe dat niet later dan om 16.30 uur.
- Misschien wil je baby een kort slaapje doen tussen 16.45 en 17.00 uur.

17.00 uur

- Avondmaaltijd voor je peuter.
- Als je wilt dat je baby om 19.00 uur snel in slaap valt, moet hij nu goed wakker blijven.
- Hij zou het nu tot na het badje moeten kunnen uitzingen. Laat hem zo nodig hooguit 15 minuten aan één borst drinken.

17.30 uur

- Laat je baby even lekker trappelen zonder luier, terwijl je alles klaarzet voor het badje.

17.45 uur

- Badtijd voor je baby en peuter. Zie blz. 73-75 voor verdere aanwijzingen voor het bad- en bedritueel.

18.15 uur

- Voed de baby niet later dan om 18.15 uur. Doe dit in de slaapkamer, bij gedimd licht en zonder oogcontact te maken of tegen hem te praten.
- Laat hem 20 minuten aan beide borsten drinken, terwijl je zelf een groot glas water drinkt.
- Laat je peuter ondertussen een beker melk drinken.
- Het is belangrijk dat je baby 2 uur nadat hij voor het laatst wakker is geworden, in bed ligt.

19.00 uur

- Leg de slaperige baby, half ingebakerd, in bed. Doe dat niet later dan om 19.00 uur.
- Leg je peuter na het voorlezen om 19.00/19.30 uur in bed.

20.00 uur

- Zorg ervoor dat je zelf goed eet en wat rust neemt voor de volgende voeding en het afkolven.

21.30 uur

- Kolf beide borsten af als je 's avonds een flesje geeft.

22.00/22.30 uur

- Doe het licht aan en maak de doek los waarmee je baby ingebakerd is, zodat hij op natuurlijke wijze wakker kan worden.
- Laat hem minstens 10 minuten liggen voordat je hem gaat voeden, zodat hij goed wakker is en dus goed zal drinken.
- Leg een luier en schoon beddengoed klaar voor het geval je baby midden in de nacht een verschoning nodig heeft.

- Laat hem 20 minuten drinken aan de eerste borst, of geef hem het grootste deel van zijn flesvoeding. Geef hem dan een schone luier en baker hem weer half in.
- Dim het licht wat en laat hem 20 minuten drinken aan de andere borst of geef hem de resterende flesvoeding, zonder oogcontact te maken of tegen hem te praten.

's Nachts

- Als je baby vóór 5.00 uur wakker wordt, goed drinkt en zijn belangstelling voor de voeding van 7.00 uur een beetje verliest, kun je hem beter met wat afgekoeld gekookt water tot rust brengen. Het doel is dat je hem zover krijgt dat hij zijn dagelijkse melkbehoefte helemaal tussen 7.00 en 23.00 uur binnenkrijgt. Wanneer hij wekelijks voldoende aankomt, is het van belang dat je hem aanmoedigt 's nachts door te slapen tot 7.00 uur zonder melkvoeding (zie blz. 217-219).
- Als hij om 5.00 uur wakker wordt, geef je hem één borst; zo nodig laat je hem nog 5-10 minuten drinken aan de andere borst.
- Als hij om 6.00 uur wakker wordt, geef je hem één borst; de tweede geef je om 7.30 uur.
- Zorg ervoor dat je je baby 's nachts zo min mogelijk prikkelt. Geef hem alleen een schone luier als dat echt noodzakelijk is.

AANPASSINGEN IN HET SCHEMA VAN ACHT TOT TWAALF WEKEN

Slaap

De meeste baby's die zo'n 11 pond wegen, zijn op deze leeftijd in staat vanaf de voeding van 22.00/23.00 uur de hele nacht door te slapen, mits ze hun dagelijkse melkbehoefte tussen 7.00 en 23.00 uur binnenkrijgen. Overdag mogen ze tussen 7.00 en 19.00 uur niet langer dan 3,5 uur slapen. Een baby die uitsluitend borstvoeding krijgt, wordt soms nog wel één keer per nacht wakker, maar met wat geluk is dat tegen 5.00 of 6.00 uur.

Bouw het aantal uren dat je baby overdag slaapt met nog 30 minuten af naar in totaal 3 uur. Het ochtenddutje mag niet langer dan 45 minuten duren, maar als hij tussen de middag niet goed slaapt, houd het dan op maximaal 30 minuten. Het dutje tussen de middag mag niet langer dan 2,25 uur duren. In dit stadium kan het met dit dutje soms mislopen. De baby raakt meestal 30-45 minuten nadat hij is gaan slapen in een lichte slaap. Sommige baby's worden dan helemaal wakker. Het is belangrijk dat ze leren zelf weer in slaap te vallen, anders kunnen ze verkeerde slaapassociaties ontwikkelen (zie hoofdstuk 15).

De meeste baby's slaan hun namiddagdutje inmiddels over. Is dat bij jouw baby niet zo, laat hem bij dat dutje dan hooguit 15 minuten slapen, tenzij het dutje tussen de middag om de een of andere reden niet goed gegaan is: dan mag je hem nu iets langer laten slapen. Alle baby's mogen nog maar voor de helft ingebakerd worden. Let wel op dat je je baby goed instopt.

Een van de redenen waarom veel baby's van deze leeftijd nog steeds wakker worden, is dat ze gaan liggen woelen en soms met een beentje tussen de spijlen raken. Je kunt je baby het beste in een dun babyslaapzakje te slapen leggen. Deze zijn zo licht dat je er nog gerust een lakentje en dekentje overheen kunt doen om de baby goed in te stoppen, zonder dat hij het te warm krijgt (zie blz. 30 voor meer informatie over ledikantjes en beddengoed).

Voeden

Je baby moet nu op vijf voedingen per dag zitten. Als hij volledige borstvoeding krijgt en 's ochtends steeds vroeger wakker wordt, kun je proberen hem na de voeding van 22.00/22.30 uur nog wat afgekolfde melk te geven. Wanneer hij regelmatig tot 7.00 uur doorslaapt, kun je de voeding van 22.30 uur geleidelijk naar voren schuiven – om de drie nachten 5 minuten vroeger – totdat hij om 22.00 uur komt. Zolang hij tot 7.00 uur doorslaapt en dan een volledige voeding drinkt, kun je de voeding van 10.45 uur verschuiven naar 11.00 uur.

Zodra je baby twee weken lang 's nachts doorgeslapen heeft, kun je de voeding van 17.00 uur laten vallen. Tot die tijd zou ik de gesplitste voeding niet overslaan, omdat een grotere voeding om 18.15 uur ertoe kan leiden dat je baby nog minder drinkt bij de laatste voeding, en daardoor eerder wakker wordt. Bij veel van de baby's voor wie ik heb gezorgd, ging ik door met die gesplitste voeding tot ze gewend waren aan vast voedsel, zodat ik zeker wist dat ze overdag genoeg melkvoeding kregen. Zodra je de voeding van 17.00 uur schrapt en je baby een volledige voeding na het badje krijgt, kan hij behoorlijk minder gaan drinken bij de laatste voeding van de dag en daardoor 's ochtends eerder wakker worden.

Als je overweegt bijvoeding te gaan geven, kun je daar het beste mee beginnen bij de voeding van 11.00 uur. Bouw de duur van deze borstvoeding geleidelijk met 2-3 minuten per dag af en voed je baby bij met flesvoeding. Tegen het eind van de eerste week zou je, indien je baby een fles van 150-180 ml drinkt, deze borstvoeding gemakkelijk moeten kunnen overslaan zonder echt last van stuwing te krijgen. Bij flessenbaby's moeten gedurende de volgende groeispurt, rond week negen, de voedingen van 7.00, 11.00 en 18.15 uur als eerste opgebouwd worden. Stem de hoeveelheid af op de behoefte van je baby.

WEL/NIET VERDERGAAN MET HET SCHEMA VAN DRIE TOT VIER MAANDEN?

Misschien zijn er nog steeds kleine aanpassingen nodig om het dagelijkse schema van je baby af te stemmen op dat van je peuter. Maar zolang je baby overdag niet méér gaat slapen dan aangegeven en hij 's nachts het schema voor acht tot twaalf weken volgt, kun je verdergaan met het volgende schema. Slaapt je baby 's nachts echter nog niet zo goed, blijf het schema voor acht tot twaalf weken dan nog een tijdje volgen en focus je op het verbeteren van de nachtrust. Op blz. 184-185 en 234-235 vind je vragen en antwoorden over hoe je het nachtelijk ontwaken aan kunt pakken. Zodra je baby langer aaneengesloten doorslaapt tussen 23.00 en 6.00/7.00 uur, kun je verder met het volgende schema.

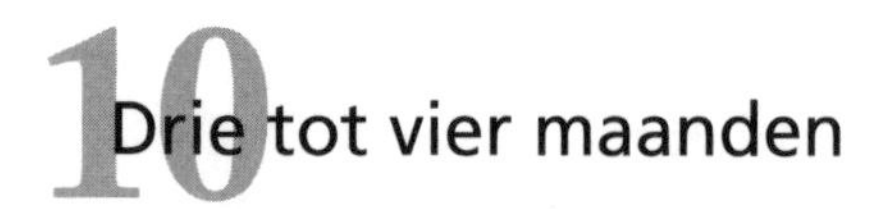

10 Drie tot vier maanden

SCHEMA VOOR BABY EN PEUTER – DRIE TOT VIER MAANDEN

Voedingstijden	**Dutjes tussen 7.00 en 19.00 u**
7.00 u	9.00-9.45 u
11.00 u	12.00-14.00/14.15 u
14.15/14.30 u	
18.15 u	
22.00/22.30 u	**Maximum aantal uren slaap overdag:** 3
Afkolven: 21.30 u	

7.00 uur

- Zorg ervoor dat je baby wakker is en zijn luier is verschoond. Begin niet later dan 7.00 uur met voeden.
- Laat hem aan beide borsten drinken of geef hem een volledige flesvoeding. Hij moet nu 2 uur wakker blijven.
- Je peuter kan ontbijten terwijl jij de baby voedt.
- Zorg ervoor dat je zelf ontbeten hebt vóór 8.00 uur.

8.00 uur

- Stimuleer de baby om op het speelkleed een minuut of 20-30 lekker te trappelen.
- Was de baby en kleed hem aan. Smeer alle huidplooien en schrale plekjes goed in.
- Stimuleer je peuter om zichzelf te wassen en aan te kleden.

9.00 uur

– Leg de slaperige baby half ingebakerd in zijn bedje. Doe dat niet later dan om 9.00 uur.
– Laat hem niet langer dan 45 minuten slapen.
– Was en steriliseer de flessen en kolfspullen.

9.45 uur

– Maak de doek los waarmee je baby ingebakerd is, zodat hij op natuurlijke wijze wakker kan worden.

10.00 uur

– Zorg ervoor dat je baby goed wakker is, ongeacht hoelang hij heeft geslapen.
– Stimuleer hem op het speelkleed even lekker te trappelen.
– Geef je peuter een tussendoortje.

11.00 uur

– Laat je baby aan beide borsten drinken of geef hem een volledige flesvoeding.

11.50 uur

– Geef je baby een schone luier en controleer of zijn beddengoed nog schoon is.
– Doe de gordijnen dicht en leg je baby, half ingebakerd, in bed. Doe dat niet later dan om 12.00 uur.

12.00-14.00/14.15 uur

– Laat je baby niet langer dan 2,25 uur slapen.
– Was en steriliseer de kolfspullen.

12.00 uur

– Lunch samen met je peuter en laat hem daarna een middagslaapje of iets anders rustigs doen.

14.00/14.15 uur

- Zorg ervoor dat de baby niet langer dan 2,25 uur in zijn bedje blijft, ongeacht hoelang hij heeft geslapen. Begin niet later dan om 14.30 uur met voeden.
- Maak de doek los waarmee je baby ingebakerd is, zodat hij op natuurlijke wijze wakker kan worden.
- Laat je baby aan beide borsten drinken of geef hem een volledige flesvoeding.
- Laat hem na 15.15 uur niet meer drinken, anders heeft hij bij zijn volgende voeding geen trek.
- Als hij eerder op de dag beide keren goed heeft geslapen, moet hij de rest van de middag door kunnen komen zonder dutje.
- Geef je peuter een tussendoortje.
- Ga met z'n drietjes even lekker naar buiten.
- Geef de baby een schone luier en geef hem niet later dan om 16.30 uur eventueel wat afgekoeld gekookt water te drinken.

17.00 uur

- Avondmaaltijd voor je peuter.

17.30 uur

- Laat je baby even lekker trappelen zonder luier, terwijl je alles klaarzet voor het badje.

17.45 uur

- Badtijd voor je baby en peuter. Zie blz. 73-75 voor verdere aanwijzingen voor het bad- en bedritueel.

18.15 uur

- Voed de baby niet later dan 18.15 uur.
- Laat hem aan beide borsten drinken of geef hem 210-240 ml flesvoeding.
- Laat je peuter ondertussen een beker melk drinken.
- Trek de gordijnen dicht of dim het licht wat en zet je baby 10 minuten in zijn wipstoeltje, terwijl je opruimt.

19.00 uur

– Leg de slaperige baby, half ingebakerd, in bed, niet later dan 19.00 uur.
– Leg je peuter na het voorlezen om 19.00/19.30 uur in bed.

21.30 uur

– Kolf beide borsten af als je 's avonds een flesje geeft.

22.00/22.30 uur

– Doe het licht aan en maak je baby net voldoende wakker om te kunnen drinken.
– Geef hem het grootste deel van de borstvoeding of 180 ml flesvoeding, geef hem een schone luier en baker hem half in.
– Dim het licht wat en geef hem de resterende voeding.

AANPASSINGEN IN HET SCHEMA VAN DRIE TOT VIER MAANDEN

Slaap

Als je de melkvoedingen en dutjes volgens het schema hebt ingedeeld, zou je baby vanaf zijn laatste voeding tot tegen 6.00/7.00 uur moeten kunnen doorslapen. Wordt hij vroeger wakker, dan kun je ervan uitgaan dat hij honger heeft. Geef hem in dat geval om 22.00 uur wat meer te drinken en houd hem iets langer wakker rond die tijd. Zorg er ook voor dat je baby maximaal 3 uur slaapt tussen 7.00 en 19.00 uur. Sommige baby's hebben misschien minder slaap nodig, en mogelijk moet je zijn dutjes overdag terugbrengen tot 2,5 uur, met een ochtendslaapje van 30 minuten en een dutje tussen de middag van 2 uur.

De meeste baby's slapen inmiddels korter in de namiddag of slaan dat dutje helemaal over, maar moeten op die dagen dan 's avonds misschien wel 5-10 minuten eerder naar bed. Als je baby tussen de middag korter dan 2 uur heeft geslapen, moedig hem dan aan ergens tussen 16.00-17.00 uur een hazenslaapje te doen, anders raakt hij misschien zo oververmoeid dat hij om 19.00 uur niet in slaap kan komen.

Breng de tijd dat je baby bij de late voeding wakker is, geleidelijk tot 30 minuten terug, mits hij regelmatig tot 7.00 uur doorslaapt (ten minste twee weken lang). Zorg dat het rustig is en ga te werk als bij een nachtvoeding. Breng de tijd na elke drie nachten met 10 minuten terug tot de voeding rond 22.00 uur een snelle, slaperige sessie is. Wanneer je baby echter nog steeds tussen 5.00 en 6.00 uur wakker wordt, doe je er verstandig aan hem bij de laatste voeding minstens 1 uur wakker te houden. Volg de suggesties voor een gesplitste voeding op blz. 121-122. Zelfs als hij zich niet loswoelt maar half is ingebakerd, raad ik je aan om rond deze tijd een dunne babyslaapzak van 100% katoen voor hem te kopen. Hij moet nog wel steeds goed ingestopt worden, dus is het van groot belang dat je een zeer lichte slaapzak koopt om te voorkomen dat je baby het te warm krijgt.

Voeden

Bij een baby die twee weken achtereen 's nachts heeft doorgeslapen tot 7.00 uur, moet je tijdens groeispurts wel goed in de gaten houden of hij overdag misschien meer voeding nodig heeft. Anders kan hij terugvallen in een patroon van nachtelijk ontwaken. Een baby die uitsluitend borstvoeding krijgt en 's nachts wakker wordt, ondanks het feit dat hij goed heeft gedronken bij de laatste voeding, heeft mogelijk toch niet genoeg binnengekregen rond die tijd. Als je niet méér melk kunt kolven eerder op de dag, kun je overwegen na die laatste voeding nog een flesje bijvoeding te geven, maar bespreek dit eerst met iemand van het consultatiebureau.

Flessenbaby's die viermaal daags 210-240 ml drinken, hebben bij de laatste voeding mogelijk voldoende aan 120-180 ml. Maar als je baby nog niet doorslaapt, heeft hij misschien wat extra's nodig. Zelfs als dat betekent dat hij 's ochtends minder gaat drinken, zou ik hem 's avonds dan toch een volledige voeding van 210-240 ml gaan geven, in elk geval een paar avonden lang, om te zien of hij dan beter doorslaapt.

Sommige baby's op deze leeftijd weigeren de late voeding gewoonweg. Maar als je merkt dat hij weer eerder wakker begint te worden en niet binnen een minuut of tien weer gaat slapen, kun je ervan uitgaan dat hij toch honger heeft en heeft hij meer voeding nodig. Overweeg in dat geval de voeding van 22.00 uur opnieuw te introduceren, tot je succesvol vast voedsel hebt geïntroduceerd.

Wanneer je baby steeds weer vóór 4.00/5.00 uur wakker wordt, geen slokje water wil drinken en pas weer gaat slapen als hij de fles heeft gehad, houd dan overdag een gedetailleerd dagboek bij van de tijden en hoeveelheden die hij drinkt, en de tijden dat hij overdag zijn dutjes doet. Zo kun je uitvogelen of hij uit gewoonte 's nachts ontwaakt of echt honger heeft rond die tijd. Sommige borstbaby's hebben echt honger midden in de nacht als ze 's avonds niet voldoende binnen hebben gekregen. Als je dit niet al doet, overweeg dan om tegen 22.00/23.00 uur een flesje bijvoeding te geven (afgekolfde melk of flesvoeding) of een volledige flesvoeding, tenzij het consultatiebureau iets anders adviseert.

Ongeacht of je baby de borst of fles krijgt, als hij goed groeit en je ervan overtuigd bent dat hij uit gewoonte wakker wordt en hij geen slokje water wil drinken, probeer dan 15-20 minuten te wachten voor je naar hem toe gaat. Sommige baby's vallen uit zichzelf weer in slaap. Een baby van deze leeftijd kan ook wakker worden omdat hij zich losgewoeld heeft. Stop hem daarom goed in.

Een flessenbaby die tussen 7.00 en 23.00 uur 1000-1150 ml melkvoeding drinkt, heeft 's nachts in principe geen voeding meer nodig. Sommige heel grote baby's, die in dit stadium meer dan 7 kg wegen, hebben soms tussen 5.00-6.00 uur toch nog een voeding nodig, gevolgd door een extra voeding om 7.00/7.30 uur, totdat ze zes maanden zijn en vast voedsel gaan eten. De huidige richtlijn is dat je een baby op zijn vroegst met zes maanden aan vast voedsel went. Mocht je het gevoel hebben dat je baby daar eerder aan toe is (zie blz. 142), bespreek dit dan met het consultatiebureau.

Je kunt beter 's nachts wat langer moeten voeden dan dat je het risico loopt dat je je kindje speent voor hij eraan toe is. Een volledig borstgevoede baby heeft misschien ook om 5.00/6.00 uur een voeding nodig; vaak komt dat doordat hij bij zijn laatste voeding niet genoeg binnen heeft gekregen. Of je baby nu de borst of fles krijgt, je kunt aan de hand van de manier waarop hij om 7.00/7.30 uur zijn extra voeding drinkt, bepalen of hij eraan toe is om de nachtvoeding over te slaan. Drinkt hij gulzig, dan heeft hij waarschijnlijk om 5.00/6.00 uur echt honger. Doet hij 'moeilijk' of weigert hij de extra voeding, dan neem ik aan dat hij meer uit gewoonte dan van de honger wakker is geworden en kun je hem beter met een slokje water of een knuffel weer rustig proberen te krijgen.

Wanneer je baby tot 7.00 uur blijft doorslapen, hij om 22.30 uur nog maar 30 minuten wakker blijft en bovendien minder drinkt bij de voeding van 7.00 uur, kun je de hoeveelheid voeding van 22.00/22.30 uur gaan afbouwen. Ga hier alleen mee door als hij tot 7.00 uur goed blijft doorslapen. Laat de laatste voeding echter niet helemaal vallen voordat je baby zes maanden oud is en aan vast voedsel gewend is. Als je de voeding van 22.00/22.30 uur eerder laat vallen en je baby net een groeispurt doormaakt, kan het namelijk gebeuren dat je 's nachts weer moet gaan voeden.

Geef je je baby alleen de borst en weegt hij minstens 12 pond, dan kan het zijn dat hij tijdens groeispurts 's nachts hoe dan ook weer wil drinken, tot hij aan vast voedsel gewend is. Heb je het idee dat je melkproductie te laag is? Volg dan de aanwijzingen op blz. 221-225.

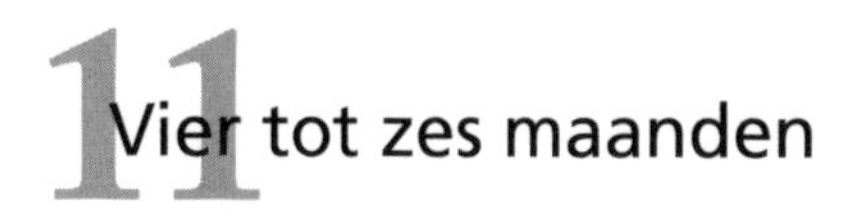

11 Vier tot zes maanden

SCHEMA VOOR BABY EN PEUTER – VIER TOT ZES MAANDEN

Voedingstijden	**Dutjes tussen 7.00 en 19.00 u**
7.00 u	9.00-9.45 u
11.00 u	12.00-14.00/14.15 u
14.15/14.30 u	
18.15 u	
22.00 u	**Maximum aantal uren slaap overdag:** 2,5-3
Afkolven: 21.30 u	

7.00 uur

- Zorg ervoor dat je baby wakker is en zijn luier is verschoond. Begin niet later dan 7.00 uur met voeden.
- Laat hem aan beide borsten drinken of geef hem een volledige flesvoeding. Hij moet nu 2 uur wakker blijven.
- Je peuter kan ontbijten terwijl jij de baby voedt.
- Zorg ervoor dat je zelf ontbeten hebt vóór 8.00 uur.

8.00 uur

- Stimuleer de baby om op het speelkleed een minuut of 20-30 lekker te trappelen.
- Was de baby en kleed hem aan. Smeer alle huidplooien en schrale plekjes goed in.
- Stimuleer je peuter om zichzelf te wassen en aan te kleden.

9.00/9.15 uur

- Leg de slaperige baby half ingebakerd in zijn bedje. Doe dat niet later dan om 9.15 uur.
- Laat hem niet langer dan 45 minuten slapen.
- Was en steriliseer de flessen en kolfspullen.

9.45 uur

- Maak de doek los waarmee je baby ingebakerd is, zodat hij op natuurlijke wijze wakker kan worden.

10.00 uur

- Zorg dat je baby goed wakker is, ongeacht hoelang hij heeft geslapen.
- Stimuleer hem op het speelkleed lekker te trappelen of neem hem mee naar buiten.
- Geef je peuter een tussendoortje.

11.00 uur

- Als je het advies hebt gekregen voor zes maanden met vast voedsel te beginnen (zie blz. 142-143), geef je hem nu eerst een volledige borst- of flesvoeding. Bied daarna pas een hapje aan.
- Laat je baby even in zijn stoeltje zitten terwijl je de lunch klaarmaakt.

11.50 uur

- Geef je baby een schone luier en controleer of zijn beddengoed nog schoon is.
- Leg je baby, half ingebakerd, in bed. Doe dat niet later dan om 12.00 uur.
- Laat je baby niet langer dan 2,25 uur slapen.

12.00 uur

- Lunch samen met je peuter en laat hem daarna een middagslaapje of iets anders rustigs doen.

14.00/14.15 uur

- Maak de doek los waarmee je baby ingebakerd is, zodat hij op natuurlijke wijze wakker kan worden.
- Geef hem een schone luier.

- Laat je baby aan beide borsten drinken of geef hem een volledige flesvoeding.
- Geef je peuter een tussendoortje.
- Laat je baby na 15.15 uur niet meer drinken, anders heeft hij bij zijn volgende voeding geen trek.
- Als hij eerder op de dag beide keren goed heeft geslapen, moet hij de rest van de middag door kunnen komen zonder dutje.

16.15 uur

- Geef de baby een schone luier en geef hem niet later dan om 16.30 uur eventueel afgekoeld gekookt water te drinken.
- Als hij tussen de middag niet goed heeft geslapen, wil hij tussen nu en 17.00 uur misschien een dutje doen.

17.00 uur

- Avondmaaltijd voor je peuter.
- Als je baby tekenen van honger vertoont en niet tot na zijn badje kan wachten, geef hem dan een beetje voeding.
- Laat je baby even lekker trappelen zonder luier, terwijl je alles klaarzet voor het badje.

17.45 uur

- Badtijd voor je baby en peuter. Zie blz. 73-75 voor verdere aanwijzingen voor het bad- en bedritueel.

18.00 uur

- Voed de baby niet later dan 18.15 uur, afhankelijk van zijn vermoeidheid.
- Laat hem aan beide borsten drinken of geef hem een volledige flesvoeding. Laat je peuter ondertussen een beker melk drinken.

19.00 uur

- Leg de slaperige baby, half ingebakerd, in bed, niet later dan 19.00 uur.
- Leg je peuter na het voorlezen om 19.00/19.30 uur in bed.

21.30 uur

- Kolf beide borsten af als je 's avonds een flesje geeft.

22.00 uur

- Doe het licht aan en maak je baby net voldoende wakker om te kunnen drinken.
- Geef hem het grootste deel van de melkvoeding. Geef hem een schone luier en stop de baby goed in.
- Dim het licht wat, maak geen oogcontact en praat niet met de baby, en geef hem de resterende voeding. Als hij geen voeding meer wil, forceer dan niets: misschien heeft hij vanaf nu minder nodig.
- Laat deze voeding niet langer dan 30 minuten duren.

AANPASSINGEN IN HET SCHEMA VAN VIER TOT ZES MAANDEN

Slaap

Als je baby vier of vijf melkvoedingen per dag krijgt en niet langer dan 3 uur slaapt tussen 7.00 en 19.00 uur, zou hij vanaf zijn laatste voeding tot ongeveer 6.00/7.00 uur 's ochtends moeten kunnen doorslapen. Wordt hij toch nog 's nachts wakker en weet je zeker dat dit niet van de honger kan zijn, probeer dan de doorslaapmethode van blz. 217-219. Als die niet werkt, kan het zijn dat je baby gewoon minder slaap nodig heeft en zou ik zijn slaapjes overdag naar een totaal van 2,5 uur terugbrengen. Als er na een paar weken nog geen verbetering is opgetreden, kun je de voeding van 22.00 uur schrappen om te zien hoelang hij dan slaapt. Het tijdstip waarop hij vervolgens ontwaakt, helpt je bij het vaststellen of je door moet gaan met die late voeding. Bijvoorbeeld: als hij tot 5.00 uur doorslaapt, dan drinkt en tot 7.00 uur verder slaapt, slaapt hij ten minste één lange periode achtereen tussen 19.00 en 7.00 uur, en dit is te verkiezen boven hem wakker maken en voeden om 22.00 uur en 5.00 uur.

Als je de voeding van 22.00 uur echter laat vervallen en je baby ergens tussen 1.00 en 5.00 uur ontwaakt, is het verstandiger om de voeding van 22.00 weer te introduceren, zodat hij niet twee keer wakker wordt en drinkt tussen middernacht en 5.00 uur 's ochtends. Wanneer je baby meer dan 13 pond weegt, kan het zijn dat hij 's nachts echt van de honger wakker wordt, vooral als hij nog uitsluitend borstvoeding krijgt. In dat geval zit er niets anders op dan te accepteren dat hij, tot hij met zes maanden aan vast voedsel begint, één voeding per nacht nodig heeft. Mocht je het gevoel hebben dat je baby eerder aan hapjes toe is, bespreek dit dan met iemand van het consultatiebureau. Als je doorgaat met één nachtelijke voeding, houd die sessie dan kort en doe het in stilte, zodat je baby snel weer inslaapt en hopelijk tot 7.00 uur doorslaapt.

Als je nog geen dunne babyslaapzak hebt, doe je er verstandig aan er nu wel een te kopen. Wanneer je dat nog langer uitstelt, loop je het risico dat je baby het helemaal niet leuk vindt om daarin te moeten slapen. Het is belangrijk dat je hem nog steeds goed instopt. Bij heel warm weer kun je hem met alleen een luier aan in de slaapzak doen en hem dan instoppen met een zeer dun katoenen lakentje. Als hij tussen de middag niet goed slaapt, kun je het ochtenddutje afbouwen naar 20-30 minuten en de voeding van 11.00 uur naar 10.30 uur verzetten. Geef hem dan wat extra voeding vlak voor zijn middagdutje.

Voeden

Ik raad je aan door te gaan met de voeding van 22.00 uur tot je vast voedsel gaat introduceren. De huidige richtlijn is dat je pas met zes maanden vast voedsel introduceert – niet meer al met vier maanden, zoals voorheen geadviseerd werd. Omdat je baby in de periode van vier tot zes maanden echter een flinke groeispurt doormaakt, zal hij volop behoefte aan melkvoeding hebben. Wanneer je de voeding van 22.00 uur wél laat vallen en hij vroeger wakker wordt zonder weer zelf in slaap te vallen, kun je ervan uitgaan dat hij echt honger heeft en moet drinken. Deze behoefte kan met vier voedingen per dag nauwelijks vervuld worden. Ga dus door met de late voeding tot je baby aan vast voedsel gewend is. Weigert hij die late voeding maar wordt hij om 5.00 uur hongerig wakker, voed hem dan en laat hem tot 7.00 uur weer slapen, en geef hem vóór 8.00 uur wat extra voeding. In dit geval kan het zijn dat de volgende voeding wat eerder valt, tussen 10.00 en 10.30 uur, maar geef hem dan vlak voor zijn tussen-de-middagdutje ook weer wat extra voeding, zodat hij ook dan voldaan in slaap valt.

Tijdens een groeispurt kan het zijn dat je baby niet genoeg heeft aan vijf voedingen per dag. Volg dan de suggesties voor een gesplitste voeding 's ochtends op blz. 60 en 83 en introduceer de voeding van 17.00 uur opnieuw. Lijkt je baby erg ontevreden tussen twee voedingen door, ondanks de extra melk, en denk je dat hij echt toe is aan een vast hapje, bespreek dit dan op het consultatiebureau. Als het advies luidt dat je een begin kunt maken met vast voedsel, doe dat dan toch nog heel geleidelijk. Introduceer de hapjes in heel kleine beetjes: je moet dit voedsel in deze fase zien als 'toetje' dat je naast de melk geeft, niet als vervanging voor melkvoeding (zie onder).

Misschien merk je dat je baby te moe is om nog vast voedsel te krijgen na zijn volledige voeding om 18.00 uur. Geef hem dan twee derde van de melk rond 17.15/17.30 uur, dan de hapjes, en de rest van de melkvoeding na het badje. Maak voor flessenbaby's de voeding in twee aparte flessen klaar, zodat je baby steeds verse melk krijgt.

Zodra het aandeel vast voedsel in zijn menu toeneemt, zal je baby bij zijn laatste voeding (22.00 uur) vanzelf minder gaan drinken. Merk je dat hij dan nog maar weinig drinkt en slaapt hij goed door tot 7.00 uur, dan kan deze voeding vervallen zonder risico dat je kindje 's nachts wakker wordt van de honger.

Een borstbaby van vijf maanden oud die je op advies van het consultatiebureau vast voedsel geeft en die nu voor 22.00 uur wakker wordt, heeft waarschijnlijk ook gewoon honger. Probeer het volgende: laat hem rond 17.30 uur aan beide borsten drinken, geef dan een paar hapjes vast voedsel, doe hem om 18.15 uur in bad en geef hem nog even de borst of wat flesvoeding. Een baby die nog geen hapjes krijgt en hongerig wakker wordt rond die tijd, kun je een gesplitste melkvoeding om 17.00 en 18.15 uur geven tot hij met vast voedsel begint.

Als je eerder begint met vast voedsel

Als je het advies krijgt om je baby met vast voedsel te laten beginnen vóór de aanbevolen leeftijd van zes maanden, moet je je realiseren dat de melkvoeding voorlopig toch nog het belangrijkste voedsel blijft. Alleen melkvoeding (borst of fles) zorgt voor de juiste hoeveelheid vitaminen en mineralen. Vast voedsel vóór zes maanden is vooral een aanvulling, een 'toetje'. Bouw de hoeveelheden de eerste weken heel geleidelijk op, tot je baby uiteindelijk drie keer per dag vast voedsel eet. Bied altijd eerst de melkvoeding aan, zodat hij daarvan, tot hij zes maanden is, in elk geval zijn dagelijkse dosis binnenkrijgt. Vergeet trouwens niet dat je met tandenpoetsen moet beginnen zodra je baby vast voedsel krijgt: minimaal één keer per dag.

Hoe pak je de voedselintroductie aan?

- Introduceer de eerste hapjes na de melkvoeding van 11.00 uur 's ochtends. Zet van tevoren alles klaar wat je nodig hebt: babystoel, een slabbetje, lepel, kom en een schone, vochtige theedoek.
- Geef de eerste keren slechts 1 theelepel pap. Maak de pap van biologische rijstebloem voor baby's en wat moedermelk, flesvoeding of iets afgekoeld gekookt water.
- Laat de pap goed afkoelen voor je hem aan je baby geeft. Gebruik een plastic lepel, nooit een metalen: die wordt te heet en voelt erg hard aan.
- Sommige baby's hebben eerst wat hulp nodig om de pap van de lepel af te happen. Steek de lepel net ver genoeg in het mondje en haal hem er schuin omhoog uit, zodat de pap in het mondje achterblijft.
- Zodra je baby na een of twee dagen gewend is aan de rijstebloempap rond 11.00 uur en deze goed verdraagt, geef je de pap in plaats daarvan na de voeding van 18.00 uur. Als de eerste theelepel er goed in gaat en hij meer lijkt te willen, kun je hem meer geven, zolang hij de gewone melkvoeding ook maar neemt.
- Na weer een of twee dagen van 1-2 theelepels rijstebloempap rond 18.00 uur, kun je na de voeding van 11.00 uur een klein beetje biologische perenpuree gaan geven. Baby's die al vóór zes maanden met vast voedsel beginnen, zijn hier tussen de vierde en zesde dag aan toe; baby's van zes maanden of ouder vaak al tussen de tweede en vierde dag.
- Laat je leiden door je baby bij het vergroten van de hoeveelheden. Hij zal zijn hoofd afwenden of tegenstribbelen als hij genoeg heeft gehad.
- Wanneer je baby de perenpuree 's ochtends goed verdraagt, verschuif je dit hapje naar de voeding van 18.00 uur. Meng de puree dan met wat babyrijstebloem voor een smakelijker hapje en om te voorkomen dat je baby last van verstopping krijgt.
- Nu kun je, een voor een, kleine hoeveelheden puree van andere biologische groenten en vruchten gaan introduceren na de melkvoeding van

11.00 uur. Geef meer groente dan fruit, om een al te sterke voorkeur voor zoet te voorkomen. Laat sterk smakende soorten nog achterwege, zoals spinazie of broccoli: kies liever wortelgroenten als wortel, zoete aardappel en koolraap.

- Bij baby's onder de zes maanden is het belangrijk dat je om de drie of vier dagen pas weer een nieuwe soort introduceert. Geef bovendien maar heel kleine beetjes. Elke week kun je een van de twee 'maaltijden' met 1 of 2 theelepels vermeerderen. Baby's van zes maanden en ouder kun je sneller meer gaan geven: om de paar dagen geef je steeds wat meer. Ook kun je sneller andere soorten proberen, maar kies alleen soorten die ik aanbeveel voor die allereerste periode van vast voedsel (zie blz. 150). Houd eventueel een dagboek bij om te zien hoe je baby reageert op elk nieuw hapje.
- Gedraag je altijd enthousiast bij het aanbieden van nieuw voedsel. Als je baby iets uitspuugt, betekent dat niet per se dat hij het niet lekker vindt. Vergeet niet dat dit een heel nieuwe ervaring voor hem is, en verschillende soorten voedsel roepen verschillende reacties op. Wanneer hij iets weigert te eten, dring dan niet aan en probeer het een week later nog eens.
- Geef altijd eerst de borst of fles, omdat deze melkvoeding qua voedingsstoffen het best is afgestemd op de behoeften van je baby. Hoewel de eetlust per baby varieert, heb ik ervaren dat de meeste baby's genoeg hebben aan 4-5 melkvoedingen per dag. Mits je baby gelukkig is en zich goed ontwikkelt, is de minimale aanbevolen dagelijkse hoeveelheid melkvoeding – naast de lepeltjes vast voedsel – op deze leeftijd 600 ml per dag.

12 Zes tot negen maanden

Zodra je baby tegen de zes maanden is, begint alles een stuk gemakkelijker te worden. De introductie van vast voedsel helpt je om de voedingstijden van de baby steeds meer samen te laten vallen met de etenstijden van je peuter. Met zeven of acht maanden kunnen beide kinderen in principe op hetzelfde tijdstip eten.

Met zes maanden kun je je baby er ook aan gaan wennen in zijn eigen kamertje te slapen. Omdat er altijd mensen om hem heen zijn geweest als hij ging slapen, kun je dit het beste heel geleidelijk invoeren. Laat hem om te beginnen eerst alleen zijn ochtend- of middagdutje in zijn eigen kamer doen. Zodra hij op een van deze tijdstippen probleemloos slaapt, kun je hem om 19.00 uur in zijn eigen kamer leggen. Omdat hij tijdens zijn dutjes overdag nog niet heeft kunnen wennen aan écht in het donker slapen in zijn eentje, zou ik een nachtlampje gebruiken voor de slaapjes op zijn kamertje tot hij gewend is. Stop geleidelijk met het gebruik van het nachtlampje zodra hij in de nieuwe situatie goed slaapt.

SCHEMA VOOR BABY EN PEUTER – ZES TOT NEGEN MAANDEN

Voedingstijden	**Dutjes tussen 7.00 en 19.00 u**
7.00 u	9.00-9.30/9.45 u
11.45 u	12.30-14.30 u
14.30 u	
17.00 u	
18.30 u	**Maximum aantal uren slaap overdag:** 2,5-2,75

7.00 uur

- Zorg ervoor dat je baby wakker is en zijn luier is verschoond. Begin niet later dan 7.00 uur met voeden.
- Laat hem aan beide borsten drinken of geef hem een volledige flesvoeding, gevolgd door (granen)pap vermengd met afgekolfde melk of flesvoeding en fruit, zodra hij daaraan toe is.
- Je baby moet nu 2 uur wakker blijven.
- Je peuter kan ontbijten terwijl jij de baby voedt.
- Zorg ervoor dat je zelf ontbeten hebt vóór 8.00 uur.

8.00 uur

- Laat je baby 20-30 minuten lekker spelen.
- Was de baby en kleed hem aan. Smeer alle huidplooien en schrale plekjes goed in.
- Stimuleer je peuter om zichzelf te wassen en aan te kleden.

9.15/9.30 uur

- Leg de baby slaperig in zijn slaapzak in bed, met de deur en gordijnen dicht, en niet later dan 9.30 uur.
- Laat hem ongeveer 30 minuten slapen.

10.00 uur

- Doe de gordijnen open en rits hem uit zijn slaapzak, zodat hij op natuurlijke wijze wakker kan worden.
- Zorg dat de baby goed wakker is, ongeacht hoelang hij heeft geslapen.
- Moedig hem aan te spelen of neem hem mee naar buiten.
- Geef je peuter een tussendoortje.

11.45 uur

- Geef een baby vanaf zeven maanden nu het grootste deel van zijn vaste hapje en daarna een beker water of goed aangelengd vruchtensap. Wissel vervolgens het hapje en het drinken af.
- Moedig de baby aan in zijn stoeltje te blijven zitten met wat vingerhapjes (zie blz. 154) terwijl jij en je peuter lunchen.
- Probeer je baby steeds ietsje later te laten eten, tot hij op hetzelfde tijdstip luncht als je peuter.

12.20 uur

- Geef je baby een schone luier en controleer of zijn beddengoed nog schoon is.
- Leg je baby slaperig in zijn slaapzakje in bed, met de deur en gordijnen dicht, en niet later dan 12.30 uur.

12.30-14.30 uur

- Laat je baby niet langer dan 2 uur slapen.
- Laat je peuter ook een middagslaapje of iets anders rustigs doen.

14.30 uur

- Zorg ervoor dat je baby niet later dan om 14.30 uur wakker is en aan zijn voeding kan beginnen, ongeacht hoelang hij heeft geslapen.
- Doe de gordijnen open en rits hem uit zijn slaapzak, zodat hij op natuurlijke wijze wakker kan worden. Geef hem een schone luier.
- Laat je baby aan beide borsten drinken of geef hem een volledige flesvoeding.
- Geef je peuter een tussendoortje.
- Laat je baby na 15.15 uur niet meer drinken, anders heeft hij bij zijn volgende voeding geen trek.

16.15 uur

- Geef de baby een schone luier en geef hem niet later dan 16.30 uur wat afgekoeld gekookt water of goed aangelengd vruchtensap te drinken.

17.00 uur

- Avondmaaltijd voor je peuter.
- Geef je baby eerst wat hapjes en daarna een klein bekertje water of ander drinken. Het is belangrijk dat hij voor het slapengaan straks nog een volledige melkvoeding krijgt, dus beperk het drinken nu tot een minimum.

18.00 uur

- Badtijd voor je baby en peuter. Zie blz. 73-75 voor verdere aanwijzingen voor het bad- en bedritueel.

18.30 uur

- Voed de baby niet later dan 18.30 uur. Laat hem aan beide borsten drinken of geef hem een volledige flesvoeding. Laat je peuter ondertussen een beker melk drinken.
- Dim het licht wat en zet de baby 10 minuten in zijn wipstoeltje, terwijl je hem en je peuter voorleest.

19.00 uur

- Leg de baby slaperig in zijn slaapzak in bed, met de deur en gordijnen dicht, en niet later dan 19.00 uur.
- Leg je peuter na nog een eigen verhaaltje om 19.00/19.30 uur in bed.

AANPASSINGEN IN HET SCHEMA VAN ZES TOT NEGEN MAANDEN

Slaap

Sommige baby's slapen van 19.00 tot 7.00 uur door zodra ze op drie vaste maaltijden per dag zitten. Als je het recente advies hebt opgevolgd en pas met zes maanden vast voedsel bent gaan introduceren, heeft je baby tot aan een maand of zeven om omstreeks 22.00 uur waarschijnlijk honger. Ben je eerder met vast voedsel begonnen en is dat al helemaal in zijn patroon opgenomen, dan kun je de voeding van 22.00 uur mogelijk al eerder schrappen. Het is echter ook mogelijk dat je baby wel al aan zijn vaste hapje gewend is, maar toch nog behoefte heeft aan die late melkvoeding. Redenen daarvoor zijn bijvoorbeeld dat hij te weinig vast voedsel eet (afgezet tegen zijn leeftijd en gewicht) of dat hij om 18.30 uur eigenlijk meer melkvoeding nodig heeft. Houd vier dagen lang een dagboek bij van alle hapjes en melk die hij krijgt om uit te vinden waarom hij die laatste voeding niet overslaat. Weet je zeker dat hij voldoende binnenkrijgt en meer uit gewoonte dan van de honger wakker wordt rond 22.00 uur, dan kun je geleidelijk minder voeding gaan geven op dat tijdstip: elke drie tot vier dagen circa 30 ml minder. Mits je kind er niet vroeger van wakker wordt, kun je zo doorgaan, en zodra hij met 60 ml genoegen neemt, kun je de hele voeding proberen weg te laten.

Probeer het slaapje van 9.00 uur bij je baby vanaf een leeftijd van zes maanden geleidelijk te verschuiven naar 9.30 uur, zodat zijn dutje tussen de middag niet te ver voor 12.30 uur gaat beginnen. Dit is van belang voor als hij straks gewend is aan vast voedsel en drie echte maaltijden per dag gaat eten, met een lunch rond 11.45-12.00 uur.

Sommige baby's slapen zodra ze op drie vaste maaltijden per dag zitten 's ochtends wat langer door. Als je baby bijvoorbeeld tot rond 8.00 uur doorslaapt, zal hij geen ochtenddutje hoeven doen, maar haalt hij het misschien niet tot 12.30 uur. In dat geval geef je hem zijn lunch om 11.30 uur, zodat hij rond 12.15 uur aan zijn middagdutje kan beginnen.

Het kan nu zijn dat je baby zich op zijn buik rolt en liever zo slaapt. Wanneer dit gebeurt, doe je er verstandig aan het lakentje en dekentje weg te halen, zodat hij er niet in verstrikt kan raken. In de wintermaanden zul je de dunne slaapzak moeten vervangen door een warmere.

De meeste baby's van ruim zes maanden oud zijn in staat om in hun kinderstoeltje te zitten tijdens hun maaltijd. Zorg er altijd voor dat hij goed vastzit en laat hem geen moment alleen.

Je baby en peuter tegelijk laten eten

Maaltijden met een baby en peuter kunnen een hele toer zijn. Zodra je weet dat er een baby op komst is, is het verstandig om toe te werken naar een situatie waarin je peuter zelf leert eten. Als de baby aan zijn eerste vaste hapjes begint, kan je peuter echter een terugval krijgen: hij wil ineens weer 'gevoerd' worden of vraagt op een andere manier aandacht tijdens de maaltijd. Het is je taak als ouder om hier begripvol maar vastberaden mee om te gaan: doe bijvoorbeeld wel wat eten op zijn lepel of vork, maar probeer te voorkomen dat je hem weer echt gaat voeren (zelfs als dat gemakkelijker lijkt dan te wachten tot hij het zelf weer gaat doen). Gaat hij met eten gooien, haal zijn eten dan weg met een streng 'nee' en bied niets anders te eten aan. Zo leert hij gauw dat dit geen geaccepteerd gedrag is. Geef hem af en toe exclusieve 'mamatijd' (zie blz. 45) en doe dan dingen met hem die de baby nog niet kan, zoals tekenen of puzzelen. Benadruk de voordelen van het 'al groot zijn' en zeg ook dat je het begrijpt dat de dingen nu een beetje moeilijk voor hem zijn. Hij zal blij zijn met je begrip en aandacht, zelfs als hij zijn emoties nog niet kan uitdrukken in woorden.

Voeden

Als je het advies hebt gekregen vóór zes maanden te beginnen met vast voedsel, zul je al een eind op weg zijn met de introductie van de eerste hapjes (zie onder) tegen de tijd dat je baby een halfjaar is. Zodra hij ongeveer 6 eetlepels verschillende groenten rond lunchtijd eet, kun je beginnen met de volgende fase, waaronder eiwitten (proteïnen). Hoe je deze introduceert lees je op blz. 152.

Als je hebt gewacht tot je baby zes maanden is, is het van belang dat je vlot door de lijst van eerste hapjes gaat en elke paar dagen – of als je baby aangeeft dat hij meer wil – de hoeveelheden vergroot. Begin met rijstebloempap bij de voeding van 11.00 uur (zie blz. 143) en introduceer daarna elke paar dagen een nieuw voedingsmiddel van de lijst van eerste hapjes. Zodra je baby een aardige hoeveelheid vast voedsel bij de lunch en avondmaaltijd eet, kun je als ontbijt hapjes gaan geven. Rond de leeftijd van zeven maanden is je baby klaar om de melkvoeding van 11.00 uur over te slaan en kan hij bij de lunch met eiwitrijk voedsel beginnen.

Vast voedsel introduceren vanaf zes maanden

Biologische rijstebloem, peer, appel, wortel, zoete aardappel, aardappels, sperziebonen, courgettes en koolraap zijn ideaal voor de eerste hapjes. Gaat dit allemaal goed, dan kun je verdergaan met pastinaak, mango, perzik, broccoli, avocado, gerst, doperwtjes en bloemkool. Eiwitten in de vorm van vlees, kip, vis en linzen kunnen op het menu komen zodra je baby tegen de zeven maanden oud is, als de andere hapjes goed bevallen. Zorg ervoor dat alle botjes, graatjes, vel en vet goed verwijderd zijn. Sommige baby's vinden de smaak van eiwitrijk voedsel te sterk. Probeer dan eens het volgende: maak van kip of vlees een stoofschoteltje samen met al bekende wortelgroenten, en stoof vis in melksaus, tot je baby gewend is aan de andere smaken en texturen. Pureer de stoofschotels met de staafmixer of in de keukenmachine.

Ontbijt introduceren

Een baby is toe aan een ontbijtje zodra hij ruim voor zijn voeding van 11.00 uur te kennen geeft honger te hebben. Dit gebeurt meestal tussen de zes en zeven maanden. Zodra hij gewend is aan het ontbijt, kun je de melkvoeding van 11.00 uur geleidelijk naar achteren schuiven, tot hij deze tussen 11.30 en 12.00 uur krijgt. Met zeven maanden, als je baby een volledig ontbijt van pap, fruit en misschien wat brood eet, kun je de hoeveelheid melkvoeding die hij uit de fles drinkt gaan reduceren. Geef een deel van de melkvoeding in een beker in plaats van in een fles, en de rest als onderdeel van zijn pap. Moedig je baby aan ten minste 150-180 ml melkvoeding te nemen voordat hij met zijn hapjes begint.

Geef je nog borstvoeding, probeer dan de tijd die je baby aan de eerste borst drinkt te verkorten, geef hem vervolgens een paar hapjes en eindig met een korte sessie aan de tweede borst. Kijk wel uit dat je niet meteen zo veel vast voedsel gaat geven dat hij bijna niet meer aan de borst wil.

Is je baby zeven maanden oud en weigert hij het ontbijt, dan kun je overwegen wat te minderen met de melkvoeding om hem aan te moedigen een kleine hoeveelheid vast voedsel te nemen.

Of je nu pas met zes maanden of al eerder vast voedsel gaat introduceren, probeer toe te werken naar een schema dat lijkt op het onderstaande voordat je met eiwitten begint. Zo kan de spijsvertering van je baby langzaam wennen aan al die nieuwe soorten voedsel.

7.00/7.30 uur

- Borstvoeding of 180-240 ml flesvoeding.
- 2-3 eetlepels pap (babypap met moedermelk of flesvoeding), plus 1-2 eetlepels gepureerd fruit.

11.15/11.30 uur

- Borstvoeding of 60-90 ml flesvoeding.
- 2-3 eetlepels gepureerde zoete aardappel en 2-3 eetlepels gepureerde wortelgroente, plus 1-2 eetlepels bloemkool of sperziebonen gemengd met wat kippenbouillon.

14.00/14.30 uur

- Laat je baby niet langer dan 2 uur slapen.
- Laat je peuter ook een dutje of iets anders rustigs doen.

14.30 uur
- Borstvoeding of 180-240 ml flesvoeding.
- 5-6 eetlepels rijstebloem gemengd met moedermelk, flesvoeding of afgekoeld gekookt water, en daar 2 eetlepels gepureerd fruit doorheen geroerd.

Eiwitten bij de lunch introduceren

Als je het advies hebt gekregen je baby vóór de leeftijd van zes maanden aan vast voedsel te wennen (zie blz. 142-143) en hij inmiddels 6 eetlepels verschillende groenten bij de lunch eet, kun je eiwitten gaan introduceren zodra hij tegen de zes maanden loopt. Ben je met zes maanden begonnen met de introductie van vast voedsel, dan is hij na 2-3 weken zover.

De beste manier om eiwitten te introduceren is door 2 eetlepels groenten bij de lunch te vervangen door 2 eetlepels gare kip, rode linzen of vis. Introduceer nieuwe, eiwitrijke voedingsmiddelen heel geleidelijk in dit stadium: elke drie dagen iets anders is snel genoeg. Als je baby hier goed op reageert, kun je steeds 1-2 eetlepels groenten vervangen door eiwitten, tot alle 6 eetlepels groenten door eiwitten zijn vervangen.

Daarna is het belangrijk dat je rond lunchtijd het gebruik van een beker introduceert. Tussen de zes en zeven maanden is je baby hieraan toe. Zodra de melkvoeding grotendeels vervangen is door vast voedsel, kun je water of goed aangelengd vruchtensap gaan geven in een beker. Nadat de melkvoeding op dit tijdstip volledig vervallen is, kan het wel zijn dat hij bij zijn voeding om 14.30 uur meer melk wil. Maar als hij daardoor bij het avondeten weer minder vast voedsel wil, kun je daar beter niet al te zeer aan toegeven.

Als je baby tussen de zes en zeven maanden gewend is aan een lunch met eiwitrijk voedsel, kun je zijn drinken splitsen in alleen een bekertje water rond 17.00 uur (avondmaaltijd) en een volledige melkvoeding rond 18.30 uur.

Zodra je baby tussen de middag eiwitten krijgt, kun je de melkvoeding op dat tijdstip gaan vervangen door afgekoeld gekookt water of goed aangelengd vruchtensap uit een beker. De meeste baby's zijn op deze leeftijd in staat een slokje te nemen en door te slikken, en je kunt dit aanmoedigen door bij de lunch consequent het drinken in een beker te geven. Het is niet erg als de baby bij deze maaltijd maar een beetje drinkt: waarschijnlijk haalt hij dat bij zijn melkvoeding van 14.30 uur wel weer in, en anders wil hij later op de dag wel wat meer water. Mocht het middagslaapje van je baby niet goed verlopen zonder de melkvoeding, dan kun je gedurende een korte periode een beetje melk blijven geven vlak voor zijn dutje, maar ga daarnaast vooral door met het aanbieden van een beker drinken bij de lunch.

Avondmaaltijd

Zodra het nieuwe lunchpatroon goed aangeslagen is, kun je het granen- en fruithapje rond 18.00 uur gaan vervangen door een echte avondmaaltijd met je baby en peuter rond 17.00 uur. Zolang je baby goed uitgebalanceerd eet bij het ontbijt en de lunch, hoef je je over deze avondmaaltijd niet al te druk te maken. Op dit tijdstip kunnen baby en peuter wat dreinerig worden, dus maak van tevoren wat gemakkelijke hapjes die je invriest: bijvoorbeeld dikke groentesoep of een ander groentehapje. Pasta of gepofte aardappel bij de groenten is voedzaam en lekker. Als toetje kun je denken aan iets snels en gemakkelijks als rijstebloempap, melkpudding of yoghurt.

Dagelijkse behoefte

Tussen zes en zeven maanden gaat je baby op weg naar een patroon van drie echte maaltijden per dag. Hier horen uiteindelijk 3 porties koolhydraten bij, zoals granenpap, brood en pasta, plus ten minste 3 porties groente en fruit, en 1 portie gepureerd eiwitrijk voedsel (vlees, vis of linzen). Met zes maanden heeft een baby het grootste deel verbruikt van de ijzervoorraad waarmee hij is geboren. Tussen de zes maanden en één jaar is zijn ijzerbehoefte erg groot, en daarom is het van belang dat er voldoende ijzer in zijn voeding zit. Om de ijzeropname te bevorderen kun je graanproducten en vlees eigenlijk het beste altijd samen met een vitamine C-rijke vrucht of groente geven.

Je baby heeft per dag nog steeds 500-600 ml borst- of flesvoeding nodig, inclusief de melk die je bij het koken en voor zijn pap en dergelijke gebruikt. Hongerige baby's die op drie volledige melkvoedingen plus drie maaltijden met vast voedsel zitten, willen halverwege de ochtend en middag vaak wel een bekertje drinken en een stukje fruit.

Tweede stadium: zeven tot negen maanden

In dit stadium neemt de hoeveelheid melkvoeding geleidelijk af naarmate je baby meer vaste hapjes gaat eten. Het blijft echter belangrijk dat je baby minstens 500-600 ml borst- of flesvoeding krijgt. Meestal wordt dit verdeeld over drie melkvoedingen en de melk die je gebruikt bij het koken (hapjes aangelengd met melk of melksauzen). Je werkt nu serieus toe naar drie echte maaltijden per dag, zodat je baby zodra hij negen maanden is, bijna al zijn voedingsstoffen uit vast voedsel haalt. Blijf ondertussen een grote variatie uit de verschillende voedselgroepen aanbieden (koolhydraten, eiwitten, zuivel, groente en fruit), zodat je aan zijn behoeften tegemoetkomt.

De meeste baby's willen op deze leeftijd wel voedsel met een sterkere smaak eten. Ze vinden het leuk om verschillende texturen, kleuren en nieuwe dingen te proberen. Pureer of prak het eten nog wel, maar dien het gescheiden van elkaar op. Fruit hoef je niet te koken: je kunt het raspen of pureren. Rond deze leeftijd zal je baby ook zelf eten in zijn mondje proberen te stoppen. Zacht fruit, kort gekookte groenten en geroosterd brood mag je baby zelf uit de hand eten. Hij zal er meer op zuigen en in knijpen dan dat hij deze 'vingerhapjes' echt opeet, maar door hem de gelegenheid te geven zelf te eten, draag je bij aan de ontwikkeling van goede eetgewoonten voor later. Zodra hij zelf iets uit de hand gaat eten, moet je voor de maaltijd wel altijd zijn handjes wassen. Laat hem *nooit* alleen als hij aan het eten is!

Tussen acht en negen maanden kan je baby te kennen geven dat hij ook zelf zijn lepel wil vasthouden. Je kunt dit aanmoedigen door hem te voeden met twee lepels. Doe wat eten op de ene lepel en laat hem daarmee oefenen het in zijn mondje te stoppen, en gebruik de andere lepel om daadwerkelijk voedsel in zijn mondje te schuiven. Je kunt hem een beetje helpen door zijn pols voorzichtig vast te houden en de lepel naar zijn mondje te dirigeren. Bied in dit stadium ook bij elke maaltijd een paar vingerhapjes aan.

Nieuwe voedingsmiddelen introduceren

Je baby mag nu zuivelproducten, pasta en lichte volkorenpap gaan proberen. Je kunt volle koemelk bij het koken gebruiken, maar geef nog geen koemelk te drinken tot je baby één jaar is. Bij het koken kun je verder een beetje ongezouten boter gebruiken, en voor stoofschotels olijfolie. Dooiers van hardgekookte eieren mogen nu ook. Wil je kaas introduceren, kies dan volvette, gepasteuriseerde (en liefst biologische) kaas, die je raspt.

Vis uit blik, zoals tonijn, mag vanaf nu ook op het menu staan, maar kies alleen vis die is ingelegd in olie of eigen vocht, niet in zout. Verder kun je groenten als paprika's, spruitjes, pompoen, kool en spinazie gaan introduceren. Als er geen verhoogde kans op allergie is, kun je tomaten en ongezoete, goed aangelengde pure vruchtensappen gaan geven. Doe dit echter heel geleidelijk en let goed op hoe je kindje erop reageert.

Heeft je baby het eten van een lepel onder de knie? Prak de groenten dan in plaats van dat je ze pureert. Gaat dat goed, dan kun je met vingerhapjes beginnen. Kook groenten tot ze zacht zijn en bied ze in blokjes gesneden aan, of stoom ze en snijd ze fijn. Zodra je baby om kan gaan met stukjes zacht gekookte groente en stukjes rauw zacht fruit, kun je eens geroosterd brood of een babykoekje proberen. Met negen maanden hebben de meeste baby's een paar tandjes. Wat fijngesneden rauwe groente behoort dan tot de mogelijkheden. Gedroogd fruit (biologisch en ongezwaveld) mag ook, maar was het goed en laat het een nacht weken.

Ontbijt

Je kunt nu met suikervrije volkorenproducten beginnen. Neem het liefst een (baby)product met extra ijzer en B-vitaminen. Is er in je familie sprake van allergieën, dan kun je hier beter nog even mee wachten. Als je baby het niet wil eten, kun je er wat geprakt of geraspt fruit aan toevoegen. Je kunt je baby stimuleren zelf wat te eten door hem een stukje geroosterd brood met een beetje boter te geven. Zodra dat goed gaat, kun je ook andere vingerhapjes aanbieden, zoals fruit.

De meeste baby's willen 's ochtends vroeg nog steeds eerst hun melk. Geef je kind daarom eerst twee derde van zijn melkvoeding. Als hij tegen de negen maanden loopt, kun je de melk gaan aanbieden in een bekertje (ook de moedermelk).

Lunch

In dit stadium eten de meeste baby's een echt ontbijtje en valt de lunch iets later, tussen 11.45 en 12.00 uur. Uiteindelijk zullen je baby en peuter op hetzelfde tijdstip kunnen lunchen. Als je baby echter niet veel eet bij het ontbijt, zal hij iets eerder moeten lunchen. Baby's die 's ochtends maar een klein hazenslaapje doen, zullen om 11.00 uur al behoefte hebben aan hun lunch. Onthoud dat oververmoeide, hongerige baby's minder goed eten, dus laat je door je baby leiden bij het bepalen van het tijdstip voor de lunch.

Je baby zal inmiddels eiwitrijk voedsel bij de lunch eten. Koop zoveel mogelijk biologisch vlees: dat is vrij van additieven en groeihormonen. Wacht tot je kindje achttien maanden is voor je hem varkensvlees, spek en ham geeft, want die bevatten vaak veel zout. Kook altijd zonder toevoeging van zout en suiker (zie blz. 157 en 158). Vanaf negen maanden kun je wel wat kruiden gaan gebruiken.

Wil je je baby vegetarisch laten eten, vraag dan advies aan een deskundige, met name vanwege de juiste balans van aminozuren in de voeding. Plantaardig voedsel vormt op zichzelf een onvolledige bron van aminozuren: je dient de voedingsmiddelen op een juiste manier te combineren opdat je baby complete eiwitten binnenkrijgt.

Zodra je baby tussen de middag eiwithoudend voedsel eet, kun je de melkvoeding op dat tijdstip gaan vervangen door afgekoeld gekookt water of goed aangelengd vruchtensap uit een beker. Misschien drinkt jouw baby erg weinig en heeft hij om 14.30 uur behoefte aan meer melkvoeding; later op de dag wil hij vast wat meer water. Als je baby nog steeds honger heeft na de maaltijd, geef dan een stukje kaas, een soepstengel, fijngesneden fruit of yoghurt.

Avondmaaltijd

Zodra je baby vingerhapjes eet, kun je bijvoorbeeld soep met kleine boterhammetjes erbij gaan geven. Een gepofte aardappel of pasta bij de groenten en een sausje zijn ook geschikt, hoewel je baby wat hulp nodig heeft bij het eten daarvan. Sommige baby's zijn tegen etenstijd heel moe en druk. Wanneer je baby niet veel eet, kun je hem wat rijstpudding, granenpap of wortel- of bananencake geven. Na de maaltijd geef je hem wat water uit een beker. Geef hem niet te veel, want dan heeft hij bij zijn laatste melkvoeding misschien geen trek. De melkvoeding voor het naar bed gaan is in dit stadium nog erg belangrijk. Drinkt hij bij deze voeding aanzienlijk minder, ga dan na of je hem niet te veel hapjes of drinken geeft.

Dagelijkse behoefte

Je baby hoort inmiddels al aardig op weg te zijn naar een patroon van drie echte maaltijden per dag. Hier horen 3 porties koolhydraten bij, zoals granenpap, brood en pasta, plus ten minste 3 porties groente en fruit, en 1 portie gepureerd eiwitrijk voedsel (vlees, vis of peulvruchten).

Je baby heeft per dag nog steeds 500-600 ml borst- of flesvoeding nodig, inclusief de melk die je bij het koken gebruikt. Als je baby de melkvoeding weigert, geef dan iets minder vast voedsel bij de avondmaaltijd. Aan het eind van de negende maand kan alle melk (behalve die van de laatste voeding) en ander drinken het beste in een beker gegeven worden. Hongerige baby's die op drie volledige melkvoedingen plus drie maaltijden met vast voedsel zitten, willen halverwege de ochtend en middag vaak wel een bekertje drinken en een stukje fruit.

Voedingsmiddelen die je beter kunt vermijden

Gedurende de eerste twee levensjaren van je kindje kun je sommige voedingsmiddelen beter spaarzaam, of helemaal niet, gebruiken, omdat ze schadelijk kunnen zijn. De grootste boosdoeners zijn suiker en zout.

Suiker

In de eerste twee levensjaren kun je beter helemaal geen suiker gebruiken, omdat dat kan leiden tot een voorkeur voor zoet. Baby's trek in hartig eten kan serieus bedreigd worden als hij veel eten met suiker of zoetmakers (zoals vruchtensap) krijgt. Pas ook op met potjes babyvoeding, -koekjes en -pap, want daar kunnen toegevoegde suikers in zitten. Lees de etiketten goed: suiker kan vermomd zijn als dextrose, fructose, glucose of sucrose. Ook appelsap, geconcentreerd vruchtensap en siroop zijn zoetmakers.

Te veel suiker in de voeding maakt niet alleen dat je baby minder trek heeft in hartig, maar kan ook leiden tot problemen als tandbederf en overgewicht. Omdat suiker snel omgezet wordt in energie, kunnen baby's en kleine kinderen daar hyperactief van worden. Producten als ontbijtgranen, jam, tomatenketchup, soep in blik en sommige soorten yoghurt zijn slechts een paar voorbeelden van alledaagse producten met verborgen suikers. Let erop zodra je kindje groter wordt dat hij zich niet te buiten gaat aan dergelijke producten. Kijk ook goed op de etiketten van vruchtensappen en -limonade.

Zout

Kinderen onder de twee jaar hebben geen extra zout nodig: hun zoutbehoefte wordt gedekt met voedingsmiddelen van natuurlijke oorsprong, zoals groenten. Zout toevoegen aan babyvoeding is zelfs gevaarlijk, omdat het de onvolgroeide nieren onnodig belast. Onderzoek heeft aangetoond dat een buitensporige zoutinname kinderen ook vatbaarder maakt voor hartkwalen in hun latere leven. Zodra je baby deel gaat nemen aan de gezinsmaaltijden, is het belangrijk dat je tijdens het koken geen zout toevoegt. Schep eerst de porties voor je baby en peuter uit de pan en voeg dan pas zout voor jou en je partner toe. Net als bij suiker bevatten veel fabrieksproducten, waaronder voorverpakt brood en ontbijtgranen, verborgen zout. Lees het etiket altijd goed voor je een product aan je kinderen geeft.

In dit tweede stadium, waarin je baby steeds meer verschillende soorten voedsel gaat eten, kun je langzamerhand vaker maaltijden gaan koken waarmee je zowel in de behoeften van je baby als je peuter voorziet. Als je een stoofschoteltje maakt, moet je het vlees voor je baby nog steeds pureren: schep gewoon een portie vlees uit de pan, samen met wat van het stoofvocht, en pureer het tot een voor je baby geschikte textuur. Geef de groenten er apart bij. Je kunt groenten nog kleinsnijden of fijnhakken, maar pureer niet meer de hele maaltijd.

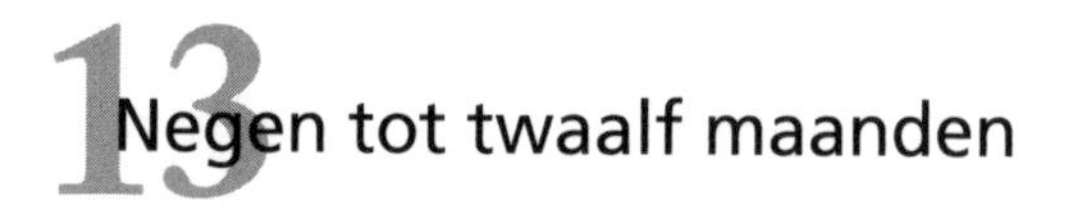

13 Negen tot twaalf maanden

SCHEMA VOOR BABY EN PEUTER – NEGEN TOT TWAALF MAANDEN

Voedingstijden	**Dutjes tussen 7.00 en 19.00 u**
7.00 u	9.30-10.00 u
11.45/12.00 u	12.30-14.30 u
14.30 u	
17.00 u	
18.30 u	**Maximum aantal uren slaap overdag:** 2-2,5

7.00 uur

- Zorg ervoor dat je baby wakker is en zijn luier is verschoond. Begin niet later dan 7.00 uur met voeden.
- Laat hem aan beide borsten drinken of geef hem een volledige flesvoeding *uit een beker*, gevolgd door granenpap vermengd met afgekolfde melk of flesvoeding, fruit en vingerhapjes.
- Je baby moet nu 2-2,5 uur wakker blijven.
- Je peuter kan ontbijten terwijl jij de baby voedt.
- Zorg ervoor dat je zelf ontbeten hebt vóór 8.00 uur.

8.00 uur

- Laat je baby 20-30 minuten lekker spelen.
- Was de baby en kleed hem aan. Smeer alle huidplooien en schrale plekjes goed in.
- Stimuleer je peuter om zichzelf te wassen en aan te kleden.

9.30 uur

- Leg de baby slaperig in zijn bedje, met de deur en gordijnen dicht, en niet later dan 9.30 uur.
- Laat hem ongeveer 30 minuten slapen.

9.45-10.00 uur

- Doe de gordijnen open, zodat hij op natuurlijke wijze wakker kan worden.

10.00 uur

- Zorg dat je baby goed wakker is, ongeacht hoelang hij heeft geslapen.
- Ga met z'n drietjes naar buiten of pak wat speelgoed erbij waar beide kinderen mee kunnen spelen.
- Geef je peuter een tussendoortje.

11.45-12.00 uur

- Geef je baby het grootste deel van zijn vaste voedsel en daarna een beker water of goed aangelengd vruchtensap. Wissel vervolgens het hapje en het drinken af.
- Moedig de baby aan in zijn stoeltje te blijven zitten met wat vingerhapjes, terwijl jij en je peuter lunchen.

12.20 uur

- Geef je baby een schone luier en controleer of zijn beddengoed nog schoon is.
- Leg je baby slaperig in bed, met de deur en gordijnen dicht, en niet later dan 12.30 uur.
- Laat je baby niet langer dan 2 uur slapen.
- Laat je peuter ook een dutje of iets anders rustigs doen.

14.30 uur

- Zorg ervoor dat je baby niet later dan 14.30 uur wakker is en aan zijn voeding kan beginnen, ongeacht hoelang hij heeft geslapen.
- Doe de gordijnen open, zodat hij op natuurlijke wijze wakker kan worden. Geef hem een schone luier.
- Laat hem aan beide borsten drinken of geef hem flesvoeding, water of goed aangelengd vruchtensap uit een beker.

– Geef je peuter een tussendoortje.
– Laat je baby na 15.15 uur niet meer drinken, anders heeft hij bij zijn volgende voeding geen trek.

16.15 uur

– Geef de baby een schone luier en geef hem niet later dan 16.30 uur wat afgekoeld gekookt water of goed aangelengd vruchtensap te drinken.

17.00 uur

– Avondmaaltijd voor je baby en peuter.
– Geef je baby eerst wat hapjes en daarna een klein bekertje water of melkvoeding. Het is belangrijk dat hij voor het slapengaan straks nog een volledige melkvoeding krijgt, dus beperk het drinken nu tot een minimum.

18.00 uur

– Badtijd voor je baby en peuter. Zie blz. 73-75 voor verdere aanwijzingen voor het bad- en bedritueel.

18.30 uur

– Voed de baby niet later dan 18.30 uur. Laat hem aan beide borsten drinken of geef hem een volledige flesvoeding; deze voeding zal straks minder worden als je met twaalf maanden een beker op dit tijdstip introduceert. Laat je peuter ondertussen een beker melk drinken.
– Dim het licht wat en lees je kinderen een verhaaltje voor.

19.00 uur

– Leg je baby slaperig in bed, met de deur en gordijnen dicht, en niet later dan 19.00 uur.
– Leg je peuter na nog een eigen verhaaltje om 19.00/19.30 uur in bed.

AANPASSINGEN IN HET SCHEMA VAN NEGEN TOT TWAALF MAANDEN

Slaap

De meeste baby's hebben in dit stadium minder slaap nodig. Als je merkt dat je baby 's nachts wakker wordt of 's ochtends eerder ontwaakt, maak dan zijn dutjes overdag korter. Begin met een korter ochtenddutje. Duurde dit slaapje bij jouw baby 30 minuten, dan breng je dit terug naar 10-15 minuten. Sommige baby's slapen ook tussen de middag nog maar 1,5 uur, en dat kan ertoe leiden dat ze aan het eind van de middag heel moe en prikkelbaar zijn. Als dit bij jouw baby het geval is, kun je proberen het ochtenddutje helemaal over te slaan, om te zien of hij tussen de middag dan wat langer slaapt. Houdt hij het voor zijn dutje niet tot 12.30 uur vol, dan kun je de lunchtijd iets naar voren halen.

Je kindje kan zich nu ook aan zijn bedje gaan optrekken en vervolgens heel overstuur raken als hij niet zelf weer kan gaan liggen. Moedig hem in dat geval aan om voor elk slaapje te proberen zelf te gaan liggen, zodat hij kan oefenen. Totdat hij in staat is zelf weer te gaan liggen, zul je hem moeten helpen weer in slaap te komen; praat daarbij zo min mogelijk. Als dit gebeurt, kijk dan ook eens naar zijn totaal aantal uren slaap overdag: optrekken midden in de nacht kan betekenen dat hij overdag te veel slaapt. Dat kun je gemakkelijk corrigeren door het ochtenddutje te verkorten of te schrappen.

Voeden

Je baby zal nu zo ongeveer op drie maaltijden per dag zitten en in staat zijn zelf af en toe iets in zijn mondje te stoppen. Het is belangrijk dat hij in dit stadium goed leert kauwen. Geef zijn eten altijd kleingesneden; vlees moet je nog wel echt pureren of zeer fijn hakken. Aan het eind van zijn eerste levensjaar is hij toe aan iets grovere stukjes vlees. Dat is ook een goed moment om rauwe groenten en salades te introduceren. Geef hem bij elke maaltijd wat vingerhapjes, en als hij graag zelf zijn lepel wil vasthouden, ontmoedig hem dan niet. Steekt hij de lepel herhaaldelijk in zijn mondje, pak er dan een tweede lepel bij. Doe hier wat eten op en laat hem zo een beetje oefenen. Gebruik de andere lepel om voedsel dat van zijn lepel of uit zijn mondje valt 'stiekem' terug te stoppen. Met een beetje hulp zijn veel baby's vanaf twaalf maanden in staat om hun eten deels zelf naar binnen te werken. Het is vooral belangrijk dat de maaltijden leuk zijn, zelfs al valt er van alles op de grond.

Met negen maanden kan een flessenbaby bij zijn ontbijt en bij de voeding van 14.30 uur de melk het beste uit een beker in plaats van een fles drinken. Zodra hij één jaar oud is, kun je hem het beste al zijn drinken in een beker aanbieden.

Ontbijt

Bied je baby bij deze maaltijd 240 ml melkvoeding aan, verdeeld over zijn drinkbeker en zijn ontbijtgranen of pap. Een of twee keer per week mag je hem ter afwisseling wat roerei geven.

Begin de maaltijd steeds met de melk. Zodra hij 150-180 ml heeft gedronken, geef je hem wat pap. Bied dan de rest van de melk aan. Zorg ervoor dat hij in totaal ten minste 180-240 ml melk binnenkrijgt tijdens het ontbijt. Als je nog borstvoeding geeft, geef hem dan eerst de ene borst, dan zijn pap en vervolgens de andere borst.

In dit stadium heeft een baby minstens 500 ml melk per dag nodig (inclusief de melk die je bij het koken en voor de pap gebruikt), verdeeld over twee of drie melkvoedingen. Ook yoghurt en kaas mag je meerekenen. Als richtlijn geldt: 125 g yoghurt of 30 g kaas staat ongeveer gelijk aan 210 ml melk.

Lunch

De lunch kan bestaan uit een ruime variatie van licht gestoomde, fijngesneden groenten, met daarbij een dagelijkse portie vlees of een vleesvervanger. Baby's van deze leeftijd zijn heel actief en kunnen tegen 17.00 uur behoorlijk moe en prikkelbaar zijn. Door een evenwichtige lunch samen te stellen bereik je dat je je geen zorgen hoeft te maken als de avondmaaltijd wat minder goed verloopt.

Tegen het eind van het eerste jaar kan de baby met de rest van het gezin mee lunchen. Bereid de maaltijd wel zonder zout, suiker of specerijen, houd een portie apart voor de baby en voeg aan de rest dan de gewenste smaakmakers toe.

Probeer de maaltijden op een aantrekkelijke manier op te dienen, met groenten en fruit in allerlei kleuren. Geef niet meteen te veel: schep een klein beetje op en geef de baby nog wat zodra hij zijn bordje leeg heeft. Zo voorkom je ook dat hij eten op de grond gaat gooien – een spelletje dat baby's op deze leeftijd erg leuk vinden. Als je baby lastig doet tijdens de maaltijd, weigert te eten of zijn eten op de grond gooit, zeg je rustig en vastberaden 'nee' en haal je zijn bord weg. Geef hem 30 minuten later geen koekje of yoghurt, want dan ontstaat al snel het patroon dat hij zijn lunch weigert omdat hij denkt dat hij, als hij maar genoeg zeurt, straks iets anders lekkers krijgt. Halverwege de middag kun je hem een stuk fruit geven, zodat hij het tot de avondmaaltijd kan uitzingen. Dan eet hij waarschijnlijk wel goed.

Een beker goed aangelengd, puur en ongezoet sinaasappelsap verhoogt bij de lunch de ijzeropname. Zorg er wel voor dat hij zijn bordje grotendeels leeg heeft voordat je hem uit zijn beker laat drinken.

De voeding van 14.30 uur

Met negen tot twaalf maanden kunnen flessenbaby's hun melk het beste uit een beker drinken. Automatisch gaan ze daardoor minder drinken. Als je baby minder trek heeft in zijn laatste melkvoeding, kun je de voeding van 14.30 uur minderen of helemaal laten vervallen. Veel baby's slaan als ze één jaar zijn de melkvoeding van 14.30 uur over. Een baby van die leeftijd die al met al 350 ml melk binnenkrijgt, inclusief de melk bij het koken, krijgt genoeg. Als hij op 540 ml per dag zit (inclusief alle zuivel) en goed uitgebalanceerde hapjes eet, kun je deze voeding gerust weglaten. Dan mag je op dit tijdstip een tussendoortje geven, zoals een rijstwafeltje voor baby's, een (ongezoet) babykoekje of een stuk fruit. Geef er een beker water of goed aangelengd vruchtensap bij.

Avondmaaltijd

Slaat je baby zijn voeding van 14.30 uur over, maar ben je bang dat hij niet genoeg melk binnenkrijgt, dan kun je hem pasta en groenten met een melksausje geven, of gepofte aardappel met geraspte kaas, een groentestoofschotel met kaas of een miniquiche. Ik geef bij de avondmaaltijd vaak kleine porties melkpudding of yoghurt – goede alternatieven voor een baby die zijn melk weigert. Geef hem ook wat vingerhapjes.

Als hij ouder is dan een jaar moet je de baby afwennen dat hij nog een fles bij het slapengaan krijgt, dus kun je in dit stadium die hoeveelheid melk alvast gaan afbouwen. Dit doe je door hem bij de avondmaaltijd een beetje melkvoeding te geven en dan bij het slapengaan nog 150-180 ml uit een beker.

De voeding van 18.00/19.00 uur

Met tien tot twaalf maanden kunnen flessenbaby's hun melk het beste uit een beker drinken. Baby's die doorgaan met de fles nadat ze één jaar zijn geworden, kunnen problemen krijgen doordat ze grote hoeveelheden melk blijven drinken en daardoor minder trek hebben in vast voedsel. Geef met tien maanden de melk eens in een kopje en stimuleer je kindje zijn melk vaker zo te drinken, zodat hij na twee maanden probleemloos de fles opgeeft.

Dagelijkse behoefte

Geef met één jaar geen grote hoeveelheden melkvoeding meer; bied maximaal 600 ml per dag aan, inclusief de melk die je bij het eten gebruikt, anders heeft je baby minder trek in vast voedsel. Na één jaar heeft je dreumes nog ten minste 350 ml melk per dag nodig. Dit is meestal verdeeld over twee of drie keer, inclusief de melk die je bij het koken gebruikt en inclusief kaas en yoghurt. Volle gepasteuriseerde koemelk is na één jaar toegestaan. Wil je kindje geen koemelk drinken, dan kun je die geleidelijk door zijn flesvoeding mengen, totdat hij die melk wel drinkt. Probeer je dreumes zoveel mogelijk biologische koemelk te geven, want die is afkomstig van koeien die uitsluitend gras te eten krijgen, in tegenstelling tot niet-biologische melk. Overigens kun je tot je baby twaalf maanden is alle flessen en bekers het beste nog steriliseren.

Geef je kindje drie evenwichtig samengestelde maaltijden per dag en laat koekjes of chips zoveel mogelijk staan. Belangrijk is dat hij dagelijks

3-4 porties koolhydraten krijgt, plus 3-4 porties groente en fruit en 1 portie eiwitten van dierlijke herkomst of 2 porties eiwitten uit een plantaardige bron.

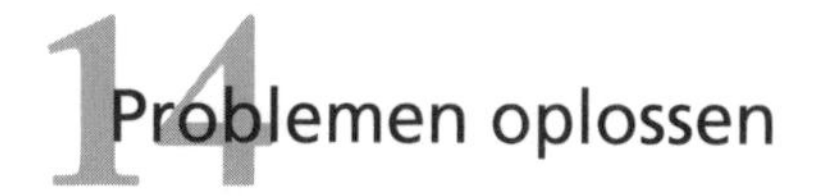

14 Problemen oplossen

MYTHES, MISVERSTANDEN EN VRAGEN RONDOM DE 'TEVREDEN BABY'-SCHEMA'S

V *Met mijn eerste baby verliep alles heel ontspannen: met hem volgde ik van nature een schema dat veel op het TB-schema leek. Voor het geval ik met mijn tweede baby misschien minder geluk heb, wil ik het meteen vanaf het begin goed aanpakken. Maar van vrienden hoorde ik dat ik voorbereid moet zijn op veel babygehuil als ik jouw methode gebruik. Ik wil graag de schema's volgen, maar vind het niet prettig om mijn baby te laten huilen.*

A Het hele doel van mijn schema's is nu juist dat de behoeften van je baby vervuld worden vanaf het prille begin, zodat hij helemaal niet langdurig hoeft te huilen. Met mijn richtlijnen kunnen moeders gemakkelijker uitvogelen waarom hun baby huilt. Als je je baby al vrij vroeg een schema laat volgen, begrijp je als moeder sneller wat hij wil en kun je daarop anticiperen. Mijn ervaring is dat baby's hierdoor juist minder huilen: 5 tot 10 minuten per dag. Wel is het zo dat sommige oververmoeide baby's gaan vechten tegen de slaap; hen kun je vaak beter even 5-10 minuten laten huilen. Laat je baby echter hooguit 2-3 minuten huilen als je niet honderd procent zeker weet of hij echt honger heeft, een boertje moet laten of last van krampjes heeft (zie blz. 204-205 en 209).

In een van mijn andere boeken geef ik inderdaad adviezen voor slaaptraining met gecontroleerd laten huilen, maar dat is voor ouders die mijn schema's niet hebben gevolgd en die nu een oudere baby hebben met verkeerde slaapgewoonten (dat wil zeggen: die meermaals per nacht wakker wordt). Ik wil echter benadrukken dat die slaaptraining is bedoeld als laatste redmiddel, en alleen nadat er overdag een goed slaap- en voedingsschema is ingesteld. Ook adviseer ik om eerst langs de huisarts te gaan om medische problemen uit te sluiten voordat je met slaaptraining begint.

Ik ben ervan overtuigd dat als je mijn richtlijnen en adviezen nauwkeurig opvolgt, je baby tevreden zal zijn, goed groeit en op gezette tijden lekker gaat slapen zonder lange huilpartijen.

V Over zes weken verwacht ik mijn tweede kindje. Voor onze eerste baby hebben we jouw schema's niet gebruikt, en hij sliep pas met negen maanden door. Het lijkt me heel zwaar om meerdere keren per nacht mijn baby te moeten voeden en daarnaast de zorg voor een peuter te hebben. Daarom overweeg ik jouw methode te gebruiken, maar ik heb ergens gelezen dat het heel wreed is om een slapende baby te wekken en dat hij echt vanzelf wakker wordt als hij honger heeft. Bestaat het risico dat hij psychische of lichamelijke schade oploopt als ik hem wakker maak voor zijn voeding?

A Na al die jaren kraamzorg heb ik in elk geval dit geleerd: als je pasgeboren baby's lange perioden achtereen laat slapen, komt de melkproductie niet goed op gang. Baby's die in de eerste dagen na de geboorte heel veel slaap nodig leken te hebben en 3-4 uur aan één stuk tussen de voedingen door mochten slapen, gingen al binnen enkele weken over op de fles in plaats van de borst.

Door mijn eerste ervaringen in mijn loopbaan ben ik al snel moeders gaan adviseren om hun baby in die allereerste dagen vaker aan te leggen om de melkproductie goed op gang te brengen en om te voorkomen dat de baby 's nachts van de honger wakker wordt. Baby's hebben nog maar een klein maagje en kunnen geen grote hoeveelheden melk tegelijk aan. Daarom is het logischer dat een baby in het begin elke 24 uur acht voedingen krijgt, zelfs als dat betekent dat je hem er soms voor wakker moet maken.

Het is weleens gebeurd dat ik de zorg kreeg voor baby's die, vóór mijn komst, ziek waren geworden en uitgedroogd waren geraakt, omdat er te veel tijd tussen de voedingen zat. Dit vond ik voldoende bewijs dat het niet alleen essentieel voor het stimuleren van de melkproductie is om een baby voor een voeding wakker te maken, maar ook voor de baby zelf, om een ernstig probleem als uitdroging te voorkomen. Een enkele baby moet die eerste dagen zelfs nóg vaker aangelegd worden. Als een heel jonge baby huilt, kan de moeder er in principe van uitgaan dat hij honger heeft en melk nodig heeft.

Tijdens mijn loopbaan heb ik ook de zorg gehad voor te vroeg geboren en zieke baby's die in het ziekenhuis lagen. De artsen daar raadden eveneens aan deze baby's op regelmatige tijden te wekken en voeden: dit was voor deze baby's zelfs de enige overlevingskans. Ik heb de baby's allemaal teruggezien als kleine kinderen en ik kan je verzekeren dat geen van hen psychische of lichamelijke schade heeft opgelopen.

V *Ik ben zeven maanden zwanger van mijn tweede. Mijn dochtertje zal ruim twee jaar zijn wanneer haar broertje of zusje wordt geboren. Bij haar voedde ik op verzoek. Uiteindelijk ontwikkelden we samen een ritme, maar het eerste halfjaar voedde ik haar twee tot drie keer per nacht. Als dat met mijn tweede kindje ook zo gaat, lijkt me dat erg zwaar naast de zorg voor een peuter. Maar ik ben bang dat als ik jouw schema's strikt opvolg, ik mijn kind misschien niet 'mag' voeden op een moment dat hij erge honger heeft.*

A De reden waarom er in dit boek negen schema's staan voor het eerste levensjaar is juist om tegemoet te komen aan de individuele behoeften van baby's, zodat jonge baby's nooit te weinig voeding krijgen. Je zult zien dat ik bij elk schema aangeef hoe je ervoor zorgt dat je baby geen honger krijgt, maar ook dat hij, zodra hij toe is aan een langere pauze tussen de voedingen, die pauze neemt op het gewenste tijdstip, namelijk tussen 22.00 uur en 7.00 uur. Mijn grootste zorg over voeden op verzoek bij pasgeboren is dat zij vaak niet aangeven dat ze voeding nodig hebben. Dit kan tot ernstige problemen leiden, waarvan de belangrijkste is dat een baby niet vaak genoeg per dag aangelegd wordt en dat daardoor de melkproductie niet goed op gang komt. Dit kan weer leiden tot een patroon waarbij een moeder haar baby elke 1-2 uur aanlegt, dag en nacht, in een poging hem tevreden te stellen, maar dat op een gegeven moment de uitputting nabij is. Door die uitputting loopt de melkproductie verder terug en besluiten veel moeders al vroeg te stoppen met de borstvoeding.

Ik adviseer jonge moeders daarom na de geboorte minimaal acht keer per dag te voeden, eventueel nog vaker. Je biedt je baby dus elke 3 uur de borst aan. Deze tijd reken je vanaf het begin van de ene voeding tot het begin van de volgende voeding. Als de baby begint te huilen voor het tijd is voor de volgende voeding, heeft hij waarschijnlijk honger en geef je hem eerder de borst. Maar als je baby de hele tijd huilt en ongelukkig is, moet je uitzoeken waarom de baby niet 2 uur kan wachten tussen twee voedingen in.

Een veelvoorkomende oorzaak is dat de baby niet goed aangelegd wordt. Daardoor ligt hij vaak wel een uur aan de borst zonder echter goed te drinken. Daarom raad ik moeders die merken dat hun baby ontevreden is tussen de voedingen door, aan advies in te winnen bij een lactatiekundige.

Als je mijn adviezen in dit boek opvolgt over het voeden van je pasgeborene, zul je merken dat hij snel weer op zijn geboortegewicht zit. Zodra dat het geval is, kun je beginnen met het schema voor één tot twee weken. Je gaat pas verder met het volgende schema als het eerste goed ingeburgerd is en je baby alle door mij aangegeven tekenen vertoont dat hij klaar is voor langere pauzes tussen twee voedingen in. Bij alle negen schema's geef ik tips van deze strekking, zodat je je geen zorgen hoeft te maken dat je baby echt honger zal krijgen.

V *Mijn oudste werd pas voor het eerst verkouden toen hij al bijna één jaar was. Mijn tweede kindje is ruim zeven maanden en is nu al twee keer verkouden geweest. Hoe strikt moet ik jouw schema's toepassen als ik merk dat ze zich niet lekker voelt?*

A Sommige baby's hebben meer slaap nodig als ze ziek zijn. Niettemin kun je je kindje overdag beter niet al te lang laten slapen: ten eerste omdat je ervoor moet zorgen dat ze genoeg vocht binnenkrijgt en ten tweede omdat het dan kan gebeuren dat ze 's nachts de hele tijd wakker wordt. Wees gewoon iets minder strikt met het dagelijkse slaapschema, maar probeer je er wel een beetje aan te houden. Als ze onrustig is tijdens haar dutjes en 's avonds, kan het helpen om haar in de woonkamer in de kinderwagen te laten slapen, met de matras iets omhoog. Dan ben je ook sneller bij haar als ze gestoord wordt in haar slaap en hoef je niet steeds naar haar kamertje te rennen.

De kans is groot dat het voedingsschema wat af gaat wijken als ze ziek is. Misschien weigert ze vast voedsel: dring niet aan als je baby geen interesse heeft. Het is echter wel essentieel dat je haar vochtgehalte op peil houdt. Zorg er dus voor dat ze genoeg blijft drinken om uitdroging te voorkomen, want dat kan ernstige gevolgen hebben. Mogelijk moet je tijdelijk weer nachtvoedingen gaan geven, zelfs als je kindje voor ze ziek werd lekker doorsliep, en overdag extra melkvoeding aanbieden als ze vast voedsel weigert. Zodra ze weer beter is, kun je de melkvoedingen snel terugbrengen door de nachtelijke porties met circa 30 ml per keer te verminderen. Als ze tussen middernacht en 6.00 uur drinkt, beschouw dit dan als haar ontbijt en geef op het echte ontbijttijdstip meteen haar hapjes, met nog wat melk na. Zo krijgt ze weer zin in vast voedsel. Het kan soms wel enkele weken duren voor een baby die ziek is geweest weer echt trek krijgt, maar zolang je geleidelijk de extra melkvoeding blijft afbouwen, zal ze uiteindelijk weer 'normaal' eten.

Het belangrijkste in geval van een zieke baby is dat ze weer beter wordt; probeer daarnaast gewoon het beste te maken van het slaap- en voedingsschema en maak je er niet al te druk over als de tijden wat afwijken en de hapjes blijven liggen. Wel is het raadzaam om bij de geringste twijfel over de gezondheidstoestand van je baby contact op te nemen met de huisarts.

V *Mijn baby is bijna vier weken oud. Ik probeer de TB-schema's te volgen, maar de afgelopen week wilde ze niet meer slapen op de aanbevolen tijdstippen. De hele avond door begint ze steeds weer te huilen en ze wil dan de hele tijd aan de borst. Uiteindelijk valt ze om 23.00 uur in slaap, maar pas nadat ik haar een flesje met bijvoeding heb gegeven. Ik denk dat ze last heeft van krampjes, want ze zwaait haar beentjes omhoog en als ze huilt, lijkt ze het uit te krijsen van de pijn. Dit gebeurt elke avond, hoe vaak ik haar ook aanleg. De slaap- en voedingsschema's zijn tot nu toe goed gegaan, maar aan de kolftijden heb ik me minder goed gehouden.*

A Ik denk dat je baby toch onrustig is van de honger in plaats van dat ze darmkrampjes heeft. Aangezien je niet altijd op de aangegeven tijden hebt gekolfd, heeft je baby – toen ze rond de drie weken een groeispurt doormaakte – mogelijk niet de benodigde extra melk binnengekregen. De reden waarom het zo belangrijk is dat je in de eerste weken regelmatig kolft bij het volgen van mijn methode, is dat je voor mijn schema's altijd meer melk moet produceren dan je baby nodig heeft. Tijdens zo'n groeispurt kun je dan bij de eerste voeding iets minder kolven, zodat er genoeg overblijft voor de baby, die dan een grotere hoeveelheid uit de borst moet drinken om haar honger te kunnen stillen.

Ik stel voor dat je het aantal keren dat je de borst geeft gedurende enkele dagen opvoert, zodat je melkproductie toeneemt. Geef haar voor haar eerste twee dutjes overdag de extra melk die ze nodig heeft zodat ze lekker slaapt. Geef geen bijvoeding om 23.00 uur. In plaats daarvan zou ik, tot je melkproductie is toegenomen, haar dat flesje na haar badje geven, zodat ze goed slaapt tussen 19.00 en 22.00 uur. Als ze dan inderdaad lekker doorslaapt en jijzelf even goed eet en uitrust, maak je genoeg melk aan voor een volledige late voeding. Lees ook het programma op blz. 221-225 door om de melkproductie op te voeren, zodat je geen bijvoeding meer nodig hebt. Als je geen tijd hebt om al die keren extra te kolven, kolf dan 's ochtends 60-90 ml extra voordat je de baby aanlegt, en gebruik dit voor het flesje na het badritueel. Ik adviseer altijd om te kolven voordat de baby gaat drinken, omdat de baby beter toegerust is om de achtermelk uit de borst te krijgen dan de kolf. Als je kolft voor je de baby aanlegt, kan het handiger zijn dat je de baby iets eerder voedt dan aangegeven in de schema's en mogelijk doe je er ook iets langer over. Dat is prima. De langere voedingen in combinatie met het extra kolven zullen beide namelijk de melkproductie stimuleren.

V *Om wat meer bewegingsvrijheid te hebben met mijn zeer actieve peuter liet ik mijn baby overdag haar dutjes doen bij mij in de draagdoek. Nu ze zes weken is, merk ik dat ze 's avonds weigert in haar reiswieg of ledikant te slapen. Ze drinkt goed en ze lijkt ook slaperig, maar zodra ik haar neerleg, wordt ze krijsend wakker. Ze valt in onze armen in slaap zodra mijn man of ik haar oppakken. Nu zijn we de hele avond bezig haar op te pakken en weer neer te leggen, terwijl zij steeds meer gespannen wordt. We willen graag dat ze op een vaste tijd gaat slapen, maar willen dat niet bereiken door haar te laten huilen.*

A Het klinkt alsof je baby de verkeerde slaapassociaties heeft ontwikkeld, omdat ze tijdens de meeste dutjes rondgedragen wordt. Ik snap dat je je baby niet in slaap wilt laten huilen, en dat raad ik ook niet aan. Mijn advies: probeer een paar dagen de methode die ik 'ondersteund slapen' noem. Het doel is je baby eraan te wennen op regelmatige tijden haar dutjes overdag en 's avonds te doen. Na een paar dagen oefenen zul je merken dat je haar vrijwel probleemloos in haar reiswieg en ledikant te slapen kunt leggen.

Het is belangrijk dat deze methode consequent door één ouder wordt uitgevoerd. Probeer de komende drie dagen je baby tijdens haar dutjes overdag en vroeg in de avond helemaal niet in haar reiswieg of ledikant te leggen. In plaats daarvan ga je – of gaat je partner – met haar naar een rustige kamer, knuffel je haar in slaap en blijf je zo met haar liggen. Zorg ervoor dat ze niet op je borst ligt, maar met haar hoofd in de kom van je elleboog. Mocht ze tegenstribbelen, dan kan het helpen als je met je hand haar beide handjes gekruist op haar borst houdt, zodat ze er niet mee gaat zwaaien en overstuur raakt. Het is belangrijk dat je bij haar blijft tijdens het gehele dutje en dat je haar niet wiegt of met haar rond gaat lopen. Zodra ze op deze manier drie nachten goed heeft geslapen, leg je haar in haar reiswieg of ledikant, maar zorg ervoor dat die vlak naast je staat, zodat je haar handjes gekruist vast kunt houden en haar in slaap sust met een zacht 'ssj'. De vierde dag houd je beide handjes over haar borst gekruist vast totdat ze in slaap valt; de vijfde nacht houd je slechts één handje schuin op haar borst tot ze in slaap valt. De zesde nacht zul je haar slaperig maar nog wakker in haar reiswieg of ledikant kunnen leggen. Kijk elke 2-3 minuten even bij haar en doe 'ssj'. Zodra je merkt dat ze binnen 10 minuten zelf inslaapt, laat je haar even huilen zoals beschreven op blz. 167-168. Overdag is het handig haar aan haar reiswieg of ledikant te laten wennen door haar er af en toe kort in te zetten op tijden dat ze niet hoeft te slapen, met een stoffen boekje of een zacht speeltje om naar te kijken.

V *Ik heb met mijn eerste baby jouw schema's niet gebruikt, maar ik volg nu het schema voor vier weken oude baby's met mijn tweede kindje. Het probleem is dat het hem overdag niet lukt 2 uur achter elkaar wakker te blijven: na elke voeding hooguit 1 uur. Hij slaapt 's avonds echter goed en wordt 's nachts alleen om 2.30 uur wakker.*

A Als je baby goed drinkt en elke week goed aankomt, 's nachts doorslaapt tussen de voedingen door en een deel van de tijd overdag goed wakker is, is hij gewoon een van die baby's die meer slaap nodig hebben.

Op een bepaald moment zal je baby signalen afgeven dat hij langer wakker wil blijven. Zodra hij dat doet, probeer je ervoor te zorgen dat hij overdag langer wakker blijft – en niet 's nachts. Je kunt proberen om de tijd dat hij wakker is elke twee tot drie dagen met 5 minuten te verlengen, in de periode van 7.00-9.00 uur 's ochtends. Als hij dan 2 volledige uren wakker blijft, kun je hetzelfde doen met zijn wakkere periode tussen 10.00 en 12.00 uur 's middags, en vervolgens – nog steeds om de twee of drie dagen en met 5 minuten verlengen – met de periode tussen 14.00 en 16.00 uur. Met deze techniek reduceer je de hoeveelheid slaap heel geleidelijk en voorkom je dat je baby langer wakker blijft dan hij aankan. Bovendien zorg je er zo voor dat de wakkere perioden overdag vallen, en niet 's nachts.

V *Met mijn tweede kindje probeer ik al zes weken jouw schema's te volgen. Ik heb het gevoel dat ik continu bezig ben haar wakker te houden of af te leiden om het tot de volgende voeding uit te zingen. Dit gevoel had ik niet bij mijn eerste baby, die naadloos in jouw schema's leek te passen.*

A Of je nu een schema volgt of niet, met de zorg voor een pasgeboren baby en een peuter vergt het dagelijks leven sowieso veel van je. Mijn schema's hebben als doel dat gevoel van hard werken tot een zo kort mogelijke periode te beperken. Elke baby is trouwens anders, dus vergelijk je jongste niet met je oudste op dezelfde leeftijd.

Begin elke dag om 7.00 uur en probeer het dagelijkse schema zo goed mogelijk te volgen, maar als er een 'peervorm' ontstaat rond lunchtijd omdat je baby dan klaarwakker is terwijl hij moet slapen, en slaperig als het speeltijd is, raak dan niet in paniek. Begin elke dag opnieuw met het zo goed mogelijk volgen van de aanbevolen tijden en voor je het weet, pikt je baby het op. Als ze eerder dan het schema aangeeft, huilt omdat ze honger heeft, of als ze ver voor haar middagdutje in slaap valt, introduceer dan een gesplitst slaapje, zodat ze in totaal niet te veel slaapt overdag. Maak je in de eerste weken niet te druk over hoe je gesplitste voedingen en gesplitste slaapjes in het schema van je peuter inpast: het belangrijkste is dat je de voedingen en dutjes zo structureert dat je baby om 19.00 uur lekker gaat slapen. Hoe ouder ze wordt, hoe gemakkelijker het zal worden om je aan de schema's te houden. Vergeet niet dat mijn methode als doel heeft je leven *gemakkelijker* te maken. Sta dus niet te lang stil bij de momenten dat alles niet volgens plan gaat, maar begin elke dag opnieuw vol goede moed.

Zodra je baby wel het patroon volgt, en dat zal snel genoeg gebeuren, garandeer ik je dat je inzet in die eerste weken beloond wordt. Met een goed ingeburgerd schema kun je op de langere termijn gemakkelijker tegemoetkomen aan de behoeften van je beide kinderen. Bedenk eens hoe moeilijk dat zou worden als je baby met negen maanden nog steeds 's nachts wakker wordt... De eerste maanden is het hard werken met een nieuwe baby erbij, maar de aanhouder wint.

PROBLEMEN MET DE VOEDINGEN

V *Ik wil met mijn tweede kindje graag jouw methode volgen, maar hoe weet ik of hij eraan toe is om zijn nachtvoedingen over te slaan? Als ik je advies opvolg en met twaalf weken stop met die voedingen, ben ik bang dat ik hem lang moet laten huilen.*

A Hoe snel een baby 's nachts doorslaapt, wordt grotendeels bepaald door zijn gewicht en de hoeveelheid melk die hij overdag drinkt. Baby's die overdag maar kleine hoeveelheden per voedingssessie drinken, hebben langer nachtvoedingen nodig dan baby's die overdag grotere hoeveelheden drinken.

Het doel van de TB-schema's is niet om je baby zijn nachtelijke voedingen te ontzeggen als hij ze gewoon nog nodig heeft, maar om ervoor te zorgen dat hij de benodigde hoeveelheid voeding zoveel mogelijk *overdag* binnenkrijgt. Als hij er mentaal en fysiek aan toe is om 's nachts door te slapen, zal hij automatisch 's nachts minder gaan drinken. Mijn eigen ervaringen en die van duizenden ouders bevestigen dat deze aanpak werkt.

De meeste baby's voor wie ik zelf heb gezorgd, begonnen ergens tussen de acht en twaalf weken 's nachts door te slapen (dat wil zeggen: vanaf de laatste voeding van 23.00 uur tot 6.00/7.00 uur 's ochtends). Uit het grote aantal reacties dat ik mocht ontvangen van ouders die mijn methode volgden, blijkt dat dit ongeveer de gemiddelde leeftijd is waarop baby's een langere periode aaneen gaan slapen. Maar elke baby is natuurlijk anders. Sommige baby's, vooral borstbaby's, hebben – tot ze vijf of zes maanden zijn – vaak nog wel één keer in de nacht een voeding nodig. Door de schema's en adviezen in dit boek op te volgen zul je merken dat je baby 's nachts geleidelijk langer begint te slapen. Uiteindelijk zal hij, zodra hij eraan toe is, de hele nacht doorslapen. Dit zal allemaal op natuurlijke wijze gebeuren, en zolang hij geen verkeerde slaapassociaties ontwikkelt, zal hij niet hoeven huilen.

V *Mijn twee weken oude baby wordt krijsend wakker en valt dan na 5 minuten aan de borst weer in slaap. Na 2 uur wil hij weer gevoed worden. Ik ben nu bekaf door dit continue voeden in combinatie met de zorg voor mijn zeer actieve tweejarige peuter. Ik heb het gevoel dat ik nu bij allebei tekortschiet. Hoewel ik me er heel schuldig over zou voelen, overweeg ik serieus om op flesvoeding over te gaan, zodat ik in elk geval weet hoeveel mijn baby per voeding binnenkrijgt.*

A Sommige baby's zijn de eerste weken erg slaperig tijdens de voedingen, en ik denk niet dat flesvoeding verandering brengt in iets wat je echt als een kortetermijnprobleem moet zien. Het is belangrijk dat slaperige baby's koel gehouden worden tijdens het voeden. Trek de baby niet te veel kleertjes aan en ga in een frisse ruimte zitten. Leg het speelkleed naast je op de vloer en leg je baby erop zodra hij slaperig begint te worden. Als hij een kruippakje aanheeft, doe dat dan eventueel uit om hem aan te moedigen te trappelen en zijn beentjes te strekken. Na een paar minuten zal hij waarschijnlijk gaan protesteren; dan pak je hem op en leg je hem weer een paar minuten aan dezelfde borst. Vaak moet je dit proces twee of drie keer herhalen. Zodra hij op deze manier 20 minuten aan de ene borst heeft gedronken, zorg je ervoor dat hij een boertje laat en verschoon je zijn luier. Leg hem daarna weer aan de eerste borst, als die nog niet leeg is, en geef hem vervolgens de andere borst.

Zorg altijd dat je baby goed wakker is tijdens voedingen. Verwijder zijn inbakerdoek terwijl hij nog in het ledikant ligt en haal zijn beentjes uit het kruippakje zodat hij frisse lucht over zijn beentjes voelt. Laat hem zelf goed wakker worden (zie blz. 57).

Daarnaast is het een goed idee om rond 21.30 uur te kolven, zodat je partner de voeding van 22.00/23.00 uur kan geven. Zo kun jij een paar uur ongestoord slapen, waardoor je overdag meer energie hebt voor je baby en je peuter.

De eerste paar weken dat je balanceert tussen de behoeften van je baby en peuter kunnen heel zwaar zijn, maar deze fase duurt maar kort: zodra je baby vier tot zes weken oud is, zal hij aanzienlijk wakkerder zijn tijdens de voedingen.

V *Ik heb met succes de TB-schema's gevolgd met mijn eerste kind, en nu probeer ik met mijn tweede – inmiddels vier weken oud – hetzelfde te doen. Op dit moment voed ik haar om 10.00 en 14.00 uur, maar ik weet dat de voedingen en dutjes uiteindelijk wat later zullen vallen, wat betekent dat ik haar om 14.30 uur moet gaan voeden. Het probleem is dat ik mijn oudste om 15.00 uur van de crèche moet halen, en daarvoor moet ik om 14.45 uur van huis. Als ik jouw schema's volg en haar straks om 14.30 uur ga voeden, kan ik haar beslist geen volledige voeding geven, vooral omdat ze een langzame drinker is die soms wel 1 uur over een voeding doet.*

A Ik stel voor dat je de voeding van 10.00 uur geleidelijk naar achteren schuift zoals het schema aangeeft, maar dat je wel doorgaat met de voeding van 14.00 uur. Als je het idee hebt dat ze dan niet voldoende drinkt, en je moet toch echt weg, dan kun je zodra je weer thuis bent de rest van de voeding geven. Wanneer ze niet wil drinken nadat je je peuter hebt opgehaald, dan kan het zijn dat ze iets eerder dan 17.00 uur alweer honger heeft en dan trek je deze voeding ietsje naar voren.

Een andere optie is dat je om 13.45/14.00 uur melk afkolft en haar die melk rond 14.30 uur in een fles geeft. *Sommige* baby's doen namelijk korter over de fles dan over de borst. Vergeet daarnaast niet dat naarmate je baby ouder wordt, ze ook sneller zal gaan drinken: er zijn borstbaby's die in 10 minuten een volledige voeding binnen weten te krijgen. Zodra je merkt dat je baby sneller drinkt, kun je beginnen de voeding van 14.00 uur iets later te geven.

V *Ik heb met mijn zoontje de TB-schema's gevolgd – voor een groot deel met goed resultaat. Hij slaapt door van 19.00 tot 7.00 uur en hij slaapt nog 2 uur na de lunch. Verder is hij lekker actief en het is een gezellig jongetje. Het enige probleem is het eten. Ik heb gewacht tot hij zes maanden was voor ik vast voedsel ging introduceren. De eerste maand weigerde hij zijn mond open te doen, wat ik ook probeerde. Met zeven of acht maanden at hij nog altijd alleen maar rijstebloempap en gepureerde appel en peer. Elk stadium is sindsdien langzamer verlopen. Niettemin ging het ontbijt na een tijdje goed: na zijn melk nam hij een of twee stuks Weetabix en dan vaak nog wat geroosterd brood of pap. Halverwege de morgen lustte hij wel een rijstwafel of soepstengel, en 's middags ook. Zijn lunch en avondmaaltijd waren altijd hetzelfde: een gepureerd stoofschoteltje en soep. Als ik stukjes in zijn eten liet zitten, spuugde hij die meestal uit. Na de maaltijd lustte hij nog wel wat gepureerde appel of peer en soms voegde ik daar wat yoghurt aan toe.*

Nu is hij negentien maanden en het eten is nog steeds een hele strijd. Eten met stukjes lukt niet en uitbreiding van het menu evenmin. Sterker nog: hij wil geen enkele soort hartig voedsel meer en draait nu zelfs zijn hoofd weg als ik zijn vertrouwde stoofschoteltje of soep wil geven. Als alternatief krijgt hij nu geroosterd brood, dat hij zelf kan eten. Verder eet hij een paar stukjes kaas. Ik ben zeven maanden zwanger en ik maak me zorgen over hoe dat straks allemaal moet met zo'n lastige eter.

A Peuters kunnen heel pietluttig worden met hun eten. De ene dag willen ze van alles eten en de volgende dag laten ze bijna alles staan. Ik stel voor dat je een nauwkeurig dagboek bijhoudt van alles wat hij eet en drinkt. Het kan ook helpen als je meer structuur in zijn hoofdmaaltijden en tussendoortjes aanbrengt, zodat hij het juiste type voedsel op het juiste moment voorgezet krijgt en tussendoor niet zijn maag vult met sapjes en koekjes. Mogelijk heeft je zoontje rond lunchtijd en bij de avondmaaltijd minder eetlust doordat hij bij het ontbijt en tussendoor nogal veel koolhydraten binnenkrijgt. Geef hem tijdelijk gepureerd fruit en een klein schaaltje yoghurt als ontbijt, en verminder de hoeveelheid melkvoeding tot 115 ml. Geef hem bij de lunch een eiwitrijke maaltijd en bij de avondmaaltijd wat soep en brood of andere koolhydraten. Zet bij de middag- en avondmaaltijden lekker veel aantrekkelijke vingerhapjes op tafel.

Geef hem als tussendoortje liever fruit dan koekjes of rijstwafels. Als hij 's avonds niet goed eet, kun je hem voor het slapengaan eventueel wat pap geven, zodat hij niet met een lege maag naar bed hoeft. Het is belangrijk dat de maaltijden gezellig verlopen. Haal na 20-30 minuten sowieso zijn bord weg. Als hij niet wil eten of met eten begint te gooien, haal je meteen zijn bord weg. Geef hem niets anders te eten tot het volgende tijdstip voor een tussendoortje of een hoofdmaaltijd. Het is belangrijk dat hij op deze leeftijd zelf mag bepalen hoeveel hij eet.

Zodra je zoontje beter eet bij de lunch en de avondmaaltijd, kun je bij het ontbijt weer brood en een granenproduct gaan geven. Maar ik zou hooguit 1 Weetabix óf een bordje pap of ontbijtgranen geven, zodat hij tussen de middag weer echt trek heeft.

SLAAPPROBLEMEN

V *Ik heb met mijn oudste jouw TB-schema's gevolgd en ze sliep met achttien weken door van 19.00 tot 7.00 uur. Ze is nu drie jaar en de keren dat ze 's nachts wakker is geworden, waren tot voor kort op één hand te tellen. Maar sinds onze tweede zes weken geleden is geboren, wordt ze meerdere keren per nacht wakker. Die keren vallen niet samen met de momenten dat de baby wakker is, dus kan het niet zijn dat ze door onze jongste wakker wordt. Gedurende de dag geven we haar bewust heel veel aandacht. We komen er maar niet achter waarom ze nu zo vaak wakker wordt.*

Ze slaapt overdag niet meer en gaat om 19.30 uur probleemloos slapen. Ze is heel lief voor de baby en vertoont geen tekenen van jaloezie. Vrienden van ons zeggen dat we niet te veel aandacht aan dat nachtelijke ontwaken moeten besteden, omdat we haar dan juist zouden aanmoedigen. Maar het is zo anders dan we gewend zijn van haar en we willen dit graag oplossen, vooral omdat ze overdag nu vermoeider is. Bovendien is de kans groot dat haar broertje 's nachts wakker wordt, doordat ze ons dan roept.

A Dit probleem komt vrij veel voor als er een nieuwe baby geboren wordt. Zelf heb ik ervaren dat het op de lange termijn geen problemen geeft als je in deze periode een peuter die tot dan toe altijd goed doorgeslapen heeft, snel geruststelt. Zodra je dochter wakker wordt, gaan jij of je partner naar haar toe om haar gerust te stellen. Gebruik altijd hetzelfde zinnetje, zoiets als 'ssj, het is nacht, mama is er, en hier is Beer'. Het is belangrijk dat je geen echt gesprek gaat voeren. Doe het licht ook niet aan en blijf niet langer dan een paar minuten in haar kamer. Misschien moet je gedurende een aantal nachten een paar keer per nacht naar haar toe, maar zodra je ziet dat ze snel weer in slaap valt na het zinnetje, kun je eens proberen niet de kamer in te gaan. Doe in plaats daarvan alleen even haar deur open en zeg het geruststellende zinnetje. Deze methode werkt het best als het altijd dezelfde ouder is die naar de peuter toe gaat.

Misschien is het een goed idee om op een vrijdagnacht met deze methode te beginnen, omdat de ouder die naar haar toe gaat de volgende dag dan eventueel wat slaap kan inhalen. Het kan ook handig zijn een beloningssysteem in te voeren. Geef haar in elk geval veel complimentjes zodra ze beter gaat slapen. Zodra ze nog maar één keer per nacht wakker wordt, kan ze bijvoorbeeld een klein stickertje op haar beloningsbord krijgen; als ze de nacht doorkomt zonder jullie te roepen, krijgt ze een grote sticker.

Vanaf dat moment kun je een doel stellen waarmee ze nieuwe grote stickers kan verdienen. Als ze bijvoorbeeld drie nachten achter elkaar doorslaapt zonder roepen, gaat ze met papa of mama een speciaal uitje maken, terwijl de baby bij de andere ouder blijft.

Pas deze methode heel consequent toe. Je dochters slaappatroon zal geleidelijk verbeteren en ze zal steeds minder vaak 's nachts wakker worden. Voor je het weet, slaapt ze elke nacht weer als een roos.

V *Mijn dochter was een Tevreden Baby vanaf het moment dat ze acht weken oud was, hoewel ze altijd meer slaap nodig had dan de gemiddelde baby. Een voorbeeld: met vijf maanden sliep ze nog steeds 5 uur overdag en 12,5 uur per nacht! Mijn zoontje van 6,5 maand wordt daarentegen 's nachts nog steeds wakker. Ik weet niet goed wat ik moet doen. Hij slaapt van 9.00 tot 9.45 uur, van 12.00 uur 's middags tot 14.00 uur en van 16.30 tot 17.00 uur, en om 18.30 uur begint hij aan zijn nacht. Hij wordt in elk geval niet wakker van de honger, want het is een flinke baby en sinds hij vast voedsel krijgt, is hij niet minder melk gaan drinken.*

A Vergeet niet dat het slaapgedrag van je dochter uitzonderlijk was! Je zoontje laat zien dat hij meer gemiddeld in zijn slaapbehoefte is. Een 'slaperige baby' slaapt niet alleen overdag veel, maar slaapt 's nachts ook goed. Dat je zoon 's nachts wakker wordt, betekent dat hij toe is aan minder slaap overdag. Schrap als eerste zijn dutje van 16.30 uur of verkort dit. Houd de middag rustig, zonder al te veel prikkels. Zodra hij zonder zijn dutje van 16.30 uur kan, breng je zijn ochtenddutje terug naar 30 minuten. Verplaats dit dutje geleidelijk richting 9.30 uur, zodat zijn tussen-de-middagdutje later kan beginnen. Gaat dit allemaal goed, dan is het belangrijk dat je hem 's avonds wat later in bed gaat leggen: verplaats de tijd geleidelijk naar 19.00 uur.

Mocht hij 's nachts wakker worden, zorg er dan voor dat je hem zo snel mogelijk weer in slaap sust, zelfs als dat betekent dat je hem een korte voeding moet geven. Het is veel gemakkelijker om straks met een korte nachtelijke voeding te stoppen dan om de problemen op te lossen van een baby die 's nachts lange perioden wakker blijft en deze slaap overdag gaat inhalen. Nadat zijn dutjes overdag korter zijn geworden, kun je geleidelijk stoppen met een eventuele nachtelijke voeding.

V *Mijn baby is zeven maanden oud. Ondanks het feit dat ik je schema's volg en met zes maanden vast voedsel ben gaan introduceren, wil hij nog steeds zijn voeding van 22.00 uur en wordt hij twee keer per nacht wakker. Hij gaat pas weer slapen als ik hem borstvoeding gegeven heb. Hij weegt 7,7 kg en krijgt uitsluitend de borst naast zijn hapjes. Alle andere dutjes doet hij goed, dus is het geen kwestie van verkeerde slaapassociaties. Ik had het advies gekregen om gezien zijn leeftijd te stoppen met zijn nachtvoedingen en slaaptraining te overwegen. We hebben hem inderdaad een paar keer laten huilen, maar hij raakte daar zo overstuur van dat het wel een paar uur duurde voor we hem wisten te kalmeren.*

Overdag krijgt hij de borst om 7.00, 10.30, 14.30, 18.15 en 22.00 uur, en 's nachts om 2.00 en 5.00 uur. Verder krijgt hij een vast hapje om 8.00, 11.30 en 17.00 uur. Hij eet maar ongeveer 1 eetlepel per keer en wordt heel boos als we hem meer proberen te geven. Hij weigert al het eiwitrijke voedsel, wat me ook zorgen baart.

A In mijn boeken laat ik zien dat de meeste baby's in de leeftijd van jouw zoontje 's nachts doorslapen, als ze overdag alle voeding krijgen die ze nodig hebben. Het gewicht van jouw zoontje in aanmerking genomen, en de hoeveelheid hapjes die hij eet, denk ik dat hij 's nachts toch gewoon echt honger heeft. Je kunt niet van hem verwachten dat hij 12 uur achtereen doorbrengt zonder een echt hapje in zijn buik. Omdat hij drie keer per nacht aan de borst wil, kan het wel zijn dat hij daardoor minder zin heeft in vast voedsel overdag. Als dit gebeurt, ontstaat het ongewenste patroon dat de baby 's nachts gevoed wil worden omdat hij overdag te weinig binnenkrijgt.

Slaaptraining is voor dit soort problemen beslist af te raden, omdat je kindje gewoon echt honger heeft. Ik stel voor dat je geleidelijk de hoeveelheid melkvoedingen 's nachts terugbrengt, wat hem zal stimuleren om overdag meer hapjes te eten. Laat eerst de voeding van 22.00 uur vervallen. Aangezien hij om 2.00 en 5.00 uur wakker wordt, is het zinloos met deze voeding door te gaan, omdat deze hem juist moet helpen een lange periode te slapen. Waarschijnlijk wordt hij dan ergens tussen middernacht en 2.00 uur wakker. Het is belangrijk dat je hem dan echt goed voedt en hem geen beperkingen oplegt wat betreft de tijd aan de borst. Hopelijk slaapt hij daarna tot 5.00/6.00 uur door.

Als je baby vast voedsel nog niet echt accepteert, zou ik me eerst focussen op de hapjes bij de lunch en avondmaaltijd. Geef hem pas vast voedsel bij het ontbijt als hij 5-6 eetlepels bij de lunch en het avondmaal neemt. Omdat je hem geen echt ontbijt geeft, moet je de lunch misschien iets naar voren halen, als je baby aangeeft dat hij honger heeft. Aangezien hij twee keer per nacht aan de borst gaat, stel ik voor dat je de lunch begint met hapjes en daarna pas borstvoeding geeft. Met zijn twee nachtelijke voedingen hoef je je in elk geval geen zorgen te maken dat hij te weinig melk binnenkrijgt. Het doel van dit plan is om je baby aan te moedigen overdag meer vaste hapjes te eten, zonder dat hij 's nachts hoeft te huilen van de honger en steeds om de borst vraagt.

Wanneer je baby enkele dagen lang 5-6 eetlepels vast voedsel bij de lunch en de avondmaaltijd heeft gehad, kun je kleine hoeveelheden eiwitten aan zijn menu gaan toevoegen. Zodra hij met de lunch probleemloos 5-6 eetlepels eiwitrijk voedsel eet (zie blz. 152-153), kun je het ontbijt gaan introduceren. Begin met een beetje yoghurt en fruit, en daarna een granenproduct en fruit. Let op: geef je baby niet zo veel te eten bij het ontbijt dat hij straks geen trek heeft bij de lunch. Ook helpt het als het ontbijt (hapjes en melkvoeding) vóór 8.00 uur geëindigd is. Het doel is dat je baby straks drie hoofdmaaltijden per dag eet, met grotere pauzes tussen de maaltijden. Als je om 7.00/7.30 uur melk geeft en het ontbijt pas om 8.00/8.30 uur plaatsvindt, kan je baby minder trek hebben bij de lunch.

Nadat je het ontbijt hebt geïntroduceerd, zou ik de voedingen 's nachts als 'ontbijtmelk' gaan beschouwen en de hoeveelheid melk om 7.00 uur verminderen, om hem aan te moedigen vast voedsel te eten. Je biedt dan eerst de hapjes aan en dan pas de borst.

Zodra je kleintje op deze manier meer vast voedsel per dag is gaan eten, zou hij 's nachts automatisch beter moeten gaan doorslapen. Mogelijk wordt hij tegen 3.00/4.00 uur wakker in plaats van om 2.00 of 5.00 uur. Ik zou doorgaan met hem op dat moment een volledige voeding te geven tot hij minimaal een week doorslaapt tot 7.00 uur. Dan kun je geleidelijk de tijd die hij aan de borst zit met enkele minuten per nacht gaan verkorten. Zodra je die voeding terug hebt weten te brengen tot nog slechts een paar minuten, en hij nog steeds doorslaapt tot 7.00 uur, kun je proberen deze voeding helemaal te laten varen, in de wetenschap dat hij niet ontwaakt van echte honger.

Het zal gemakkelijker zijn deze voeding over te slaan als je partner naar de baby toegaat wanneer hij wakker wordt, om te proberen hem tot rust te brengen met een paar slokjes afgekoeld gekookt water en door hem te knuffelen. Het kan zijn dat je partner een paar nachten lang meermaals naar hem toe moet voor je baby daadwerkelijk weer gaat slapen. Ga zo door tot je merkt dat je zoontje steeds sneller weer gaat slapen. Dan kan je partner gaan proberen hem te sussen zonder hem uit zijn bedje te halen. Hoewel het wel een week of twee kan duren, zal je zoontje op deze manier uiteindelijk zonder lang te hoeven huilen weer inslapen.

Het is belangrijk dat je de geleidelijk verminderde borstvoeding 's nachts compenseert met meer melk overdag. Je doel is nu dat je om 7.00 uur een volledige borstvoeding geeft gevolgd door wat vast voedsel, en bij de lunch (rond 11.00/12.00 uur) andersom: vast voedsel gevolgd door borstvoeding. Daarna heeft hij om 14.30 uur borstvoeding nodig, gevolgd door een hapje; een korte borstvoeding bij de avondmaaltijd om 17.00 uur en weer een volledige voeding voor het slapengaan.

Zodra je baby drie hoofdmaaltijden per dag eet en daarnaast vier tot vijf keer goed aan de borst drinkt, kun je ervan uitgaan dat je kindje 's nachts niet wakker wordt van de honger. Bespreek eventueel met de huisarts of het consultatiebureau welke soorten voedsel je geeft. Een juiste combinatie van eiwitten, koolhydraten, groente en fruit speelt namelijk ook een rol bij het ontwikkelen van gezonde slaapgewoonten.

Ten slotte is het van belang dat je kijkt naar het slaappatroon van je zoontje overdag. Hoewel elke baby anders is, heeft de een gewoon meer slaap nodig dan de ander. Probeer zijn ochtenddutje niet langer dan 30-40 minuten te laten duren, en dan na de lunch nog een slaapje van maximaal 2 uur. Dan slaapt hij 's nachts beter door. Als hij tussen de middag minder dan 2 uur slaapt, heeft hij misschien wel een hazenslaapje nodig tussen 16.00 en 17.00 uur om te voorkomen dat hij oververmoeid raakt.

V *Mijn negen weken oude zoontje sliep onlangs twee nachten achter elkaar tot 6.15 uur en toen drie nachten tot 5.30 uur, dus dacht ik dat we geleidelijk naar de heilige 7.00 uur aan het toewerken waren, maar daarna werd hij ineens weer een paar keer om 4.00 uur wakker. De eerste keer probeerde ik de doorslaapmethode (zie blz. 217-219) door hem een fopspeen te geven (klopjes geven werkte niet). Daar werd hij wel rustiger van, maar echt slapen ging hij niet. Pas toen ik hem rond 5.00 uur even voedde, viel hij weer in slaap, tot 7.00 uur. Hij was daarna wel de hele dag prikkelbaar, volgens mij door die onderbroken nachtrust. Afgelopen nacht probeerde ik hem om 4.00 uur met een paar slokjes water rustig te krijgen, maar dat lukte ook niet: pas toen ik hem 100 ml afgekolfde melk had gegeven, ging hij weer slapen. Daarna werd hij om 6.50 uur weer wakker, maar om 7.30 uur hoefde hij geen melk. Voor zijn ochtenddutje wilde hij echter wel melk: ik gaf hem 60 ml afgekolfde melk en toen ging hij slapen.*

De doorslaapmethode lijkt bij ons niet te werken, of doe ik iets verkeerd? Ik ben bang dat hij de verkeerde voeding overslaat als ik hem 's nachts blijf voeden.

A Je baby is negen weken oud, dus mogelijk maakt hij net een groeispurt door. Ik stel voor dat je hem minstens een week lang toch weer gaat voeden zodra hij 's nachts wakker wordt, zelfs als dat betekent dat hij om 7.00 uur minder drinkt. Wil hij om 7.30 uur geen extra melk, dan geef je die melk pas vlak voor zijn ochtenddutje, zodat hij dan lekker slaapt. Als hij om 7.30 uur wel wat wil drinken, kan het zijn dat hij om 10.00/10.30 uur weer een voeding nodig heeft, met nog wat extra rond lunchtijd om het schema niet helemaal uit het oog te verliezen.

Het belangrijkste doel van het slaapschema is dat je je kindje stimuleert zoveel mogelijk 's nachts door te slapen, zelfs als dat betekent dat je hem moet voeden. Bij borstbaby's duurt het vaak wat langer voordat ze doorslapen. Als je dit wilt forceren terwijl hij er nog niet aan toe is, is het einde van het liedje dat hij 's nachts meermaals ontwaakt, met een prikkelbare baby als gevolg. Dan kun je in een patroon terechtkomen waarbij de baby 's nachts langer wakker blijft en overdag meer slaap nodig heeft, en omdat hij overdag meer slaapt, wordt hij 's nachts nog vaker wakker, en zo is het cirkeltje rond. Dit is lastig te doorbreken en daarom raad ik je voor dit moment aan om hem een volledige voeding te geven, zodat hij daarna lekker doorslaapt tot 7.00 uur. Het heeft geen zin hem minder of korter te voeden als hij daardoor om 6.00 uur wakker wordt!

Zodra hij op deze manier regelmatig doorslaapt tot 7.00 uur, kun je de doorslaapmethode weer eens proberen. Maar houd in je achterhoofd dat je ermee moet stoppen en hem gewoon moet voeden als je baby niet binnen 20 minuten weer in slaapt valt met een fopspeen, slokje water of zachte klopjes. Anders blijft hij te lang wakker. Maar valt hij wel weer vlot in slaap met de speen, wat water of een paar zachte klopjes en eventueel een korte voeding, dan kun je met die methode doorgaan, mits hij doorslaapt tot 7.00 uur. Valt hij weer in slaap zonder voeding, maar wordt hij een uur later opnieuw wakker, voed hem dan meteen. Het doel van de doorslaapmethode is niet om koste wat kost de nachtvoedingen over te slaan, maar om hem aan te moedigen geleidelijk langer te slapen tussen twee voedingen in. Als je hem bij de tweede keer ontwaken weer met een speen of water probeert te sussen, kan je baby de verkeerde slaapassociaties ontwikkelen.

V *Mijn tweede is nu bijna twee weken en ik wil graag beginnen met jouw methode. Haar zusje was vanaf haar geboorte al een Tevreden Baby. Nu ze twee jaar is, hebben de schema's nog steeds effect, dus weet ik hoeveel profijt je ervan kunt hebben – zeker als alleenstaande moeder.*

Echter, sinds de baby er is, verloopt overdag alles prima, maar vanaf 18.00 uur gaat het mis. Ik weet hoe belangrijk een bad- en bedritueel is, maar op de een of andere manier eindigt het elke dag met twee krijsende kindjes die niet naar bed willen. Wat kan ik doen om het voor ons drietjes gemakkelijker te maken?

A Zorg er ten eerste voor dat je baby goed slaapt tussen 16.00 en 17.00 uur, zodat ze niet oververmoeid is en daardoor juist niet tot rust komt als ze 's avonds naar bed moet. Het is belangrijk dat je de eerste dagen genoeg tijd reserveert voor het bad- en bedritueel – vooral als je er alleen voor staat. Is er misschien iemand die je hier een paar weken bij kan helpen? Een tweede paar handen kan heel handig zijn. Misschien heb je een vriendin of buren met een tienerdochter die wel een zakcentje wil verdienen? Zij kan dan je peuterdochter bezighouden terwijl jij de baby in bad doet.

Ik zou je ook willen adviseren niet later dan 17.30 uur met het badritueel te beginnen. Doe je baby en peuter niet tegelijk in bad, maar eerst de een en dan de ander (zie blz. 75). Laat je peuterdochter helpen bij het insmeren van de baby: dit vindt ze vast leuk en zo kunnen ze een band opbouwen. Als ze echter niet wil, dring dan niet aan! Voed je baby terwijl je peuter lekker naast je zit: geef haar af en toe een knuffel en lees een boekje voor. Als ze allebei niet naar bed willen, kies dan een van de twee. Ligt je baby lekker te kijken in haar wipstoeltje of in de kinderwagen, breng dan eerst je peuter naar bed, zodat zij in elk geval op tijd gaat slapen. Dat is beter dan hen allebei met veel strijd in een schema proberen te duwen.

V *Over drie maanden ben ik uitgerekend. Mijn dochtertje is dan net twee jaar. We wonen in een flat met twee slaapkamers, dus komt er een moment dat de kinderen een kamer gaan delen. Het eerste halfjaar willen we de baby bij ons op de slaapkamer houden, maar we vragen ons af vanaf welke leeftijd we hem veilig bij zijn zusje kunnen laten slapen. Mijn peuter slaapt in een ledikant: wanneer kunnen we de zijkanten verwijderen?*

A Als je baby en peuter beiden goed doorslapen, kun je ze op zich in één kamer laten slapen zodra de baby zes maanden is. Maar ik zou de zijkanten van het ledikant niet verwijderen voordat de baby één jaar is. De meeste peuters kunnen tot ze een jaar of drie zijn prima in hun ledikant slapen, dus zolang je dochtertje er niet uit klimt, is dat geen probleem.

Ik ken ouders die hun kinderen al veel eerder op één kamer lieten slapen zonder dat dat problemen opleverde. Maar ik weet ook dat sommige peuters 's ochtends vroeg uit hun bedje klimmen en proberen bij de baby te gaan liggen – en dan kunnen ze een dekentje gaan pakken om de baby lekker in te stoppen. Lief, maar gevaarlijk! Kijk de hele kamer na op veiligheidsaspecten. Staan er meubels die je peuter kan bijschuiven om erop te klimmen en zo in het bedje van je baby te komen? Let ook op speelgoed in de buurt van het peuterbed: het kan zijn dat je peuter het leuk vindt vanuit zijn bedje speelgoed bij de baby in bed te gooien. Zorg verder dat beide kinderen in een slaapzakje slapen, en dat je peuter niet bij losse dekentjes, lakens, kussens, enzovoort kan.

Ook raad ik aan een nachtlampje met een tijdschakelaar te kopen, of een kinderwekker, en dit samen met een beloningssysteem te gebruiken om je peuter aan te moedigen rustig in bed te blijven liggen tot het licht aangaat of de wekker afgaat. Eventueel kun je met een beeldscherm en webcam in de gaten houden wat er op de kamer gebeurt.

V *Mijn jongste dochtertje, nu 7,5 maand, wordt 's ochtends steeds vroeger wakker: afgelopen week steeds al om 5.30 uur. Ik heb geprobeerd haar even te laten huilen, maar ze raakt dan zo overstuur dat mijn peuter daar weer wakker van wordt. De baby eet prima en tussen 9.00 en 10.00 uur slaapt ze goed, en vanaf 12.00 uur slaapt ze gewoon 2 uur. Ze ging altijd om 19.00 uur naar bed, maar sinds ze 's ochtends zo vroeg wakker wordt, moet ik haar al om 18.30 uur in bed leggen, omdat ze dan heel moe is. Met een peuter van achttien maanden erbij vind ik het heel vermoeiend dat ze 's ochtends zo vroeg wakker wordt.*

A Baby's verschillen in hun slaapbehoeften en ik denk eigenlijk dat jouw baby toe is aan wat minder slaap. Een baby op dat tijdstip laten huilen, werkt inderdaad meestal niet. Sterker nog: het lijkt het ontwaken juist te stimuleren. Het is beter om naar de oorzaak van dit vroege wakker worden te kijken. In het geval van jouw dochtertje denk ik dat haar ochtenddutje te lang voor haar is.

Om het ochtenddutje naar achteren te schuiven en dit tot 20-30 minuten te reduceren moet je baby eerst weer tot 7.00 uur gaan slapen. Voed haar daarom de eerste paar dagen zodra ze rond 5.30 uur wakker wordt, om haar te helpen weer in slaap te vallen. Wanneer dat goed gaat, kun je het ochtenddutje elke paar dagen met 10 minuten uit gaan stellen, tot ze om 9.30 uur gaat slapen voor een dutje van 20-30 minuten. Schuif daarbij geleidelijk het tussen-de-middagdutje door naar 12.30 uur en zorg ervoor dat ze dan maximaal 2 uur slaapt, zodat ze in totaal overdag niet meer dan 2,5 uur slaapt. Als je baby om de een of andere reden minder dan 2 uur slaapt tussen de middag, heeft ze tussen 16.00 en 17.00 uur misschien nog een kort slaapje nodig, zodat ze niet oververmoeid raakt. Elk dutje na 7.00 uur 's ochtends telt mee voor haar totale slaaptijd overdag. Al slaapt ze na 7.00 uur maar 10-15 minuten extra, verkort haar ochtenddutje dan toch met 15 minuten. Na een tijdje kan je baby weer tegen 19.00 uur naar bed.

Door het kortere ochtenddutje en de verschoven slaaptijden zou je baby 's ochtends langer door moeten blijven slapen en zal ze op een gegeven moment niet meer wakker worden om 5.30 uur. Tot het echter zover is, voed je haar als ze toch wakker wordt om die tijd. Liever zo dan dat ze elke morgen om 5.30 uur wakker ligt. De melkvoeding die je dan geeft, vervangt haar melk bij het ontbijt: bij het ontbijt geef je dan eerst vast voedsel en daarna nog een beetje melk.

TOENEMENDE VOEDINGSVRAAG (BABY)

V *Ik heb met mijn eerste baby de TB-schema's gevolgd en ben met zes maanden vast voedsel gaan introduceren. Nu is mijn tweede baby achttien weken oud en wordt hij ineens midden in de nacht wakker voor een volledige voeding (terwijl hij vanaf de leeftijd van acht weken steeds doorgeslapen heeft na de late voeding). Ook wordt hij voor het eerst wakker halverwege zijn tussen-de-middagdutje! Ik weet niet goed wat ik moet doen. Ik wil graag wachten tot hij zes maanden is voor ik met vast voedsel begin, maar hij lijkt zo onrustig. Hij weegt ongeveer 7 kg en krijgt uitsluitend de borst, en hij drinkt elke voeding aan beide kanten (om 22.30 uur krijgt hij een fles afgekolfde melk).*

A Mogelijk maakt je zoontje net een groeispurt door. Het kan daarom helpen om hem extra voedingen te geven, zodat hij rustiger slaapt. Ik stel voor dat je de normale voedingen splitst in sessies om 10.00 en 11.30 uur; 17.00 en 18.15 uur; 22.00 en 23.00 uur. Zo zorg je ervoor dat je kindje dagelijks meer melk binnenkrijgt. Heb je dit een week gedaan en is hij nog steeds onrustig, bespreek het probleem dan met de huisarts of op het consultatiebureau. Mogelijk krijg je het advies iets vóór zes maanden al met vast voedsel te beginnen. Hoewel er van overheidswege tegenwoordig aangeraden wordt om pas vanaf zes maanden met vast voedsel te beginnen, kunnen sommige grotere baby's die veelvuldig wakker worden 's nachts of die overdag erg onrustig zijn, ondanks extra melkvoeding, soms het advies krijgen toch wat eerder met hapjes te beginnen.

Verder gebeurt het ook dat baby's die al enkele weken de hele nacht doorsliepen, 's nachts ineens weer een extra melkvoeding willen tot ze beginnen met vast voedsel. Sommige van die baby's weigeren vervolgens hun melkvoeding van 7.00 uur. Meestal raad ik in die gevallen aan om de voeding van 22.00 uur te schrappen, in de hoop dat de baby tot 1.00/2.00 uur 's nachts slaapt, waarna je hem één keer volledig voedt en hij tot omstreeks 7.00 uur door kan slapen.

VOEDSEL WEIGEREN (PEUTER)

V *Mijn tweejarige dochter at altijd vrijwel alles wat haar werd voorgezet, maar de laatste paar weken begint ze allerlei soorten voedsel te weigeren en eet ze lang niet alles op. Dit is vlak na de geboorte van haar zusje begonnen. Ik word nogal gestrest van haar gedrag en maak me ook zorgen over de gevolgen voor haar gezondheid.*

A Als je bang bent dat je dochtertje niet genoeg eet, is de eerste stap dat je gedurende twee weken nauwkeurig noteert (in een dagboek) wanneer ze eet, hoeveel en wat ze wel en niet eet. Noteer alles, ook kleine tussendoortjes en alles wat ze drinkt (inclusief water). Veel ouders ontdekken dat hun peuter over het geheel genomen toch genoeg, en voldoende gevarieerd, eet. Als je echter op basis van het dagboek denkt dat er wel degelijk iets aan de hand is, bespreek dit dan met de huisarts of het consultatiebureau.

Hieronder heb ik de meest voorkomende redenen van voedsel weigeren door peuters op een rijtje gezet, samen met enkele tips om je peuter aan te moedigen op de langere termijn weer beter te gaan eten.

- **Te veel melk.** Peuters hebben minimaal 350 ml en maximaal 600 ml melk per dag nodig (inclusief kaas, yoghurt, melk voor het papje etc.). Kinderen die meer dan 600 ml binnenkrijgen, hebben vaak minder trek in hun eten. Als je kind 2-3 keer per dag een beker (of misschien nog een fles) melk drinkt, geef hem dan voortaan twee keer per dag – 's ochtends en 's avonds – maximaal 300 ml uit een beker of kopje, zodat hij wel genoeg melk krijgt, maar niet zo veel dat hij geen eetlust meer heeft.

- **Drankjes op verkeerde momenten.** Drankjes (sap of zelfs gewoon water) die je minder dan 1 uur voor de maaltijd geeft, kunnen de trek stillen. Geef deze daarom liever maximaal 2 uur voor een maaltijd. Maar als het warm weer is of je peuter is erg actief geweest en zegt dat hij dorst heeft, dan geef je natuurlijk wel gewoon water. Laat hem daarbij op een stoel zitten en doe dit het liefst op vaste tijden, bijvoorbeeld op het moment dat hij toch al een tussendoortje krijgt: zo voorkom je dat hij de hele tijd door drankjes en hapjes bij elkaar 'snaait' en bij de echte maaltijd geen trek meer heeft.

- **De timing van maaltijden en tussendoortjes.** Houd vaste tijdstippen aan voor de maaltijden en tussendoortjes. Als je peuter na 20 minuten nog steeds niet wil eten, haal je het eten weg zonder commentaar. Maar geef hem niets anders te eten of te drinken tot het volgende vastgestelde tijdstip voor een tussendoortje of maaltijd. Idealiter zit er 2 uur tussen de maaltijden en tussendoortjes. Ik vind het zelf het beste werken als je zorgt voor een ontbijt om uiterlijk 8.00 uur, zodat je peuter om 12.00/13.00 uur trek heeft in de lunch, en voor een avondmaaltijd om 17.00 uur. Een tussendoortje met een drankje kun je dan geven om 9.30/10.00 uur en rond 15.00 uur.

- **Grootte van de porties.** Als je peuter vooral met de lunch weinig trek heeft, ga dan eens na of hij bij het ontbijt misschien te veel krijgt. Vaak zie ik dat ouders 's ochtends te veel geven onder het mom: 'Het ontbijt is de belangrijkste maaltijd van de dag!' Als ik dan hun voedseldagboek bekijk, zie ik dat hun peuter grote hoeveelheden bij het ontbijt eet, soms wel het dubbele van wat een kind van die leeftijd en met dat gewicht nodig heeft – en vervolgens nauwelijks iets eet bij de lunch. Mocht je vermoeden dat dit bij jouw kind het geval is, geef dan wat minder bij het ontbijt, zodat hij met de lunch meer trek heeft en misschien ook meer zin om nieuwe dingen te proberen.

- **Soort tussendoortjes.** Als je peuter weinig eet of met de maaltijd loopt te 'rotzooien', kan het probleem ook zijn dat er te weinig tijd zat tussen zijn tussendoortje en de maaltijd. Het soort tussendoortje speelt ook een rol. Geef een peuter die weinig trek heeft tijdens de maaltijd als tussendoortje alleen een paar stukjes gemakkelijk te verteren fruit (zoals 1/4 appel of 2 stukjes zacht fruit) en laat zwaardere dingen als banaan, koekjes en rijstwafels voor wat ze zijn.

- **Gebruik voedsel niet verkeerd.** Wat er ook gebeurt, gebruik voedsel niet als beloning of straf. Wanneer je tegen je kind zegt: 'Als je je eten niet opeet, krijg je ook geen toetje', denkt hij meteen dat de hoofdmaaltijd nooit zo lekker kan zijn als het toetje! Bied in plaats daarvan vers fruit, naturel yoghurt, kaas of een cracker aan en geef geen kant-en-klare, suikerrijke toetjes. In sommige zit wel 14,5 g suiker per 100 g!

- **Dwing hem nooit.** Het is belangrijk dat je peuter zelf mag bepalen hoeveel hij eet, zodat hij leert wanneer hij honger heeft en wanneer hij genoeg heeft gehad. Als je hem constant overhaalt nóg een hapje te nemen, kan het zijn dat hij dwars gaat liggen en helemaal stopt met het eten van bepaalde producten. In het uiterste geval kan dit leiden tot ernstige problemen, zoals voedselaversie. Daarnaast worden de maaltijden op deze manier een stressvolle aangelegenheid, terwijl ze juist gezellig en rustig moeten verlopen. Je peuter hoort zich vrij te voelen om nieuwe dingen te proberen, of eventueel om te zeggen dat hij niets wil omdat hij geen honger heeft. Als je echter het schema aanhoudt zoals ik hiervoor aangaf, zal hij waarschijnlijk voldoende trek hebben en eten wat hij nodig heeft.

BEDTIJDSTRIJD

V Sinds de komst van mijn tweede is het me nog niet gelukt om een rustig bad- en bedritueel voor beide kinderen door te voeren. Het lijkt allemaal eeuwen te duren en daarna is het een zooitje. Geen van allen vinden we het leuk zo en ik ben ondertussen bekaf. Help!

A Hier volgen een paar suggesties om het bad- en bedritueel tot een echt ontspanningsmoment te maken, ook voor peuters die het moeilijk vinden om tot rust te komen.

- Zorg ervoor dat je peuter eiwitrijke voedingsmiddelen rond lunchtijd eet, niet 's avonds. De avondmaaltijd kan dan iets snels, gemakkelijks en 'weinig uitdagends' zijn, zoals pasta met saus of een voedzame soep met broodjes erbij.

- Leg 's middags op een rustig moment, bijvoorbeeld als je baby en peuter hun middagslaapje doen, alle spullen voor het badje al klaar: handdoeken, crèmes, luiers, romper, peuterpyjamaatje etc. Leg alles op de plek waar je het later nodig hebt.

- Vraag je peuter rond 16.30 uur om alvast zijn speelgoed zoveel mogelijk op te ruimen. Laat hem eventueel al voor 17.00 uur aan tafel gaan zitten, bijvoorbeeld met een prentenboek of met kleurpotloden om een tekening te maken. Dan kun jij rustig de tafel dekken.

- Zorg ervoor dat het eten echt stipt om 17.00 uur klaar is. Ga allemaal zitten, geef je baby zijn melkvoeding (of hapjes) en je peuter zijn eten.

- Neem je kinderen uiterlijk om 17.45 uur mee naar boven zodat jullie alle tijd hebben voor het badje en om te ontspannen. Sommige ouders vinden het prettig om lichte klassieke muziek op te zetten, waar iedereen relaxed van wordt!

- Probeer beide kinderen tegen 18.15 uur gewassen en aangekleed te hebben, zodat je baby alle tijd voor het tweede deel van zijn melkvoeding heeft. In de tussentijd kun je samen met je peuter naar een rustig dvd'tje kijken of even knuffelen. Laat je peuter ondertussen een beker melk drinken.

- Ook als je baby er niet moe uitziet, leg je hem in bed. Dim het licht en leg een stoffen boekje of spiegeltje naast hem. Ik heb gemerkt dat als je maar vroeg genoeg met deze gewoonte begint, de meeste baby's snel zelf leren zich te ontspannen en soezerig worden.

- De eerste dagen zullen de meeste baby's tegen 18.30-18.45 in slaap zijn gevallen, waarna je genoeg tijd hebt om je peuter voor te lezen voordat hij echt moe begint te worden.

SOCIAAL WORDEN – RIVALITEIT TUSSEN BROERTJES EN ZUSJES

V *Mijn peuter is 2,5 jaar oud en lijkt toe te zijn aan zindelijkheidstraining. Ik verwacht mijn tweede kindje over een maand, dus zou ik het liefst nog even wachten tot na de bevalling met die training. Mijn vrienden en familie zeggen echter dat ik er dan te lang mee wacht. Wat vind jij?*

A Ik zeg altijd dat niet alleen je peuter eraan toe moet zijn, maar jijzelf ook. Zindelijkheidstraining is inderdaad af te raden als er binnen enkele maanden een nieuwe baby verwacht wordt, of als de nieuwe baby korter dan negen weken geleden is geboren. Wat je wel kunt doen is je peuter alvast stimuleren een paar keer per dag te plassen op het potje (bijvoorbeeld na de lunch of voor hij in bad gaat), maar wees niet teleurgesteld als hij dat niet wil. Vaak krijgen peuters een terugval na de komst van een nieuw broertje of zusje. Als dit het geval is en hij beslist niet op het potje wil, dan zou ik minstens een maand wachten voor je er weer over begint. Laat hem aangeven wanneer hij er weer aan toe is, dan heb je de meeste kans van slagen.

V *Mijn 21 maanden oude zoontje was altijd een heel lief jongetje en ik was totaal niet voorbereid op de plotselinge verandering in zijn gedrag toen zijn zusje geboren werd, die inmiddels drie maanden oud is. Hij speelt graag met haar en is meestal erg lief voor haar, maar af en toe rukt hij haar speelgoed uit haar handen en maakt haar aan het huilen. Hij heeft haar zelfs een paar keer geslagen en een duw gegeven. Ik durf hem nu geen moment alleen met haar te laten, zelfs niet om even de deur open te doen als er iemand aanbelt, omdat ik bang ben dat hij haar op een dag echt pijn doet. Ik heb geprobeerd hem elke keer op de 'straftrede' op de trap te zetten als hij zich agressief gedroeg, maar tot nu toe zonder resultaat.*

A Dit is een tamelijk veelvoorkomend probleem. Het is belangrijk dat een peuter van deze leeftijd nooit alleen gelaten wordt met een baby, nog geen seconde! Als je de deur open moet doen of iets uit een andere kamer nodig hebt, moet je je peuter altijd meenemen. Dit soort gedrag vindt overigens sneller plaats als je peuter honger heeft, moe is of zich verveelt. Zodra je tekenen hiervan ziet, let dan extra goed op en leid hem af wanneer hij agressief gedrag vertoont. Slaat hij zijn zusje echt, maak dan heel duidelijk dat dat beslist niet mag. Ga op ooghoogte van hem zitten, houd zijn handen vast zodat hij niet weg kan rennen en zeg stellig: 'Mama slaat de baby niet, papa slaat de baby niet en jij mag de baby ook niet slaan.'

Moedig je peuter aan om, in plaats van wilde spelletjes te doen, te helpen de baby te masseren of haar voetjes zachtjes te kietelen. Als hij mee mag helpen de baby in te smeren (dan wordt het maar een beetje een troep!), werkt dat veel beter dan wanneer je steeds zegt: 'Nee, niet aan de baby komen!' Zeg bij het masseren zoiets als: 'De baby vindt het lekker, hè, als je haar voetjes aanraakt. Aai haar ook maar een beetje.'

Probeer je zoontje te stimuleren aardiger voor zijn babyzusje te zijn door hem te herinneren aan alle lieve dingen die hij heeft gedaan, in plaats van steeds te zeggen wat hij verkeerd doet. Aanmoedigen en complimentjes geven werkt beter dan vitten en mopperen. Bij het spelen met zijn knuffels of poppen kun je met een rollenspel de boodschap nog eens onderstrepen: 'Kijk, Beer vindt het fijn als hij zachtjes geaaid wordt' of 'Konijn kijkt heel blij als je hem zo zachtjes vasthoudt'.

Vergeet niet dat er op deze leeftijd heel veel nieuwe dingen in het leven van je peuter gebeuren en dat hij juist extra knuffels en kusjes nodig heeft, zodat hij zich net zo belangrijk voelt als de baby.

V *Ik heb een zeer actieve tweejarige die de meeste ochtenden naar de crèche of peuterspeelzaal gaat. Ik vraag me af hoe ik me aan de slaap- en voedingsschema's voor mijn jongste kan houden zonder het ritme van mijn peuter in de war te sturen. Moet ik mijn peuter de eerste weken niet of op andere tijdstippen wegbrengen, tot ik een goed ritme met de baby heb?*

A Zeker de eerste paar weken is het erg handig als je je niet hoeft te haasten, zodat je je in alle rust op de borstvoeding kunt concentreren en deze goed op gang komt. De eerste week heb je natuurlijk kraamzorg: bespreek met de kraamzorgorganisatie van tevoren of het brengen en halen van je peuter ook onder de mogelijke zorg valt. Nog beter is het als je partner of een ander vertrouwd iemand je peuter kan brengen en halen. Dat geldt ook voor de week erna. Vraag – als het niet zijn vader is – wel altijd iemand die je zoon al goed kent en die hij aardig vindt: een oma of een goede vriendin bijvoorbeeld. Zo kan hij ten minste een paar keer per week naar de crèche of peuterspeelzaal. Het is niet realistisch om te verwachten dat hij nu hele dagen thuis zoet gaat spelen terwijl hij gewend is altijd de deur uit te gaan.

Het is een uitdaging, maar niet onmogelijk, om die eerste paar weken een evenwicht te vinden waarmee jij, je peuter en je baby zich tevreden voelen. Denk van tevoren rustig na over mogelijke oplossingen, maar regel in elk geval iets voor de eerste week en liefst ook voor de week erna, als je het voor het eerst zonder kraamhulp moet stellen. Mocht je ook na die tijd nog hulp bij het brengen en halen kunnen gebruiken, dan kun je misschien een van de andere moeders vragen je zoontje af en toe mee te nemen.

Na de eerste paar weken kun je een nieuw ochtendschema gaan instellen waarmee je aan de behoeften van je peuter en je baby tegemoetkomt. Meestal kun je bij de crèche je peuter op flexibele tijden brengen en halen, en als je het dan zelf doet, ben je er meteen even uit met de baby. 's Middags kun je iets rustigs met zijn drietjes gaan doen, zoals een wandelingetje maken door het park, een boodschap doen bij de supermarkt of een vriendin op bezoek vragen.

V *Hoe kan ik het schema van mijn baby zo aanpassen dat ik haar één keer per week, tegelijk met haar grote broer, mee kan nemen naar zwemles? Normaal gesproken voed ik haar om 10.30 uur. Ik wil haar niet vlak voor het zwemmen voeden, maar ik ben wel bang dat ze honger zal krijgen en daardoor het zwemmen niet leuk vindt. De les begint om 10.30 uur en duurt 30 minuten, en ik moet uiterlijk om 10.15 uur van huis om genoeg tijd te hebben om mijn zoon zijn zwemkleding aan te doen.*

A Misschien is een korte voedingssessie om 9.45 uur een idee, zodat ze in elk geval geen honger krijgt tijdens de zwemles. Zodra je thuiskomt, geef je haar de rest van de voeding; dat zal rond 11.30 uur zijn. Omdat je om 11.15 uur onderweg naar huis bent, kan het zijn dat ze tijdens de rit in slaap valt of erg slaperig wordt. Zorg er daarom voor dat thuis alles klaarstaat zodat je haar zó in bed kunt leggen na haar resterende voeding.

V *Mijn jongste, Olivia, is een paar maanden oud en mijn peuter, Luuk, vindt het heel lastig te accepteren dat zijn zusje bij mij aan de borst drinkt. Elke keer als ze aan de borst gaat, begint hij te krijsen en probeert hij haar weg te duwen. Hij probeert zelf ook bij de borst te komen en raakt helemaal van streek als ik 'nee' zeg. Hij stort zich dan brullend op de vloer of trekt mijn shirt omhoog en probeert toch te drinken. Het lijkt of hij een terugval naar zijn babytijd heeft. Hij is al lang gespeend en ging probleemloos over op de fles. Ik weet niet precies waarom hij zich nu zo gedraagt en wat ik eraan moet doen.*

A Dit is een bekend scenario bij peuters die een broertje of zusje krijgen. De komst van de baby heeft een enorme impact op een peuter. Hoe goed je je ook voorbereidt, het is vrijwel onmogelijk in te schatten hoe je oudste erop zal reageren. Borstvoeding is een van die exclusieve dingen van moeder en baby, en het is voor je peuter erg lastig om daarmee om te gaan.

Het kan natuurlijk zijn dat Luuk gewoon jaloers is als hij ziet hoe close de baby met jou is. Hij kan het klein-zijn associëren met 'meer mamatijd hebben', en als hij ziet dat ze aan de borst gaat, is dat een heel zichtbaar bewijs dat de baby iets krijgt wat hij als peuter niet krijgt.

Gedragspsycholoog Liz Collins zegt bovendien: 'Vlak ook de herinneringen niet uit die een peuter heeft aan zijn eigen ervaringen met borstvoeding. Het is natuurlijk lastig om de vroegste herinneringen van je peuter te onderzoeken. Of en wat hij zich precies herinnert, hangt deels af van hoelang hij borstvoeding heeft gehad. Een baby die alleen de eerste weken aan de borst is geweest, heeft vanzelfsprekend minder ervaringsherinneringen dan een kind dat ruim een jaar borstvoeding heeft gehad. Het gaat echter niet per se om de exacte herinneringen, maar eerder om de associaties die je peuter heeft. Borstvoeding associeert hij vooral met zich geborgen voelen: een warm, comfortabel en veilig gevoel, dicht bij mama. Onbewust zijn het dit soort gevoelens waaraan hij herinnerd wordt als hij ziet dat zijn moeder borstvoeding geeft.'

Oké, maar hoe ga je daarmee om? Zelfs als je weet wat er zo ongeveer ten grondslag ligt aan zijn plotselinge interesse voor borstvoeding, zijn de problemen nog niet opgelost. Het vragen om aandacht is in elk geval een belangrijk aspect. Geef Luuk veel aandacht met activiteiten die meer bij zijn leeftijd passen. Daden hebben meer effect dan woorden bij peuters: doe daarom een speciale activiteit met hem die hij erg leuk vindt. Dat kan iets eenvoudigs zijn als samen een boekje lezen, een puzzel maken of liedjes zingen. Het soort activiteit doet er niet toe: het belangrijkste is dat hij dicht bij je is en even jouw totale, onverdeelde aandacht krijgt. Je kunt zo'n activiteit van tevoren plannen, zodat hij weet dat het straks zover is en erop kan anticiperen. Laat hem bijvoorbeeld bedenken wat hij straks samen wil doen en praat over de activiteiten als speciale dingen voor grote jongens (waardoor hij zich speciaal voelt en merkt dat hij belangrijk voor jou is).

Liz Collins zegt nog dit: 'Het kan ook zijn dat Luuk gewoon erg geïnteresseerd is in dat hele borstvoedingsverhaal. In dat geval kun je hem aanmoedigen het na te spelen met een knuffelbeer. Misschien vind je dit een gek voorstel, maar zo verleg je zijn aandacht en stimuleer je hem om zelf op onderzoek uit te gaan naar dingen die hij interessant vindt. Ook kom je op deze manier tegemoet aan zijn behoefte om deel uit te maken van belangrijke gebeurtenissen. Een rollenspel is een zeer effectieve strategie om jonge kinderen te helpen betekenis te geven aan moeilijke of verwarrende gebeurtenissen.'

Als Luuk erg halsstarrig is in zijn pogingen bij jou aan de borst te gaan en aan je shirt blijft trekken terwijl je dat niet wilt, zeg dan op vriendelijke maar besliste toon dat hij dat niet mag doen. Trek je shirt meteen naar beneden en zeg duidelijk: 'Nee.' Wees hierin consequent, zodat hij de boodschap krijgt dat je dit gedrag echt niet tolereert. Probeer hem te negeren als hij daarna dramatisch op de grond valt, maar richt je aandacht, zodra hij stopt met dat gedrag, onmiddellijk weer op hem en klets met hem, geef hem een knuffel en leid hem af met iets anders wat hij interessant vindt. Sta er verder niet te lang bij stil: deze fase gaat vaak vrij snel weer over.

V *Ik ben over enkele weken uitgerekend en ik maak me zorgen over hoe mijn tweejarige peuter op de baby gaat reageren. Hij hangt nogal aan mij en ik ben bang dat hij het erg moeilijk vindt om mijn aandacht te moeten delen. Is er iets wat ik kan doen om hem hierbij te helpen?*

A Vaak krijgen moeders die hun tweede verwachten het advies om te zorgen voor een positieve kennismaking tussen peuter en nieuwe baby. Bijvoorbeeld door een cadeautje voor hem te kopen 'namens' de nieuwe baby en door ervoor te zorgen dat je de baby niet in je armen houdt wanneer hij jou na de bevalling weer voor het eerst ziet, zodat je je armen vrij hebt om hem te knuffelen en hem geleidelijk kunt laten kennismaken met de baby. Allemaal prima adviezen, maar wees niet teleurgesteld als je peuter in de dagen of weken na de geboorte alsnog een negatieve reactie vertoont. Dit zegt in elk geval helemaal niets over de band die hij en zijn broertje of zusje in de toekomst zullen hebben. Geef je peuter volop aandacht als de baby slaapt of lekker op zijn speelkleed ligt te trappelen. Betrek je peuter bij het verzorgen (wassen, insmeren) van de baby, maar alleen als hij dat wil: forceer niets. Benadruk wat een 'aardige' en 'bijzondere' grote broer hij is en herhaal regelmatig hoeveel de baby van hem houdt. Zodra je baby zover is dat hij gaat reageren op anderen en gaat lachen, kun je je peuter stimuleren om baby's voetjes te kietelen of hem (of haar) een babyspeeltje te laten zien. Ten slotte: houd er rekening mee dat er altijd momenten zullen zijn waarop je zoon boos of jaloers is op de baby en op jouw band met het nieuwe gezinslid. Dit is volkomen natuurlijk en het is van belang dat je deze verwarrende gevoelens van je peuter erkent. Zeg dingen als: 'Ik weet dat het moeilijk is, soms word je boos, hè, van onze nieuwe baby.' Hier heeft hij meer aan dan dat je zijn gevoelens wegwuift of er zelfs boos om wordt.

V *Mijn jongste zoontje, Daniël, is zes maanden oud. Mijn oudste, George, is twee jaar en is ineens begonnen zijn broertje af en toe te slaan, krabben en bijten. Ook probeert hij op Daniël te gaan zitten als die op zijn speelkleed ligt. Het gebeurt niet altijd, en George lijkt daarnaast dol te zijn op Daniël, want zijn ogen lichten op als hij hem ziet en hij vindt het leuk om dingen met hem te doen. Hij kan heel lief voor hem zijn: dan brengt hij hem wat speelgoed of geeft hem kusjes. Maar als hij in zo'n 'kwaaie bui' is, kan hij echt agressief worden, dus kan ik hen geen moment alleen laten met elkaar. Ik weet niet precies wat er achter die boze buien schuilt, want ze komen altijd volkomen onverwachts.*

A Dit is een van die emotionele aspecten waar je echt wakker van kunt liggen als je zwanger bent: 'Wat zal mijn nummer één ervan vinden? Zal hij lief zijn voor de baby of zal hij jaloers of boos zijn?' Bij de meeste ouders schieten dergelijke gedachten wel even door het hoofd. De komst van een broertje of zusje is ook echt een keerpunt in het leven van een jong kind. En ook in dat van de ouders, want de komst van een tweede zet jullie hele leven weer op zijn kop en brengt allerlei veranderingen met zich mee.

Gedragspsycholoog Liz Collins legt uit: 'De komst van een nieuwe baby kan heel heftige gevoelens teweegbrengen bij een kind. Een broertje of zusje betekent dat het kind geconfronteerd wordt met nieuwe zaken als: moeten delen, gevoelens van competitie, jaloezie, verlies en rivaliteit. Dat gaat hand in hand met de mogelijkheid om zeer waardevolle ervaringen op te doen, zoals leren onderhandelen, conflicten oplossen, verschillen respecteren, je inleven in een ander, leren delen en accepteren dat iemand niet wil delen. Ik denk dat de meeste ouders een romantisch beeld hebben van twee gezellig samen spelende kinderen. In de praktijk is dit helaas meestal niet zo. Sterker nog: veel ouders maken mee dat hun baby op de een of andere manier echt bezeerd wordt door hun peuter. Hoewel het achteraf vaak allemaal erg meevalt en je er jaren later zelfs om kunt lachen, is het helemaal niet zo grappig als je er nog middenin zit. De meeste ouders maken zich van tijd tot tijd echt zorgen.'

Het is ook niet gemakkelijk dat je je oudste ineens als 'dader' gaat zien. Tot nu toe was hij jouw zo gekoesterde kleintje. Hij is altijd het middelpunt van je aandacht geweest en je hebt hém op zijn beurt waarschijnlijk ook beschermd tegen oudere kinderen, bijvoorbeeld tegen een ouder neefje. We hebben instinctief de neiging om een kleine, kwetsbare baby te beschermen, maar we willen onze oudste ook niet als booswicht beschouwen en zijn eventuele negatieve gevoelens over de baby verergeren. Maar je kunt dit soort gedrag evenmin negeren.

Liz Collins voegt toe: 'Misschien interessant om te weten: broertjes en zusjes onder de vijf halen een gemiddelde van vier conflicten per uur, dus elke 15 minuten één conflict. De aard van de conflicten verschilt per leeftijd en in het begin komen ze allemaal van één kant: de kant van de oudste. Deze eerste tekenen van boosheid, jaloezie en rivaliteit richting de baby zeggen niets over hun toekomstige relatie. Omdat een jong kind zijn gevoelens nog niet kan verwoorden, gebruikt hij daarvoor zijn gedrag.'

Om te beginnen is het heel positief dat George af en toe wél lief kan zijn voor zijn kleine broertje. Hij is duidelijk zeer geïnteresseerd in hem en snapt dat de baby het leuk vindt om speelgoed en kusjes te krijgen. Maar zo te horen heeft hij er gemengde gevoelens over. Peuters kunnen om allerlei redenen negatief reageren op een baby, zoals je al hebt begrepen. Misschien is George gewoon nieuwsgierig hoe zijn broertje reageert als hij geduwd, geslagen, geknepen, enzovoort wordt. Peuters kunnen oprecht nieuwsgierig naar dit soort dingen zijn: ze onderzoeken oorzaak en gevolg. Misschien denkt hij: wat zal dit kleine mannetje doen als ik hem knijp? Hij ontdekt dat de baby kan gaan schreeuwen, maar de kans is ook groot dat hij een sterke reactie van mama (of een ander 'groot mens') krijgt – en dat kan nu net het gedrag versterken. Je peuter ziet dit dan als een snelle manier om aandacht te krijgen en de aandacht van de baby af te leiden. Dit is een heel handig foefje als je klein bent en ineens ontdekt dat je plekje in het gezin veranderd is.

Toch moet je krachtig reageren op dit gedrag. Ga eerst na wanneer het gedrag het vaakst plaatsvindt. Is dat wanneer jouw aandacht verdeeld is, bijvoorbeeld wanneer je bezig bent met een klusje of met iemand praat?

Wat gebeurt er nog meer op dat moment? Is er nog iemand in de buurt? Op welk tijdstip van de dag gebeurt het? Heeft George om die tijd honger of is hij moe? Moest hij stoppen met wat hij aan het doen was, zoals spelen? Denk na over al dit soort vragen om te zien of er sprake is van een patroon, want dan kun je beter inspelen op dit gedrag. Het is belangrijk dat je duidelijke grenzen stelt en hem duidelijk maakt wat gewenst gedrag is. Positief gedrag benoemen en belonen is net zo belangrijk als hem vertellen dat het negatieve gedrag niet gewenst is. Is hij heel fysiek ingesteld, denk dan met hem mee hoe hij op andere manieren om kan gaan met zijn broertje. Bijvoorbeeld: hem aaien in plaats van slaan. Is zijn gedrag zeer agressief, haal hem dan weg bij Daniël tot hij gekalmeerd is, maar geef hem daarna wel de gelegenheid om te laten zien dat hij ook aardig voor zijn broertje kan zijn.

Liz Collins: 'Uit onderzoek is gebleken dat om een positieve relatie te kweken tussen broertjes en zusjes, het belangrijk is dat de oudste zich betrokken voelt bij de nieuwe baby en hem niet als concurrent moet gaan zien. Vraag George om mee te helpen bij de verzorging van Daniël en geef hem specifieke taakjes, zoals een schone luier of een speeltje pakken, of kleren uitkiezen. Geef hem een positie waarin hij zich belangrijk voelt, zoals vragen om een beetje op Daniël te letten als mama het eten klaarmaakt of de telefoon opneemt. George heeft een heel nieuwe rol, dat van grote broer: onderstreep het belang van die rol. Geef hem daarnaast speciale "mamatijd", zodat hij het gevoel heeft dat de aandacht eerlijk verdeeld is.'

Hoewel je vanzelfsprekend rustig moet reageren, kan het soms moeilijk zijn om je eigen boosheid over zijn agressieve gedrag in te tomen. Het kan dan helpen om te proberen je voor te stellen hoe je peuter zich waarschijnlijk voelt ten opzichte van de baby. Laat George zien dat je zijn negatieve gedrag richting de baby best begrijpt. Met jouw hulp zal George geleidelijk leren dat positief gedrag lonender is dan negatief gedrag. Houd echter altijd een oogje in het zeil (zie ook blz. 194-195).

15 Veelvoorkomende problemen in het eerste jaar

Mijn adviezen in dit boek zijn gebaseerd op mijn persoonlijke ervaringen met de honderden baby's voor wie ik gezorgd heb. Niettemin is elke baby weer anders en daarom kun je op bepaalde problemen stuiten. Mede op basis van de vragen die ik als adviseur van jonge ouders krijg en op basis van de reacties van mijn lezers (via mijn website), heb ik een lijst opgesteld van problemen waar veel ouders in het eerste jaar tegenaan lopen. Hopelijk vind je hier een antwoord op je eventuele vragen. Ga echter naar het consultatiebureau of de huisarts als je echt ongerust bent: laat je niet weerhouden door de angst dat je een neurotische moeder bent of iets dergelijks. Je kunt beter zorgen dat je geniet van je baby en dit kostbare eerste levensjaar.

Met behulp van de inhoudsopgave aan het begin van dit boek kun je zoeken op het type problemen waar je een vraag over hebt. Ik heb de informatie in algemene, voedings- en slaapproblemen onderverdeeld, maar hier en daar overlappen de problemen elkaar. Slapen en voeden zijn zo zeer met elkaar verbonden dat het kan zijn dat je beide secties moet lezen om een bevredigend antwoord te vinden.

ALGEMENE PROBLEMEN

Boertjes laten

Kijk naar je baby om te bepalen wanneer je moet pauzeren tijdens het voeden om hem een boertje te laten doen. Als je de voeding voortdurend onderbreekt, zal hij misschien zo boos en overstuur raken dat hij door zijn gehuil meer lucht binnenkrijgt dan door het drinken zelf. Ik heb vaak meegemaakt dat baby's eindeloos op hun rug werden geklopt en de moeder weigerde met de voeding verder te gaan omdat ze ervan overtuigd was dat hij een boertje moest laten. In werkelijkheid is het zo dat maar heel weinig baby's vaker dan één keer tijdens de voeding een boertje moeten laten en dan nog één keer aan het eind.

Een borstbaby zal zich van de borst losmaken als er een boertje dwarszit. Heeft hij dat tegen het eind van de eerste borst nog niet gedaan, dan kun je proberen hem een boertje te laten doen voordat je hem aan de tweede borst legt. Flessenbaby's drinken meestal de helft tot driekwart van hun fles leeg en laten dan de speen los om te boeren. Ongeacht of je borstvoeding of de fles geeft, zal je baby, mits je hem in de juiste houding houdt, zowel tijdens als aan het eind van de voeding gemakkelijk en snel een boertje laten. Als dat niet binnen een paar minuten gebeurt, kun je het beter later nog eens proberen. In veel gevallen komt het boertje pas nadat hij plat gelegen heeft voor het verschonen van zijn luier.

Zo nu en dan laat een baby ook weleens flinke winden, die voor hem heel vervelend kunnen zijn en waardoor hij moet huilen. Een moeder die borstvoeding geeft, moet haar eigen voeding goed in de gaten houden om na te gaan of ze iets eet of drinkt wat die winderigheid veroorzaakt. Grote hoeveelheden citrusvruchten of -drankjes kunnen hevige winderigheid veroorzaken. Andere boosdoeners zijn chocolade en overmatige consumptie van zuivelproducten.

Let bij een borstbaby vooral goed op dat hij aan de achtermelk toekomt (zie blz. 55-57). Te veel voormelk kan voor explosieve darmbeweging en winderigheid zorgen.

Bij een flessenbaby die al uit een speciale fles tegen darmkrampjes drinkt, is overmatige lucht in de maag vaak te wijten aan te veel drinken. Als je baby regelmatig 90-180 ml per dag meer drinkt dan de op de verpakking aanbevolen hoeveelheid, en daarbij ook elke week meer dan 225 g aankomt, kun je het beste gedurende enkele dagen een paar voedingen iets kleiner maken om te zien of er verbetering optreedt. Een baby met een grote zuigbehoefte kun je na de kleinere voedingen een fopspeen geven.

Soms is een flessenspeen met een gat dat te groot of te klein is voor de behoefte van je baby de oorzaak van een grote hoeveelheid lucht in de maag. Experimenteer eens met een andere speen. Een baby die bij bepaalde voedingen te snel drinkt, kan er baat bij hebben als hij bij een paar voedingen een speen met een kleiner gaatje of met minder gaatjes krijgt. Een te klein gaatje kan er echter weer voor zorgen dat hij te hard moet zuigen om de melk uit de fles te krijgen.

Darmkrampjes

Darmkrampjes komen veel voor bij baby's jonger dan drie maanden. Ze kunnen de baby en zijn ouders het leven flink zuur maken en tot op heden is er geen probaat middel tegen. Je kunt bij de drogist wel diverse middeltjes krijgen, maar de meeste ouders met een baby die last heeft van ernstige darmkrampjes geven aan dat die niet helpen. Een baby kan op elk moment van de dag krampjes krijgen, maar meestal gebeurt het tussen 18.00 uur en middernacht. Ouders nemen dan hun toevlucht tot eindeloos laten drinken, wiegen, klopjes geven, zelfs een eindje rijden met de auto – het helpt allemaal niet of maar even. Darmkrampjes zijn meestal verdwenen tegen de tijd dat de baby vier maanden is, maar dan heeft hij wel de verkeerde slaapassociaties ontwikkeld en daar schiet niemand iets mee op.

Ouders die mijn hulp inroepen voor een baby met darmkrampjes, vertellen me vaak dat hun baby uren achter elkaar krijst en dat hij vreselijk ligt te woelen en zijn beentjes van de pijn optrekt. Het merendeel van deze baby's heeft één ding gemeen: ze worden op verzoek gevoed. Deze manier van voeden leidt er vaak toe dat de baby weer een voeding krijgt voordat de vorige is verteerd, en dat is een van de dingen die naar mijn mening darmkrampjes kunnen veroorzaken (zie ook mijn adviezen voor flesvoeding op blz. 60-63).

Geen van de baby's voor wie ik heb gezorgd vanaf de geboorte heeft ooit last gehad van darmkrampjes, en ik ben ervan overtuigd dat dit komt doordat ik hun voedings- en slaappatroon vanaf de allereerste dag structureerde. Als ik een oudere baby met last van darmkrampjes help, is het probleem doorgaans binnen 24 uur nadat ik met het schema ben begonnen, opgelost. Eerst kijk ik wel altijd of de darmkrampjes misschien veroorzaakt worden door het voedingspatroon van de moeder in plaats van door het voeden op verzoek.

Afhankelijk van de leeftijd van de baby, de klachten en de keren dat hij 's avonds en 's nachts gevoed wordt, begin ik met suikerwater. Bij een baby tussen de één en drie maanden die 's nachts veel drinkt en die steeds meer aankomt dan het voorgeschreven gewicht per week, vervang ik een van de nachtvoedingen door suikerwater: met kleine beetjes van een oplossing die ik maak door 120 ml afgekoeld gekookt water te mengen met een half theelepeltje suiker, breng ik hem weer in slaap. Daarna volgt twee keer een melkvoeding. Dit heeft gewoonlijk als effect dat de baby weer verder slaapt met minder melk, zodat hij in totaal minder melk drinkt 's nachts. Zodra de baby nog maar één keer per nacht wakker wordt, stop ik met het suikerwater en geef ik één volledige melkvoeding, zodat hij doorslaapt tot 7.00 uur. Wanneer een baby heel vaak wakker wordt en darmkrampjes heeft, heeft gewoon water zonder suiker niet hetzelfde effect, heb ik gemerkt. De volgende dag maak ik de baby om 7.00 uur wakker, ongeacht hoe weinig slaap hij 's nachts heeft gehad, en dan volg ik de rest van de dag tot 18.30 uur het schema. Op dat tijdstip geef ik een borstbaby altijd een bijvoeding van afgekolfde melk zodat ik zeker weet dat hij genoeg te drinken heeft gehad. Zo voorkom ik dat hij 2 uur later alweer gevoed wil worden, want dat is een veelvoorkomend patroon bij baby's met krampjes. Bij een flessenbaby zorg ik er altijd voor dat de voeding van 14.30 uur wat kleiner is, zodat hij om 18.30 uur goed drinkt. Vaak is een lage melkproductie aan het begin van de avond er de oorzaak van dat de baby veelvuldig kleine beetjes drinkt, en dat leidt er weer toe dat de voedingen niet goed verteren.

Meestal komt de baby meteen de eerste nacht al tot rust, maar soms krijg ik ook te maken met een baby die als gevolg van darmkrampjes de verkeerde slaapassociaties heeft ontwikkeld. Met deze baby's volg ik de 'ondersteund slapen'-methode (zie blz. 172-173). Binnen een week slapen ze meestal probleemloos tot de voeding van 22.30 uur. Omdat ze dan goed geslapen hebben en het 4 uur geleden is dat ze voor het laatst gedronken hebben, drinken ze op dit tijdstip goed en blijven ze 's nachts veel langer slapen.

Samen met de vaste schema's stimuleert deze methode baby's die last van darmkrampjes hebben gehad en de verkeerde slaapassociaties hebben ontwikkeld, al snel om de hele nacht door te slapen. Ouders zijn vaak bang dat hun kindje door het gebruik van suikerwater een zoetekauw wordt of, erger nog, last krijgt van tandbederf. Gezien de korte periode waarin je hiervan gebruikmaakt, is die kans echter klein. Zelf heb ik dergelijke problemen nog nooit zien ontstaan. Het doet mij genoegen te kunnen zeggen dat mijn advies wordt ondersteund door een Australisch onderzoek naar darmkrampjes. Het onderzoek toont aan dat suiker de natuurlijke pijnstillers van het lichaam stimuleert en dat baby's met krampjes inderdaad baat kunnen hebben bij de suikeroplossing.

Huilen

Ik heb in heel wat gerenommeerde babyboeken gelezen dat de meeste jonge baby's gemiddeld 2 uur per dag huilen. Dergelijke informatie wordt ook door Britse onderzoekscentra verstrekt. Zij stellen dat het huilen met zes weken een piek vertoont, waarbij 25% van de baby's minstens 4 uur per dag huilt of niet lekker in hun vel zit. Verder stelt men dat 40% van het huilen tussen 18.00 uur en middernacht plaatsvindt. De Nederlandse onderzoekers Van de Rijt en Plooij, auteurs van het boek *Oei, ik groei!* (zie Verder lezen), hebben meer dan twintig jaar lang de ontwikkeling van baby's bestudeerd en zij stellen dat baby's huilerig en veeleisend worden wanneer ze een van de grote neurologische veranderingen doormaken die gedurende het eerste levensjaar optreden.

Zelf heb ik gemerkt dat baby's rond drie en zes weken door een lastige fase gaan, die meestal samenvalt met een groeispurt. Toch zou ik het echt verschrikkelijk vinden als een van mijn baby's een uur lang zou huilen op een dag, laat staan 2 tot 4 uur! Wat ik steeds weer hoor van ouders die mijn schema's volgen, is dat ze hun baby juist zo tevreden vinden. Natuurlijk huilen de Tevreden Baby's wel, maar dat is omdat ze het niet leuk vinden dat ze verschoond worden, of dat hun gezichtje gewassen wordt, en een paar protesteren wanneer ze in hun bedje worden gelegd. Voor die laatste groep, baby's die zich tegen de slaap verzetten, ben ik vrij streng, als ik tenminste zeker weet dat ze genoeg hebben gedronken, een boertje hebben gelaten en echt aan slapen toe zijn. Ik laat hen 10-12 minuten mopperen en huilen. Dit is het enige echte huilen dat ik weleens meemaak: we hebben het dan over veruit de minderheid van mijn baby's en het duurt niet langer dan een week of twee. Ouders vinden het natuurlijk vreselijk om hun kindje te laten huilen: de meeste zijn bang dat hun baby psychische schade oploopt als ze hem in zijn bedje te slapen leggen en hem even laten huilen. Ik kan je echter geruststellen: als je baby genoeg heeft gedronken en je mijn slaap- en voedingsschema's hebt gevolgd, ondervindt je baby daar geen psychologische schade van. Op de langere termijn krijg je een blije, tevreden baby die geleerd heeft zelf in slaap te vallen. Veel ouders die hun eerste kindje op verzoek hebben gevoed en die met hun tweede mijn schema's volgen, zeggen dat mijn methode veruit het beste bevalt en op de lange termijn de gemakkelijkste is.

Marc Weissbluth, auteur van verschillende babyboeken over slapen en directeur van het centrum voor slaapstoornissen van het Children's Memorial Hospital in Chicago, zegt in zijn boek *Healthy Sleep Habits, Happy Child* dat ouders goed voor ogen moeten houden dat ze hun baby de kans geven te huilen, en dat het niet zo is dat ze hem aan het huilen *maken*. Hij zegt ook dat een oudere baby veel moeilijker leert zelf in slaap te vallen.

Hierna lees je de belangrijkste redenen waarom een gezonde baby kan huilen. Gebruik dit als checklist om de mogelijke oorzaken af te strepen, zodat je in je baby's echte behoeften kunt voorzien. Met stip bovenaan: honger.

Honger

Als je baby heel tenger en kribbig is en slecht slaapt, mag je er gerust van uitgaan dat hij huilt omdat hij honger heeft en zul je hem moeten voeden, ook al is dat niet op het aanbevolen tijdstip in het schema voor zijn leeftijd. Honger is een van de meest voorkomende redenen waarom jonge baby's die uitsluitend de borst krijgen, 's avonds rusteloos zijn. Als je het gevoel hebt dat je baby goed drinkt, korte tijd wakker blijft na de voedingen en daarna goed doorslaapt tot de volgende voeding, maar merkt hij 's avonds onrustig is, is honger zeer waarschijnlijk de oorzaak. Zelfs als je baby elke week goed aankomt, mag je honger niet uitsluiten. Veel moeders produceren eerder op de dag veel melk, maar 's avonds, als de vermoeidheid erin sluipt, kan de melkproductie drastisch verminderen. Dit gebeurt vooral bij een tweede baby, en ik raad ten zeerste aan om de komende paar nachten je baby na zijn badje 's avonds wat extra afgekolfde melk te geven. Wanneer hij daar rustig van wordt, weet je dat je melkproductie te laag is rond die tijd. Zie blz. 221-225 voor wat je kunt doen aan dit probleem.

Als je echter merkt dat je baby 's avonds of op andere momenten van de dag onrustig is, en je weet zeker dat hij genoeg voeding binnenkrijgt, dan is het belangrijk dat je andere redenen voor zijn gehuil uitsluit. Maar al te vaak hoor ik mensen zeggen dat het normaal is dat baby's de eerste dagen veel huilen, want 'dat is nu eenmaal wat baby's doen'. Gedurende mijn vele jaren als kraamverzorgster ben ik echter maar weinig baby's tegengekomen die inderdaad heel veel huilden, wat ik ook deed en hoe ik hen ook probeerde te kalmeren. Het ging om slechts een handvol van de honderden baby's voor wie ik de zorg had. Als ik merkte dat ik met een heel onrustige baby te maken had, zorgde ik ervoor dat ik elke mogelijke oorzaak had bekeken voor ik accepteerde dat er niets was om de zaken te verbeteren. Baby's hebben nog andere behoeften naast gevoed worden, slapen en knuffelen.

Vermoeidheid

Baby's jonger dan zes weken worden als ze een uur wakker zijn geweest meestal moe. Je baby is dan misschien nog niet helemaal aan slapen toe, maar je kunt er wel voor zorgen dat hij niet te veel prikkels meer krijgt. Niet alle baby's laten overduidelijk zien dat ze moe zijn. Probeer daarom in de eerste dagen te voorkomen dat je peuter, of bezoekers, de baby prikkelen tot activiteit als hij net een uur wakker is geweest.

Oververmoeidheid

Baby's jonger dan drie maanden kunnen beter niet langer dan 2 uur achtereen wakker blijven, want dan kunnen ze oververmoeid raken en zijn ze juist moeilijker in slaap te krijgen. Oververmoeidheid is vaak het gevolg van een teveel aan prikkels, zoals ik net al aanstipte. Een oververmoeide baby kan een staat bereiken waarin hij niet van nature in slaap valt. Hoe vermoeider hij wordt, hoe meer hij vecht tegen de slaap. Een baby jonger dan drie maanden die deze staat bereikt en langer dan 2 uur wakker blijft, is meestal onmogelijk in slaap te sussen.

In zo'n geval kan een korte 'huilperiode' als laatste redmiddel gebruikt worden om het probleem op te lossen. Dit is de enige situatie waarin ik eventueel aanraad deze methode bij een jonge baby te gebruiken, en dan nog alleen als je zeker weet dat je baby genoeg gedronken heeft, een boertje heeft gelaten en geen darmkrampjes of ander lichamelijk ongemak heeft.

Verveling

Zelfs een pasgeboren baby moet een gedeelte van de tijd wakker zijn. Probeer hem overdag na de voedingen een tijdje wakker en alert te houden. Baby's jonger dan een maand vinden het fijn om naar zwart-witte dingen te kijken, vooral naar afbeeldingen van gezichten, en de gezichten die ze het leukst vinden zijn die van mama en papa. Verdeel het babyspeelgoed in dingetjes voor zijn wakkere perioden en dingetjes ter ontspanning voor het slapengaan: felgekleurde, lawaaiige speelgoedjes voor de gezellige momenten en zachte, rustige speeltjes voor het slapengaan.

Boertjes en krampjes
Alle baby's krijgen bij het drinken een bepaalde hoeveelheid lucht binnen. Dit geldt voor flessenbaby's nog meer dan voor borstbaby's. De meeste baby's laten gemakkelijk een boertje. Als je denkt dat je kindje huilt omdat hij last heeft van darmkrampjes, kijk dan of je wel genoeg tijd tussen de voedingen rekent. Ik heb gemerkt dat te vaak voeden en voeden op verzoek de belangrijkste oorzaken zijn van darmkrampjes bij jonge baby's. Een borstbaby heeft minstens 3 uur nodig voordat hij een volledige voeding heeft verteerd, en een flessenbaby 3,5-4 uur. Deze tijd wordt altijd gerekend vanaf de aanvang van de ene voeding tot de aanvang van de volgende voeding. Houd verder de gewichtstoename van je kindje goed in de gaten. Wanneer hij meer dan 225-280 g per week aankomt en veel last van krampjes heeft, kan het zijn dat hij te veel voeding krijgt, vooral zodra hij meer dan 7 pond gaat wegen en twee tot drie keer per nacht een voeding krijgt. Zie ook blz. 63.

Fopspenen

Ik heb altijd gezegd dat een fopspeen, mits met beleid gebruikt, een echte aanwinst kan zijn, vooral voor een baby met een grote zuigbehoefte. Ik heb echter ook altijd benadrukt dat je je baby nooit met zijn fopspeen in bed mag leggen en hem nooit mag toestaan dat hij zichzelf met zijn fopspeen in slaap zuigt. Mijn advies was steeds dat je een fopspeen gerust mag gebruiken om de baby tot rust te brengen, ook om hem op zijn slaapje voor te bereiden, maar dat je de speen voordat de baby in slaap valt uit zijn mondje moet halen. Mijn ervaring is dat een baby die met een fopspeen in de mond in slaap valt, een van de slechtste slaapassociaties ontwikkelt die er zijn, die bovendien heel moeilijk weer af te leren is. Hij wordt dan een paar keer per nacht wakker en zal elke keer zijn speen nodig hebben om weer in slaap te kunnen vallen. Daarom adviseerde ik tot voor kort altijd de speen voor het daadwerkelijke in slaap vallen uit zijn mondje te halen.

Recent onderzoek (2007) naar wiegendood heeft echter de volgende aanbeveling van de Britse Foundation for the Study of Infant Deaths

(FSID) opgeleverd om het risico op wiegendood te verkleinen, een aanbeveling die redelijk overeenkomt met het gangbare advies in Nederland:

'Het gebruik van een fopspeen elke keer dat de baby gaat slapen, kan het risico op wiegendood verkleinen. Als u borstvoeding geeft, wacht dan een maand met het geven van een speen, zodat de borstvoeding goed op gang kan komen. Maakt u zich geen zorgen als de speen uit het mondje valt tijdens het slapen en dwing de baby niet de speen te gebruiken als hij dat niet wil. Doop de speen nooit in iets zoets. Probeer de baby het gebruik van de fopspeen af te wennen tegen het eind van het eerste levensjaar.'

De Britse afdeling van Unicef reageerde hierop echter met het volgende:

'Hoewel we elk onderzoek naar het verkleinen van het risico op wiegendood (ook wel SIDS genoemd, *sudden infant death syndrome*) toejuichen, plaatsen we een paar kanttekeningen bij de gegeven informatie om de juiste aanbevelingen aan ouders te kunnen doen.

Ten eerste moeten we ook naar andere onderzoeken kijken die verbanden hebben bestudeerd tussen het gebruik van fopspenen en het voorkomen van wiegendood. Daaruit kan geconcludeerd worden dat zuigelingen die gedurende hun laatste slaapje een fopspeen gebruikten, minder kans liepen te overlijden, maar dat routineus gebruik van de fopspeen geen bescherming biedt. Dit kan erop wijzen dat zuigelingen meer risico op wiegendood lopen als ze altijd de speen krijgen, maar soms ineens een nacht niet.

Ten tweede: de potentiële risico's van het gebruik van een fopspeen moeten ook in overweging worden genomen. Dit zijn:

- verstorend effect op de borstvoeding in de eerste weken;
- verhoogd risico op een middenoorontsteking;
- verhoogd risico op een slechte occlusie van het gebit;
- risico op ongelukken, zoals obstructie van de luchtwegen.

Ten derde: we moeten ervoor zorgen dat de voorgestelde adviezen realistisch zijn. Als het gebruik van een fopspeen daadwerkelijk beschermt tegen wiegendood, maar alleen indien de speen *elke* nacht gebruikt wordt, moeten de ouders dit weten. De mogelijkheid dat het missen van een nacht het risico verhoogt bij routineuze speengebruikers, zorgt voor verwarring en onrust. We moeten benadrukken dat ouders de speen nooit mogen vergeten zodra ze daar eenmaal mee begonnen zijn. Het moge duidelijk zijn dat de ouders wel wat hulp kunnen gebruiken om een weloverwogen beslissing te kunnen nemen over het gebruik van de fopspeen, en we moeten aangeven dat onze kennis van dit vraagstuk nog altijd hiaten vertoont.'

Wat je het beste kunt doen is dit: bespreek je zorgen en twijfels over het gebruik van een fopspeen om het risico op wiegendood te verkleinen op het consultatiebureau of eventueel met de huisarts of een kinderarts. Zij zijn op de hoogte van de laatste aanbevelingen. Verder kun je eens kijken op de website van Stichting Wiegedood. Als je de eerste zes maanden voor alle dutjes een fopspeen gebruikt, kan je baby de gewoonte ontwikkelen om meermaals per nacht wakker te worden omdat hij de speen kwijt is. Wees er in dat geval op voorbereid dat je, zodra je na een halfjaar stopt met de speen, waarschijnlijk een of andere vorm van slaaptraining moet toepassen om deze nachtelijke gewoonte te doorbreken. Hoe je dit het beste aan kunt pakken, kun je bespreken op het consultatiebureau.

Er zijn twee soorten fopspenen verkrijgbaar: een ronde, kersachtige speen en een platte speen, ook wel orthodontische speen genoemd. Sommige deskundigen zeggen dat de orthodontische speen beter is voor het mondje, maar het probleem met dit type is dat de meeste jonge baby's hem niet lang kunnen vasthouden. Ik gebruik meestal de speen met de kersvorm, en vooralsnog heeft geen van mijn baby's een open beet gekregen, wat wel vaak gebeurt als de speen veelvuldig wordt gebruikt terwijl de tandjes al zijn doorgekomen. Wat voor speen je ook kiest, koop er altijd een paar, zodat je vaak een schone kunt geven. Bij het gebruik van een fopspeen dien je de grootst mogelijke hygiëne in acht te nemen. Maak hem nooit schoon door eraan te likken, zoals veel ouders doen: er zitten meer ziektekiemen en bacteriën in de mond dan je voor mogelijk houdt.

De hik

De hik komt veel voor bij kleine baby's en heel soms raakt een baby er overstuur van. De hik treedt vaak op na een voeding. Als het om een nachtvoeding gaat en je kindje daarna dus weer moet slapen, doe je er verstandig aan hem toch maar gewoon in bed te leggen. Wanneer je wacht tot de hik over is, is de kans groot dat hij in je armen in slaap valt en dat moet je echt zien te vermijden. Behoort jouw baby tot de zeldzame groep die van de hik gaat huilen, dan kun je hem een windverdrijvend drankje (carminativum) voor baby's geven.

Mondje teruggeven

Heel vaak geven baby's tijdens het boeren of na de voeding een beetje melk terug. Voor de meeste baby's geeft dat verder geen problemen. Als je baby daarbij echter wekelijks meer dan 225 g aankomt, kan het zijn dat hij te veel drinkt. Bij een flessenbaby is dat probleem snel opgelost, aangezien je kunt zien hoeveel hij drinkt en je dus de voedingen waarbij hij het meest terug lijkt te geven kleiner kunt maken. Bij een borstbaby is het moeilijker te zeggen hoeveel hij drinkt, maar door bij te houden bij welke voedingen hij meer melk teruggeeft en door hem bij die voedingen dan iets korter aan de borst te laten, kun je het probleem tegengaan.

Als je kindje uitzonderlijk veel melk teruggeeft en niet genoeg aankomt, kan het zijn dat hij aan een aandoening lijdt die we 'reflux' noemen. Heeft je baby reflux, dan zal de arts waarschijnlijk een middel voorschrijven dat je hem voor of tijdens de voeding moet toedienen en dat ervoor zorgt dat hij de melk binnenhoudt. Baby's die vaak wat melk opgeven, moet je na de voeding zoveel mogelijk rechtop houden. Wees ook voorzichtig bij het laten boeren.

Als je baby twee keer achter elkaar een hele voeding uitspuugt, kun je het beste meteen de huisarts raadplegen.

Reflux

Soms vertoont een baby alle symptomen van darmkrampjes, maar heeft hij in feite een andere aandoening, namelijk gastro-oesophageale reflux. De spier onder aan de slokdarm is te zwak om de melk in het maagje te houden: de melk komt weer omhoog, samen met wat maagzuur, waardoor er een heel pijnlijk, branderig gevoel in de slokdarm ontstaat. Overmatig spugen is een van de symptomen van reflux. Toch geven niet alle baby's met reflux de melk echt terug, en vaak denkt men van die baby's ten onrechte dat ze darmkrampjes hebben. Ze zijn vaak heel moeilijk te voeden, krommen tijdens de voeding voortdurend hun rug en krijsen het uit. Ze worden dikwijls ook prikkelbaar als ze plat worden neergelegd en zijn dan met geen knuffel of gewieg meer rustig te krijgen. Als je kindje deze symptomen vertoont, sta er dan op dat je arts een refluxtest doet. Ik heb veel gevallen meegemaakt waarbij men bij een baby de diagnose darmkrampjes stelde, terwijl hij eigenlijk reflux had, ondanks het feit dat hij niet spuugde. Denk je dat je baby reflux heeft, laat je dan niet afschepen met de diagnose darmkrampjes. Reflux veroorzaakt veel stress bij de baby en de ouders, en het is essentieel dat je advies en ondersteuning krijgt van je arts. Heb je het gevoel dat je niet de hulp krijgt die je nodig hebt, wees dan niet bang om een second opinion te vragen. Als je baby geen reflux blijkt te hebben, kun je dit in elk geval wegstrepen als mogelijke oorzaak. Als hij wel reflux heeft, kun je je baby met de juiste medicatie maanden van ellende en pijn besparen. Het is heel belangrijk dat een baby met reflux niet te veel te drinken krijgt en dat je hem tijdens en na de voeding zoveel mogelijk rechtop houdt.

Sommige baby's hebben gedurende een paar maanden medicatie nodig om de spieren te verstevigen. Gelukkig zijn de meeste baby's tegen hun eerste verjaardag over deze aandoening heen gegroeid.

ALGEMENE PROBLEMEN MET DE VOEDING

Moeizaam drinken

Het merendeel van de pasgeboren baby's drinkt vrij snel probleemloos aan de borst of uit de fles. Sommige baby's, vooral zij die een moeilijke geboorte hebben meegemaakt, kunnen echter moeite hebben met drinken. Als je merkt dat je baby gespannen en huilerig wordt zodra je hem wilt gaan voeden, zorg dan voor een rustige omgeving. Dat kan nog een hele opgave zijn met een onstuimige peuter om je heen en het kan zijn dat je die eerste dagen iets vaker je toevlucht zoekt tot de dvd-speler dan je lief is. Maar maak je geen zorgen: het voeden zal gauw genoeg beter gaan en dan kun je het kijken naar dvd'tjes weer afbouwen. Met de volgende richtlijnen kun je de voedingssessies voor je baby meer ontspannen maken, of je nu de borst of fles geeft.

- Het is van groot belang dat gespannen baby's niet te veel prikkels krijgen. Laat hem daarom, vooral vlak voor een voeding, bijvoorbeeld niet van hand tot hand gaan.

- Geef de voeding op een stil plekje met een rustgevende atmosfeer. Zie blz. 46 voor tips om je peuter bezig te houden terwijl je de baby voedt.

- Zet alles wat je voor een voedingssessie nodig hebt van tevoren klaar. Zorg ervoor dat je zelf goed uitgerust bent en goed hebt gegeten.

- Als je je peuter bezighoudt met een dvd'tje, houd het volume dan laag, trek de stekker uit de telefoon en beperk bezoek rond voedingstijden tot een minimum.

- Geef je baby niet meteen een schone luier zodra hij wakker wordt voor een voeding, want dat kan het huilen aanwakkeren. Probeer bovenal te voorkomen dat je baby gespannen wordt vlak voor een voeding.

- Wikkel je baby stevig in een katoenen lakentje zodat hij niet met zijn armpjes en beentjes gaat zwaaien. Ga comfortabel zitten voor je begint met de voeding.

- Probeer de baby niet aan te leggen of de fles in zijn mondje te stoppen als hij huilt. Houd hem stevig vast in de voedingspositie en kalmeer hem met zachte klopjes op zijn rug.

- Kijk eens wat hij van een fopspeen vindt. Zodra hij gekalmeerd is en een paar minuten rustig heeft gezogen, haal je de speen gauw weg en stop je meteen de borst of fles in zijn mond.

Als je baby altijd goed gedronken heeft, maar ineens de borst of fles begint te weigeren, kan het zijn dat hij zich niet lekker voelt. Infecties zijn een veelvoorkomende oorzaak en die worden niet altijd opgemerkt. Heeft je baby een van de volgende symptomen, ga dan langs de huisarts:
- plotseling gebrek aan eetlust en overstuur raken als je hem wilt voeden;
- veranderingen in het normale slaappatroon;
- plotseling erg hangerig en huilerig worden, zich aan je vastklampen;
- suf worden en nauwelijks reageren.

Veel nachtvoedingen

Ik heb gemerkt dat alle baby's, ook zij die op verzoek gevoed worden, zodra ze 4-6 weken oud zijn in staat zijn om per dag één lange periode achtereen te slapen tussen twee voedingen door. Beatrice Hollyer en Lucy Smith, auteurs van het uitstekende boek *Slaap* (zie Verder lezen, blz. 245, en De doorslaapmethode, blz. 217-219), noemen de eerste nacht met zo'n langere slaapperiode de 'kernnacht'. Zij adviseren om deze kernnacht als uitgangspunt te nemen om je baby te stimuleren 's nachts door te gaan slapen.

Ik ben van mening dat een baby met een geboortegewicht van minimaal 7 pond tegen het eind van week twee nog maar één nachtvoeding nodig heeft (tussen middernacht en 6.00 uur 's ochtends), mits hij uiteraard overdag goed drinkt en tussen 22.00 en 23.00 uur nog een volledige voeding krijgt. Ik heb ervaren dat baby's – of ze nu de borst of de fles krijgen – die twee tot drie keer per nacht gevoed blijven worden, uiteindelijk overdag minder gaan drinken. Zo ontstaat er algauw een vicieuze cirkel waarbij de baby overdag minder drinkt en 's nachts echt voeding nodig heeft om aan zijn dagelijkse behoefte te voldoen. Met een flessenbaby is het patroon van veel nachtelijk drinken gemakkelijker te voorkomen dan met een borstbaby, omdat je de hoeveelheden overdag beter kunt reguleren.

'S Nachts veel willen drinken is iets wat als normaal wordt gezien voor borstbaby's: het wordt zelfs door veel deskundigen aanbevolen. Er wordt dan meestal de nadruk gelegd op het feit dat het hormoon prolactine, nodig om moedermelk aan te maken, vooral 's nachts door het lichaam wordt geproduceerd. De theorie daarachter is dat moeders die hun baby 's nachts meer voeden dan overdag, doorgaans een betere melkstroom op gang weten te brengen. Dit advies werkt ongetwijfeld goed voor sommige moeders, maar borstvoedingsstatistieken wijzen uit dat dat zeker niet voor alle moeders geldt, omdat veel moeders de borstvoeding opgeven in de eerste maand. Ik denk dat de uitputting waaraan moeders ten prooi vallen als gevolg van zoveel nachtvoedingen, een van de voornaamste redenen is dat ze ermee stoppen.

Ik heb met honderden moeders samengewerkt die borstvoeding gaven en ik heb gemerkt dat een goede nachtrust er juist toe leidt dat de borsten meer melk produceren. Eén volledige nachtvoeding midden in de nacht kan de baby lekker soezerig maken, waarna hij tot de ochtend doorslaapt.

Hierna geef ik de belangrijkste oorzaken waarom een baby veel om nachtvoeding kan vragen, met tips hoe je deze ongewenste situatie kunt oplossen.

- Een te vroeg geboren baby of een heel kleine baby heeft vaker dan om de 3 uur een voeding nodig; voor dit soort gevallen is medisch advies noodzakelijk.

- Als je baby bij elke voeding goed drinkt (bied een baby van minstens 7 pond altijd ook de tweede borst aan) en op andere tijden goed slaapt, krijgt hij bij de voeding van 22.00/23.00 uur misschien niet genoeg binnen.

- Als een lage melkproductie bij de laatste voeding het probleem is, is het de moeite waard om te proberen of je baby nog een flesje met wat extra moedermelk wil die je eerder op de dag afgekolfd hebt. Of vervang de hele voeding door een fles afgekolfde melk. In dat laatste geval moet je genoeg tijd nemen om melk af te kolven; voeg de melk toe aan de melk die je 's ochtends afgekolfd hebt.

- Veel vrouwen maken zich zorgen dat de baby minder graag aan de borst wil als ze te vroeg een fles introduceren. Al 'mijn' baby's krijgen echter als onderdeel van het schema één fles per dag en ik heb nog nooit meegemaakt dat een kindje de borst weigerde of dat er zuigverwarring (vaak tepel-speenverwarring genoemd) optrad. Het bijkomende voordeel is dat de partner de laatste voeding kan geven en de moeder daardoor iets eerder naar bed kan.

- Als er na één week volledig voeden met de fles op dit tijdstip nog geen verbetering is opgetreden en je baby nog steeds meermaals per nacht wakker wordt, heeft hij waarschijnlijk eerder een slaap- dan een voedingsprobleem. Geef de fles afgekolfde melk nog een week en kijk op blz. 234-235 voor meer informatie over nachtelijk ontwaken.

- Baby's die minder dan 7 pond wegen en die de tweede borst al krijgen voordat ze aan de vette, voedzame achtermelk zijn toegekomen van de eerste borst, worden 's nachts meestal vaker wakker.

- Baby's die 7 pond of meer wegen en die maar aan één borst per voedingssessie drinken, krijgen waarschijnlijk te weinig melk binnen. Bied bij sommige of alle voedingen ook de tweede borst aan. Als je baby 20-25 minuten aan de eerste borst heeft gedronken, geef hem dan ook nog 5-10 minuten de andere borst. Weigert hij, wacht dan 15-20 minuten voordat je de tweede borst opnieuw aanbiedt.

Het merendeel van de baby's die mijn schema's volgen en die maar één keer per nacht drinken, gaan steeds langer doorslapen en laten de nachtvoeding vanzelf vallen zodra ze er fysiek aan toe zijn. Toch komt het wel voor dat een baby met zes weken nog steeds om 2.00 uur wakker wordt voor een voeding. Ik heb ervaren dat als je zo'n baby laat drinken om die tijd, hij bij zijn ochtendvoeding van 7.00 uur minder gaat drinken of deze voeding zelfs helemaal overslaat. Als dit het geval is, zou ik de doorslaapmethode proberen. Zo weet je namelijk zeker dat zodra je baby toe is aan minder voedingen per 24 uur, het de nachtelijke voeding is die hij het eerst laat vallen.

De doorslaapmethode

Deze methode is jarenlang toegepast door kraamverpleegsters en ouders die van regelmaat houden. Ze stoelt op het principe dat zodra de baby gedurende enkele nachten één lange periode achtereen gaat slapen (de 'kernslaap'), je hem nooit meer mag voeden tijdens de uren van die kernslaap. Als de baby in die uren toch wakker wordt, laat je hem eerst een paar minuten zelf proberen weer in slaap te komen. Lukt dat niet, dan gebruik je andere methoden dan voeden om hem weer soezerig te krijgen. Hollyer en Smith, die deze methode in hun boek *Slaap* hebben beschreven, raden aan zachte klopjes, een fopspeen of een slokje water te geven. Volgens hen zal je baby met deze benadering binnen enkele dagen ten minste het aantal uren doorslapen als hij in zijn kernnacht, dat wil zeggen de eerste nacht met kernslaap, heeft gedaan. De baby leert hier twee vaardigheden mee: hoe hij in slaap moet vallen en hoe hij weer in slaap valt nadat hij uit een niet-remslaap (rem: *rapid eye movement*) is ontwaakt.

Dr. Brian Symon, een Australische auteur van babyboeken over slapen, zelf huisarts en als docent verbonden geweest aan de huisartsenopleiding aan de universiteit van Adelaide, raadt een vergelijkbare methode aan voor baby's ouder dan zes weken: baby's die wekelijks goed aankomen maar nog steeds wakker worden om 3.00 uur kun je een fopspeen of wat afgekoeld gekookt water geven. Als de baby niet tot rust komt, geef hem dan een zo kort mogelijke voeding als nodig is om hem weer soezerig te krijgen.

Geen van deze benaderingen van nachtvoeding is nieuw in de zuigelingenzorg. Babyverzorgingsdeskundige Christine Bruell, die meer dan 35.000 moeders heeft geadviseerd in haar veertig jaar durende carrière, adviseert ook afgekoeld gekookt water voor een goed groeiende baby die ouder dan vier weken is en regelmatig om 2.00 uur wakker wordt.

Lees voordat je eventueel met een van deze methoden aan de slag gaat onderstaande punten goed door, zodat je zeker weet dat je baby toe is aan langer doorslapen 's nachts.

- Geen van de genoemde methoden is geschikt voor heel jonge baby's of baby's die niet genoeg aankomen. Ga met een baby die niet genoeg aankomt naar het consultatiebureau of de huisarts.

- De methoden zijn alleen geschikt voor baby's die elke week genoeg aankomen; ook moet je zeker weten dat de laatste voeding voedzaam genoeg is om de baby langer achtereen te kunnen laten doorslapen.

- Het belangrijkste teken dat je baby toe is aan het minderen met de nachtvoedingen is dat hij goed aan blijft komen terwijl hij tegelijk minder trek in de voedingen heeft, of om 7.00 uur 's ochtends weinig drinkt.

- Het doel van al deze methoden is dat je baby geleidelijk langer doorslaapt na zijn late avondvoeding en niet dat je de nachtvoeding in één keer stopzet.

- Je kunt de doorslaapmethode toepassen zodra je baby drie tot vier nachten tekenen heeft vertoond dat hij in staat is een langere periode aaneen te slapen.

- Met deze methode kun je ook het aantal nachtvoedingen bij een baby die op verzoek gevoed wordt, proberen te verminderen. Tegelijk moedig je een langere slaapperiode tussen de voedingen aan, of een langere slaap na de laatste voeding.

Slaperige drinker

Soms valt een slaperige drinker tijdens het drinken telkens in slaap, maar als hij de vereiste hoeveelheid melk niet binnenkrijgt, zal hij 2 uur later alweer willen drinken. Dit is een goed moment om hem een schone luier te geven, hem een boertje te laten doen en hem aan te moedigen nog wat te drinken. Probeer je baby de eerste dagen vooral bij elke voeding de benodigde hoeveelheid te laten drinken, en wel op het in het schema aangegeven tijdstip, want daar heb je op de lange duur alleen maar profijt van. Sommige baby's drinken maar de helft, rekken zich eens uit, trappelen 10-15 minuten met hun beentjes en drinken dan de rest op. Ik heb gemerkt dat je slaperige drinkers beter niet geforceerd wakker kunt houden door veel tegen hen te praten of hen te wiegen: leg je baby liever even op het speelkleed of laat de mobile boven zijn bedje bewegen en laat hem 10 minuten ontspannen. Daarna heeft hij waarschijnlijk wel zin in de rest van zijn voeding.

De eerste maanden mag je voor een voeding in totaal wel 45-60 minuten uittrekken. Uiteraard geldt dat als hij niet goed gedronken heeft bij een bepaalde voeding en hij vroeg wakker wordt, je hem moet voeden. Probeer dit niet uit te stellen tot de volgende voeding, want tegen die tijd zal hij zo moe zijn dat de volgende sessie ook een slaperige toestand wordt. Voed hem dus alvast en beschouw deze voeding als een nachtvoeding. Laat hem daarna weer slapen, zodat je de voedingen erna volgens schema kunt geven.

Te lage melkproductie

Naarmate ze groeien, zullen baby's een grotere hoeveelheid melk nodig hebben. De voedingen structureren opdat je baby meer melk per keer gaat drinken, gelijk opgaand met zijn groei, werkt naar mijn mening het beste. Anders zal hij waarschijnlijk vaker kleine beetjes gaan drinken.

Ik krijg regelmatig telefoontjes van ouders met een oudere baby die nog steeds op verzoek gevoed wordt. Terwijl de meesten van deze baby's ouder dan twaalf weken zijn en fysiek in staat zijn om meer melk per sessie te drinken, drinken ze nog steeds als pasgeborenen: vaak wel 8-10 keer per dag.

Veel borstbaby's drinken bij elke voeding nog steeds één borst per keer, terwijl flessenbaby's soms maar 90-120 ml flesvoeding krijgen. Om langere pauzes tussen de voedingen te krijgen zouden deze baby's uit beide borsten moeten drinken of 210-240 ml flesvoeding moeten krijgen. Ik ben er stellig van overtuigd dat in die eerste dagen van melkvoeding de basis wordt gelegd voor gezonde eetgewoonten later. Om voedingsproblemen te voorkomen die het slaappatroon van je baby beïnvloeden, adviseer ik om vroeg structuur aan te brengen en de problemen zo vroeg mogelijk aan te pakken.

Een te lage melkproductie, vooral later op de dag, is een veelvoorkomend probleem bij moeders die borstvoeding geven. Het is een van de hoofdredenen waarom het vaak misloopt met de borstvoeding. Persoonlijk denk ik dat honger een van de belangrijkste redenen is dat veel baby's 's avonds zo prikkelbaar zijn en slecht tot rust komen. Als je een te lage melkproductie niet al in de eerste dagen goed aanpakt, ontstaat er snel een patroon waarbij de baby de hele avond door steeds kleine beetjes drinkt om zijn honger te stillen. Moeders krijgen vaak te horen dat dit constante voeden normaal is en de beste manier om de melkproductie te verhogen, maar ik heb ervaren dat dit vaak het tegengestelde effect heeft. Omdat de hoeveelheid melk in de borsten afhangt van hoeveel de baby drinkt, geven deze kleine voedingen de borsten het signaal dat ze minder maar vaker melk moeten produceren. Die kleine beetjes stillen de honger van de baby maar eventjes, waardoor hij snel weer hongerig en humeurig is.

Ik denk dat de stress die dat vele voeden en het omgaan met een humeurige, hongerige, vaak oververmoeide baby met zich meebrengt, veel moeders doodmoe maakt, waardoor hun melkproductie nog verder terugzakt. Uitputting en een te lage melkproductie gaan hand in hand, en het zijn daarmee de hoofdoorzaken waarom zoveel moeders de borstvoeding opgeven. Mijn advies luidt: kolf in de eerste weken van de borstvoeding, als de borsten meer melk produceren dan de baby nodig heeft, een kleine hoeveelheid melk af. Dit kan de moeder helpen een te lage melkproductie later tegen te gaan.

Een baby jonger dan vier weken die 's avonds onrustig is, is waarschijnlijk hongerig door een te lage melkproductie. Kolven op de in het volgende schema aangegeven tijden kan dit probleem verhelpen. De korte tijd dat je aan het kolven bent, zal ervoor zorgen dat je gedurende groeispurts van je baby, in de nabije toekomst, genoeg melk produceert om zijn toegenomen eetlust direct te kunnen bevredigen.

Als je baby ouder dan vier weken is en 's avonds of na de voedingen overdag onrustig is, kan het volgende zesdaagse stappenplan ook helpen. De tijdelijke introductie van extra voedingen voorkomt dat je baby later uren boos of huilerig is omdat hij gewoon honger heeft, wat regelmatig gebeurt wanneer moeders hun toevlucht tot 'voeden op verzoek' nemen om hun melkproductie te verhogen.

Programma om de melkproductie te verhogen

Dag één tot drie

6.45 uur

- Kolf uit elke borst 30 ml melk af.
- Zorg ervoor dat je baby niet later dan 7.00 uur wakker is en gevoed wordt, ongeacht hoe vaak je hem die nacht hebt gevoed.
- Laat hem 20-25 minuten aan de volste borst drinken en daarna nog 10-15 minuten aan de tweede borst.
- Zorg ervoor dat je om uiterlijk 7.45 uur klaar bent met de voeding. Hij mag nu maximaal 2 uur wakker blijven.

8.00 uur

- Goed ontbijten is heel belangrijk. Neem ontbijtgranen, een geroosterde boterham en iets te drinken, maar niet later dan om 8.00 uur.

9.00 uur

- Als je kindje tegen deze tijd nog niet in slaap is gevallen, mag je hem 5-10 minuten laten drinken aan de borst waaraan hij het laatst heeft gedronken.
- Probeer terwijl de baby slaapt zelf ook even wat te rusten.

10.00 uur

- Maak de baby wakker, ongeacht hoelang hij heeft geslapen.
- Laat hem 20-25 minuten aan de borst drinken waaraan hij het laatst heeft gedronken; ondertussen drink jij een glas water en eet even iets.
- Kolf 60 ml melk af uit de andere borst en laat je baby dan nog 10-20 minuten aan diezelfde borst drinken.

11.45 uur

- Geef de baby nu de 60 ml melk die je hebt afgekolfd om er zeker van te zijn dat hij tijdens zijn tussen-de-middagdutje niet van de honger wakker wordt.
- Het is belangrijk dat je goed luncht en voldoende rust neemt voor de volgende voeding.

14.00 uur

- Maak de baby wakker en voed hem, niet later dan om 14.00 uur en ongeacht hoelang hij heeft geslapen.
- Laat hem 20-25 minuten drinken aan de borst waaraan hij het laatst heeft gedronken en drink ondertussen zelf een glas water. Kolf 60 ml af uit de tweede borst en laat je baby dan nog 10-20 minuten aan diezelfde borst drinken.

16.00 uur

- Laat je baby eventjes slapen, in overeenstemming met het schema dat bij zijn leeftijd hoort.

17.00 uur

- Maak de baby niet later dan 17.00 uur wakker en voed hem.
- Laat hem 10-20 minuten aan beide borsten drinken.

18.15 uur

- Geef de baby een extra voeding van afgekolfde melk uit de fles. Een baby lichter dan 7 pond zal waarschijnlijk aan 60-90 ml genoeg hebben; grotere baby's hebben wellicht 120-150 ml nodig.
- Zodra je baby slaapt, moet je goed eten en rust nemen.

20.00 uur

- Kolf beide borsten af.

22.00 uur

- Het is belangrijk dat je op dit tijdstip beide borsten afkolft, aangezien de hoeveelheid melk die je hiermee verkrijgt, een goede indicatie is voor de hoeveelheid melk die je produceert.
- Regel het zo dat je partner de late voeding geeft, zodat jij vroeg naar bed kunt gaan.

22.30 uur

- Zorg ervoor dat je baby niet later dan 22.30 uur wakker is en gevoed wordt. Je kunt hem flesvoeding geven of afgekolfde melk uit de fles.

's Nachts

Een baby die om 22.30 uur een volle fles heeft gedronken, zou het tot 2.00/2.30 uur moeten kunnen uitzingen. Laat hem dan 20-25 minuten drinken aan de eerste borst en nog 10-15 minuten aan de tweede. Om te voorkomen dat hij om 5.00 uur nog een keer wakker wordt voor een voeding, is het heel belangrijk dat hij aan beide borsten drinkt.

Als je kindje om 22.30 uur goed gedronken heeft en toch voor 2.00 uur 's nachts wakker wordt, komt dit waarschijnlijk niet door de honger. In de volgende checklist staat een aantal redenen waardoor je baby vroeg wakker kan worden:

- Mogelijk heeft hij de dekentjes van zich af getrapt. Een baby jonger dan zes weken die woelend wakker wordt, kun je beter nog helemaal inbakeren. Een baby ouder dan zes weken kun je onder de armpjes met een dun katoenen lakentje half inbakeren of in een babyslaapzak laten slapen. Het is bij alle baby's van groot belang dat je het bovenlaken goed instopt, zowel aan de zijkanten als aan het voeteneind van het ledikant.
- Je baby moet bij de voeding van 22.00 uur goed wakker zijn. Bij een baby die vóór 2.00 uur wakker wordt, kun je proberen of je hem bij die late voeding iets langer wakker kunt houden. Geef hem vlak voordat je hem rond 22.30 uur weer in zijn bedje legt, nog een beetje te drinken.

Dag vier

Tegen de vierde dag zouden je borsten 's ochtends voller moeten aanvoelen. Het programma kan aldus worden aangepast:

- Wanneer je kindje tussen 9.00 en 9.45 uur goed slaapt, kun je de drinktijd aan de borst om 9.00 uur tot 5 minuten beperken.
- Wanneer hij tussen de middag goed slaapt of bij de voeding van 14.00 uur niet goed lijkt te drinken, kun je de extra voeding van 11.45 uur beperken tot 30 ml.
- Je mag ophouden met om 14.00 uur te kolven; dit betekent dat je borsten bij de voeding van 17.00 uur voller zullen zijn.
- Merk je dat je borsten om 17.00 uur voller zijn, zorg er dan voor dat de baby de eerste borst helemaal goed heeft leeggedronken voordat je hem aan de tweede borst legt. Als hij de tweede borst niet heeft leeggedronken voor hij in bad gaat, bied je die borst na zijn badje en vóór hij een extra voeding krijgt weer aan.
- Je mag ophouden met om 20.00 uur te kolven; het kolven van 22.00 uur vervroeg je naar 21.30 uur. Het is belangrijk dat je beide borsten om 21.30 uur helemaal leeg kolft.

Dag vijf

- Doordat je op de vierde dag het kolven van 14.00 uur en 20.00 uur hebt laten vallen, zijn je borsten op de vijfde dag 's ochtends waarschijnlijk heel vol. Het is belangrijk dat de extra melk bij de eerste ochtendvoeding helemaal opgedronken wordt.
- Bij de voeding van 7.00 uur laat je je baby 20-25 minuten aan de volste borst drinken en vervolgens nog 10-15 minuten aan de tweede borst, nadat je hebt gekolfd. Hoeveel je moet afkolven, hangt af van het gewicht van je baby: het is van belang dat je precies genoeg afkolft opdat er nog een volledige voeding voor je baby over is. Als je er bij de voeding van 22.00 uur in bent geslaagd een minimum van 120 ml af te kolven, zou je de volgende hoeveelheden moeten kunnen afkolven:
  - voor een baby van 7-9 pond: 120 ml;
  - voor een baby van 9-11 pond: 90 ml;
  - voor een baby van meer dan 11 pond: 60 ml.

Dag zes

Tegen de zesde dag zou je melktoevoer zodanig moeten zijn dat je alle extra voedingen kunt schrappen en het schema kunt gaan volgen dat voor een baby van die leeftijd geldt. Het is heel belangrijk dat je ook de richtlijnen voor het afkolven volgt zoals die in de schema's zijn aangegeven. Zo zorg je ervoor dat je de grotere honger van je kindje tijdens zijn volgende groeispurt kunt stillen. Ik raad je ook aan bij de voeding van 22.00 uur één fles met afgekolfde melk of flesvoeding te geven, totdat je baby met zes maanden op vast voedsel overgaat (zie blz. 151-158). Deze voeding kan door je partner worden gegeven, zodat je zelf vroeg naar bed kunt, waardoor het voor jou weer gemakkelijker is om midden in de nacht op te staan.

Melk weigeren

De hoeveelheid melk die een zes maanden oude baby drinkt, zal geleidelijk afnemen naarmate hij meer vast voedsel gaat eten. Tot de baby een maand of negen is, heeft hij echter minstens 500-600 ml borst- of flesvoeding per dag nodig. Deze dagelijkse inname wordt langzaamaan minimaal 350 ml tegen de tijd dat hij één jaar is. Als je baby zijn interesse voor de melkvoeding verliest of sommige van de voedingen helemaal weigert en minder binnenkrijgt dan de aanbevolen hoeveelheid, houd dan goed in de gaten wanneer je hem zijn hapjes geeft en let op het soort voedsel dat je hem geeft.

Met de volgende richtlijnen kun je uitzoeken wat de oorzaak van het melk weigeren is.

- Tot hij zes maanden is, heeft je baby elke ochtend en avond een volledige melkvoeding nodig: 210-240 ml flesvoeding of drinken aan beide borsten. Geef een baby die jonger dan zes maanden is en die op doktersvoorschrift al met vast voedsel is begonnen, geen hapjes halverwege de melkvoeding. De kans bestaat dan dat hij de resterende melk of de tweede borst niet meer hoeft. Geef dus eerst de volledige melkvoeding en dan pas het hapje.
- Een baby jonger dan zes maanden heeft om 11.00 uur nog steeds een volledige melkvoeding nodig, zelfs als hij op doktersvoorschrift al met vast voedsel is begonnen. Als je te snel een ontbijt introduceert of hem

's ochtends vroeg meteen al veel hapjes geeft, kan het zijn dat hij om 11.00 uur niet of nauwelijks geïnteresseerd is in de melk.

- De voeding van 11.00 uur kun je tussen zes en zeven maanden geleidelijk verminderen.
- Een hapje rond 14.00 uur en omstreeks 17.00 uur is de voornaamste reden dat veel baby's jonger dan zeven maanden te snel hun melkvoeding van 18.00 uur over gaan slaan of dan minder gaan drinken. Tot hij gewend is aan vast voedsel, kun je je baby zijn lunchhapje beter om 11.00 uur geven, en zijn avondhapje nadat hij om 18.00 uur een volledige melkvoeding heeft gehad.
- Moeilijk te verteren hapjes, zoals banaan of avocado, op het verkeerde moment van de dag, kunnen er ook voor zorgen dat je baby bij de volgende melkvoeding minder wil drinken. Tot hij zeven maanden is, kun je dergelijke voedingsmiddelen beter pas na 18.00 uur geven dan overdag.
- Baby's die ouder zijn dan zes maanden en melk beginnen te weigeren, krijgen vaak te veel tussendoortjes of drinken te veel sap. Vervang in dat geval het sap door water en laat de tussendoortjes achterwege.
- Tussen negen en twaalf maanden beginnen sommige baby's hun melkvoeding voor het slapengaan te weigeren. Dat is een teken dat ze er klaar voor zijn om hun derde melkvoeding over te slaan. Verminder dan geleidelijk de hoeveelheid melkvoeding om 14.30 uur voordat je deze voeding uiteindelijk geheel laat vallen.

Vast voedsel weigeren

Baby's die zes maanden of ouder zijn en geen vast voedsel willen, drinken vaak nog te veel melk. Dit komt vooral voor bij baby's die midden in de nacht nog melkvoeding krijgen. Elke dag spreek ik ouders van baby's en peuters die nauwelijks te porren zijn voor vast voedsel, laat staan drie hoofdmaaltijden per dag willen eten. In de meeste gevallen worden de baby's nog op verzoek gevoed, en soms nog wel 2-3 keer per nacht. Moedermelk of flesvoeding is de belangrijkste voedingsbron voor baby's tot zes maanden, maar als je de melkvoedingen qua tijdstip en hoeveelheid niet structureert, kan dit gevolgen hebben voor het moment dat je vast voedsel gaat introduceren. Als je baby geen hapje wil, kijk dan eens naar de volgende punten om te zien wat er aan de hand kan zijn.

- De aanbevolen leeftijd om vast voedsel te introduceren is zes maanden. Als je baby jonger is, goed aankomt en 's nachts doorslaapt na zijn voeding van 22.00 uur, hoef je niet eerder met hapjes te beginnen.
- Een baby is aan vast voedsel toe als zijn eetlust niet langer bevredigd wordt met 5-6 volledige melkvoedingen per dag. Een volledige voeding is een flesvoeding van 240 ml of een drinksessie aan beide borsten.
- Is je baby zes maanden en krijgt hij meer dan vijf melkvoedingen per dag, dan is zijn weigering om vast voedsel te eten vrijwel zeker te wijten aan een te grote hoeveelheid melk. Verminder dan de melkvoeding van 11.00 uur om hem te stimuleren rond die tijd meer vast voedsel te eten. Als je baby ouder dan zes maanden is, moet zijn melkinname rond de 600 ml per dag liggen, verdeeld over 3-4 voedingen per dag en een kleine hoeveelheid voor de maaltijden. Weigert je baby op deze leeftijd nog steeds alle hapjes, ondanks het feit dat je zijn melkinname beperkt hebt, bespreek de kwestie dan zo snel mogelijk op het consultatiebureau of met de huisarts.

Lastige eter

Als je de melkvoedingen in de eerste dagen dat je met vast voedsel begint volgens het schema geeft, zal je baby waarschijnlijk graag deze eerste hapjes eten. Met negen maanden zouden baby's de meeste voedingsstoffen uit drie vaste maaltijden per dag moeten halen. Ouders wordt geadviseerd hun baby dan een gevarieerd menu aan te bieden, zodat hun baby alle voedingsstoffen binnenkrijgt die hij nodig heeft. Maar juist in deze periode beginnen veel baby's het voedsel te weigeren dat ze eerst nog graag aten.

Als je baby tussen de negen en twaalf maanden is en plotseling voedsel begint te weigeren, of onrustig en lastig wordt tijdens de maaltijden, kijk dan eens naar de volgende mogelijke oorzaken.

- Ouders hebben dikwijls onrealistische verwachtingen van de hoeveelheden voedsel die hun baby eet. Ze scheppen te grote porties op en denken al snel dat hun baby een eetprobleem heeft. In de volgende lijst zie je hoeveel een baby tussen de negen en twaalf maanden dagelijks nodig heeft.
  - 3-4 porties koolhydraten in de vorm van granenpap, volkorenbrood,

pasta of aardappels; 1 portie = 1 plakje brood, 30 g granenproduct, 2 eetlepels pasta of 1 kleine gepofte aardappel.
- 3-4 porties groente en fruit, waaronder rauwkost; 1 portie = 1 kleine appel, peer of banaan, 1 wortel, enkele roosjes bloemkool of broccoli of 2 eetlepels fijngesneden sperziebonen.
- 1 portie dierlijk eiwit of 2 porties plantaardig eiwit; dat wil zeggen 60 g vlees, vis of kip, of 120 g linzen of andere peulvruchten.

- Zelf mogen eten speelt een belangrijke rol in de psychische en lichamelijke ontwikkeling van een baby, omdat dit zijn oog-handcoördinatie en een toenemend gevoel van onafhankelijkheid stimuleert. De meeste baby's beginnen tussen de zes en negen maanden zelf voedsel te pakken en naar hun mond te brengen. Het wordt dan wel een rommeltje en de maaltijden gaan een stuk langer duren, maar laat hem toch zijn gang gaan. Als je zijn natuurlijke drang om voedsel te verkennen gaat beperken, kan dat leiden tot frustratie en vaak ook tot een weigering om zich met een lepel te laten 'voeren'. Geef liever volop vingerhapjes zodat hij een deel van de maaltijd zelf kan oefenen met eten, ook al moet je daarna van alles opruimen. De kans is dan groter dat hij daarnaast de hapjes van de lepel blijft accepteren.
- Baby's krijgen met negen maanden meer interesse in de kleur, vorm en textuur van voedsel. Als je de afzonderlijke voedingsmiddelen dan nog steeds tot een onherkenbare brij prakt, kan hij zijn belangstelling voor de hapjes gaan verliezen, zelfs als het om zijn favoriete eten gaat. Dit is een van de hoofdredenen waarom baby's ineens geen groente meer willen.
- Bied je baby bij elke maaltijd groenten met verschillende kleuren en texturen aan, in kleine porties. Dit ziet er voor hem aantrekkelijker uit dan een grote hoeveelheid van één soort groente.
- Geef je vrij vaak vla of ijs na het eten, dan kan het zijn dat je baby of peuter zijn hoofdmaaltijd laat staan. Zelfs baby's van nog maar een maand of negen hebben al snel door dat als ze weinig nemen van het hartige eten en maar genoeg herrie schoppen, de kans op zo'n lekker toetje groter wordt. Beperk daarom dit soort toetjes tot speciale gelegenheden en geef op andere dagen vers fruit, yoghurt of kaas als afsluiter.
- Weigert je baby een bepaald voedingsmiddel? Bied het dan enkele weken later opnieuw aan. Wat een baby lekker vindt of niet, verandert

nogal in de loop van het eerste jaar. Ouders die voedsel dat eens geweigerd is niet opnieuw aanbieden, zullen merken dat het menu van hun baby uiteindelijk erg eenzijdig wordt.

- Geef je baby niet te veel sap of water vlak voor de maaltijd, want dat stilt zijn trek. Geef hem liever halverwege de tijd tussen de maaltijden door iets te drinken. Probeer hem bij de maaltijden te stimuleren om eerst de helft van zijn hapje te eten voor hij water of goed aangelengd sap drinkt.
- De timing van de maaltijden heeft eveneens invloed op hoeveel een baby eet. Wanneer je baby na 8.00 uur ontbijt, kan het zijn dat hij pas tegen 13.00 uur echt zin heeft in zijn lunch. En als hij na 17.00 uur pas aan zijn avondmaal begint, is hij misschien te moe om goed te kunnen eten.
- Geef niet te veel tussendoortjes. Pas vooral op met moeilijk verteerbare dingen, zoals banaan en kaas: die nemen de grootste trek weg. Geef een paar dagen lang minder tussendoortjes om te zien of hij dan beter gaat eten bij de maaltijden.

Als je bang bent dat je baby niet genoeg eet, kun je je zorgen het beste eens bespreken op het consultatiebureau of met de huisarts. Houd een week lang een voedseldagboek bij en zet daarin alles wat hij eet en drinkt (inclusief tijden en hoeveelheden). Zo breng je een eventueel probleem snel in kaart.

ALGEMENE PROBLEMEN MET SLAPEN

Niet willen slapen

Als je baby onrustig is terwijl hij moet gaan slapen, is het van belang dat je speciale aandacht schenkt aan het moment waarop je begint hem tot rust te laten komen en aan de tijd die je daarvoor uittrekt. De meeste baby's die onrustig zijn als ze moeten slapen, zijn oververmoeid of overprikkeld. Niettemin moet je eerst honger als mogelijke oorzaak uit kunnen sluiten. Probeer daarom eerst enkele dagen lang of het helpt als je je baby voor elk dutje nog wat extra voeding geeft. Komt hij tot rust en gaat hij lekker slapen, dan mag je ervan uitgaan dat honger de oorzaak was. Ga dan verder met die extra voeding, maar probeer tegelijk de voedingen in het schema te vergroten, zodat je de extra voedingen weer af kunt gaan bouwen. Als je extra voeding geeft, doe je dit echt vlak voor het dutje, maar voorkom wel dat hij tijdens het voeden in slaap valt. Bij een borstbaby geef je de borst waaraan hij het laatst gedronken heeft. Vecht je baby nog steeds tegen de slaap ook al geef je extra voeding, dan raad ik je aan de baby te leren hoe hij zelf in kan slapen. Hoewel het vreselijk moeilijk kan zijn om hem te horen huilen, zal hij snel genoeg leren zelf in slaap te vallen. Zie blz. 167-168 voor details; het is niet de bedoeling dat je je baby lang door laat huilen.

Zodra een baby heeft geleerd zelf in slaap te vallen, wordt hij relaxter. Dat heb ik gemerkt bij de honderden baby's voor wie ik heb gezorgd. Gaat het eenmaal goed bij de dutjes overdag, dan volgt de nacht vaak vanzelf. Met de volgende tips kun je je baby helpen rustig in slaap te vallen.

- Een baby die aan de borst of fles in slaap mag vallen en dan in zijn bedje wordt gelegd, loopt meer kans op een verstoorde slaap. Zodra hij na 30-45 minuten lichter gaat slapen, is het voor hem moeilijker om weer in slaap te vallen zonder jouw hulp. Als je baby in slaap valt terwijl hij gevoed wordt, leg hem dan even op het aankleedkussen en verschoon zijn luier. Dit zal hem genoeg wekken om daarna halfwakker in zijn bedje te kunnen worden gelegd.
- Oververmoeidheid is een belangrijke oorzaak van onrust en slecht slapen overdag. Een baby jonger dan drie maanden die langer dan 2 uur achtereen wakker mag blijven, kan zo oververmoeid raken dat hij nog eens 2 uur lang tegen de slaap gaat vechten. Op een leeftijd van drie maanden zullen de meeste baby's langzamerhand wat langer wakker kunnen blijven, tot 2,5 uur aaneen. Houd je baby echter goed in de gaten nadat hij 1 uur en 45 minuten wakker is geweest, zodat je geen signalen mist die erop wijzen dat hij slaperig is.
- Te veel van hand tot hand gaan vlak voor het slapengaan veroorzaakt ook onrust bij jonge baby's. Iedereen wil hem vaak nog even een korte knuffel geven. Maar al die knuffels samen worden al snel te veel en kunnen je baby prikkelbaar en oververmoeid maken. Je baby is geen pop. Voel je dus niet schuldig als je dit soort contact aan banden legt in de eerste weken, vooral als je baby zo dadelijk moet slapen. Zorg voor rust vanaf zeker 20 minuten voor het tijd is voor zijn dutje.
- Overprikkeling vlak voor het slapengaan is een vergelijkbaar probleem. Gun een baby jonger dan zes maanden 20 minuten rusttijd voor hij gaat

slapen. Vermijd bij oudere baby's wilde spelletjes en andere spannende activiteiten gedurende die 20 minuten. Bij baby's van alle leeftijden is het verder verstandig dat je niet uitgebreid gaat kletsen bij het naar bed brengen. Praat zachtjes en rustig en gebruik simpele zinnetjes als: 'Slaap lekker, Beer. Slaap lekker, Popje.'

Verkeerde slaapassociaties kunnen op de langere termijn slaapproblemen veroorzaken. Het is essentieel dat je baby wakker in zijn bedje gelegd wordt en zelf in slaap valt. Bij een baby met de verkeerde associaties is dit probleem zelden op te lossen zonder enig huilen. Gelukkig leert het merendeel van de baby's, als ze de kans krijgen, binnen enkele dagen zelf in slaap te vallen. Zie hoofdstuk 14 voor adviezen bij slaapproblemen.

's Ochtends vroeg wakker worden

Alle baby's en kinderen gaan tussen 5.00 en 6.00 uur 's ochtends lichter slapen. Sommigen slapen dan toch nog een uurtje door, maar veel anderen worden echt wakker. Volgens mij zijn er twee factoren die bepalen of een baby zo'n extreem vroege vogel wordt. De eerste is hoe donker het kamertje van de baby is. Ik ben me ervan bewust dat ik nogal obsessief omga met hoe donker een kamer zou moeten zijn, maar dat komt omdat ik volkomen overtuigd ben van het effect. De meeste baby's voor wie ik zorgde, vielen toch weer in een diepere slaap als ze 's ochtends tussen 5.00 en 6.00 uur een lichtere slaapfase doormaakten. Allemaal lagen ze in een heel donkere kamer. Zodra de deur en gordijnen dicht zijn, moet het zo donker zijn dat je geen contouren van speelgoed of boeken meer kunt onderscheiden. Omdat de baby het eerste halfjaar bij zijn ouders op de kamer slaapt, is het de moeite waard te investeren in verduisterende (rol)gordijnen of lichtwerende stof voor bestaande gordijnen. Het geringste silhouet van een speelgoedje of boekenplank kan al genoeg zijn om de baby uit zijn halfwakende toestand te halen, klaar om met de dag te beginnen.

Hoe de ouders de eerste drie maanden omgaan met het vroege ontwaken is de andere bepalende factor voor het al dan niet 's ochtends doorslapen. De eerste paar weken kan een baby die tussen 2.00 en 2.30 uur ontwaakt en gevoed wordt, om 6.00 uur weer wakker worden en dan echt honger hebben. Het is echter van groot belang dat je deze voeding als nachtvoeding beschouwt. Voed hem daarom zo kort en stilletjes mogelijk, bij hooguit het vage schijnsel van een klein stekkernachtlampje, en vermijd oogcontact of praten. De baby moet daarna tot 7.00/7.30 uur kunnen doorslapen. Wacht indien mogelijk met het geven van een schone luier, want dat maakt je baby te veel wakker. Zodra de baby meer richting 4.00 uur een voeding wil, is het ontwaken rond 6.00 uur meestal niet meer te wijten aan honger. Dit is het enige tijdstip waarvan ik zeg: nu kunnen ouders hun kindje beter wél helpen weer in slaap te komen. In deze slaapfase is het het belangrijkst dat hij snel weer inslaapt, zelfs als dat betekent dat je hem knuffelt en met een fopspeen tot 7.00 uur zoet houdt.

Onderstaande richtlijnen helpen te voorkomen dat je baby een extreem vroege vogel wordt.

- Gebruik geen nachtlampje en houd de deur dicht. Onderzoek heeft aangetoond dat de chemische stoffen in de hersenen anders werken als het donker is, ter voorbereiding op de slaap. Zelfs van het kleinste beetje licht kan de baby al klaarwakker worden zodra hij in een lichte slaapfase raakt.
- Losgewoeld beddengoed kan bij baby's jonger dan zes maanden ook veroorzaken dat ze vroeg wakker worden. Mede daarom is het belangrijk dat ze stevig worden ingestopt. Leg het lakentje en eventuele dekentje in de lengte over de breedte van het ledikant, zodat je genoeg lengte hebt om ze minimaal 20 cm in te stoppen aan de verste kant en minimaal 10 cm aan de kant vlak bij je. Het is handig om op deze laatste plek ook een kleine, opgerolde handdoek tussen de spijlen en de matras te stoppen om te voorkomen dat het beddengoed losraakt.
- Voor baby's die zich in het ledikant omhoog weten te werken, is een dunne babyslaapzak van 100% katoen een uitkomst. Stop het lakentje net zo in als hierboven beschreven. Het hangt van het weer af of er ook nog een dekentje nodig is. Stem het aantal lagen kleding en beddengoed zorgvuldig af op de temperatuur in de kamer.
- Zodra je baby rond gaat kruipen in het ledikant en zich om kan rollen, is het verstandig om het lakentje en dekentje helemaal achterwege te laten en alleen een babyslaapzak te gebruiken. Zo kan je baby zich veilig en vrij bewegen zonder dat hij een koutje oploopt. Kies dan wel een slaapzakje dat past bij het betreffende seizoen.

- Sla de voeding van 22.00 uur pas over als je baby minstens zes maanden is en zijn vaste hapjes goed eet (zie blz. 143-144). Wanneer hij voordat hij vast voedsel krijgt een groeispurt doormaakt, kun je hem bij deze voeding extra melk geven. Zo wordt de kans kleiner dat hij van de honger vroeg wakker wordt – een risico dat je zeker loopt als je te snel met de voeding van 22.00 uur stopt.
- Een baby die ouder is dan zes maanden en zijn voeding van 22.00 uur overslaat, kun je het beste stimuleren wakker te blijven tot 19.00 uur. Als hij voor die tijd al in een diepe slaap valt, is de kans veel groter dat hij voor 7.00 uur 's ochtends wakker wordt.

Is je baby ouder dan vier weken, wordt hij tweemaal per nacht wakker of wil hij na 6.00 uur 's ochtends niet meer slapen, is hij om 8.00/8.30 uur toe aan zijn ochtenddutje (of valt hij in slaap onderweg naar de crèche of peuterspeelzaal, zie blz. 78) en slaapt hij dan probleemloos door tot tegen 10.00 uur, dan kun je proberen of je zijn ochtenddutje kunt verkorten. Het is mogelijk dat de extra slaap die hij 's ochtends krijgt, de oorzaak is van het nachtelijk ontwaken of het wakker worden in de vroege uurtjes. Het gemakkelijkste kun je dit doen door een gesplitst ochtenddutje te introduceren. Laat je baby een kort dutje doen rond 8.00/8.30 uur en nog een om 9.30/9.45 uur. Hoelang je hem precies laat slapen, hangt af van zijn leeftijd. Is hij tussen de vier en acht weken oud, laat hem dan maximaal 45 minuten slapen, verdeeld over de twee dutjes. Reken voor een baby tussen de acht en twaalf weken 40 minuten, en voor baby's ouder dan twaalf weken 30 minuten. Zorg ervoor dat hij in elk geval tegen tienen weer wakker is, zodat je de rest van de dag op schema blijft.

Zodra de ochtenddutjes korter worden, zou het probleem van het vroege ontwaken moeten verbeteren. Wanneer dat het geval is, zul je merken dat je baby wakker begint te blijven rond 9.00 uur en kun je overgaan op één ochtenddutje. Ik maak soms mee dat baby's van vier maanden en ouder een langer ochtenddutje mogen doen omdat ze zo vroeg wakker zijn geworden en niet weer in slaap zijn gevallen, ook niet na een voeding. Helaas creëer je hiermee snel een vicieuze cirkel, waarbij een baby 's nachts nog minder slaap nodig heeft omdat hij overdag meer slaap kreeg dan nodig voor zijn leeftijd. Ik adviseer om een baby van deze leeftijd maximaal 30 minuten te laten slapen als je wilt dat hij tot 7.00 uur gaat doorslapen.

Wanneer je baby niet meer in slaap valt na het ontwaken tussen 5.00/6.00 uur 's ochtends, is het splitsen van zijn ochtenddutje een goede manier om ervoor te zorgen dat hij overdag minder slaap krijgt, maar niet oververmoeid is tegen de tijd dat hij zijn tussen-de-middagdutje moet doen. Begin met 15 minuten slaap om 8.30 uur en een even lang dutje tegen 9.40. Zorg ervoor dat je baby om 10.00 uur goed wakker is zodat dit slaapje geen gevolgen heeft voor zijn volgende dutje.

De eerste ochtend dat je baby dichter tegen 7.00 uur doorslaapt, is het van belang dat je het dutje richting de tijden in het schema verplaatst. Dit zorgt voor een voorwaartse ontwikkeling. Voor je het weet is het vroege ontwaken verleden tijd.

's Nachts veel wakker worden

Tot de melkstroom bij de moeder goed op gang is gekomen, zal een pasgeborene regelmatig 's nachts wakker worden voor een voeding. Tegen het eind van de kraamweek kunnen baby's die minstens 6,5 pond wegen meestal perioden van 4 uur achtereen doorslapen na de voeding van 22.00/23.00 uur, mits ze overdag genoeg binnenkrijgen. Kleinere baby's hebben vaak nog elke 3 uur een voeding nodig. Gezonde baby's die goed drinken, gaan met 4-6 weken dikwijls één periode nog langer aaneen slapen, 5-6 uur, zo is mijn ervaring. Met mijn schema's zou die periode in de nacht moeten vallen. Het hoofddoel van mijn schema's is om ouders te helpen het voedings- en slaappatroon van hun baby zo te structureren dat het nachtelijk ontwaken zoveel mogelijk wordt beperkt.

Hoelang een baby 's nachts nog een voeding nodig heeft, verschilt per kindje. Sommige baby's slapen met 6-8 weken al door na de voeding van 22.00 uur, andere beginnen daar pas mee met 10-12 weken. Weer anderen doen er nog langer over. Alle baby's gaan uiteindelijk 's nachts doorslapen zodra ze er geestelijk en lichamelijk klaar voor zijn, mits de dutjes en voedingen overdag goed gestructureerd zijn. In het volgende overzicht geef ik de meest voorkomende oorzaken aan van veelvuldig nachtelijk ontwaken bij gezonde baby's jonger dan één jaar.

- Overdag te veel slapen. Zelfs heel kleine baby's moeten een deel van de tijd wakker zijn. Moedig je baby aan 1-1,5 uur wakker te blijven na de voedingen overdag. Met 6-8 weken zijn de meeste baby's in staat maximaal 2 uur wakker te blijven.

- Niet vaak genoeg drinken overdag. Om buitensporig veel nachtelijke voedingssessies te voorkomen, moet de baby tussen 7.00 en 23.00 uur zes melkvoedingen krijgen. Om dit in te kunnen passen moet de dag om 7.00 uur beginnen.
- Niet genoeg voeding binnenkrijgen. In de eerste dagen moet een baby zeker 25 minuten aan één borst liggen. Een baby van 7 pond heeft ook de tweede borst nodig.
- Borstbaby's worden 's nachts vaker wakker als ze om 22.00 uur niet genoeg drinken. Na deze voeding hebben ze soms nog wat extra's nodig.
- Baby's jonger dan zes weken hebben nog een sterke Moro-reflex en kunnen daardoor meermaals per nacht wakker worden door plotselinge stuiptrekkingen en schokjes. Deze baby's kunnen er baat bij hebben als ze ingebakerd worden in een dun katoenen lakentje.
- Oudere baby's worden 's nachts vaak wakker omdat ze hun dekentje losgewoeld hebben en het koud hebben, of omdat hun beentjes tussen de spijlen zijn geraakt. Een babyslaapzakje kan in die gevallen goede diensten bewijzen. Zie blz. 128 voor details.
- De baby heeft verkeerde slaapassociaties ontwikkeld. Op een leeftijd van twee tot drie maanden kan zijn slaapcyclus veranderen, waardoor hij meermaals per nacht een lichtere slaapfase doormaakt. Als de baby eraan gewend is om op die momenten gevoed of gewiegd te worden of een fopspeen te krijgen, zal hij dat bij elk ontwaken weer nodig hebben.
- Ouders die de slaapkamerdeur openlaten of een nachtlampje gebruiken, zullen ook vaker gewekt worden door hun baby.
- Als de melkvoedingen van de baby te snel verminderd worden bij het introduceren van vast voedsel, zal hij 's nachts echt van de honger wakker kunnen worden.

Ziekte en het effect op de slaap

Het merendeel van mijn eerste baby's komt het eerste jaar door zonder de gebruikelijke verkoudheden waar tweede en derde baby's zo vaak door geplaagd lijken te worden. Tegen de tijd dat de meeste eerste baby's een koutje hebben opgelopen, is hun slaappatroon al zo ingesleten dat het nachtelijk ontwaken weinig voorkomt. Met tweede en derde baby's is dit niet het geval, aangezien ze op veel jongere leeftijd hun eerste verkoudheid meemaken. Vaak wordt deze door een ouder broertje of zusje doorgegeven, en gebroken nachten zijn dan onvermijdelijk. Een baby die nog geen drie maanden is, heeft hulp nodig om de nacht door te komen als hij verkouden of ziek is. Een jonge baby die neusverkouden is, kan heel gespannen zijn, vooral tijdens voedingen, omdat hij nog niet geleerd heeft om door zijn mond te ademen.

Als een zieke baby 's avonds en 's nachts zorg en aandacht nodig heeft, doe dat dan zo stil mogelijk. Een zieke baby heeft meer rust nodig dan een gezonde. Houd daarom bezoek in de avonduren een beetje af. Wanneer ik voor een zieke baby zorg die ouder dan zes maanden is, in zijn eigen kamertje slaapt en meermaals per nacht wakker wordt, vind ik het minder storend als ik in dezelfde kamer als de baby slaap. Dan ben je er sneller bij als hij je nodig heeft en voorkom je dat andere kinderen wakker worden van de geluiden.

Af en toe komt het voor dat een oudere baby die al gestopt was met nachtvoedingen, nadat hij beter is geworden doorgaat met het nachtelijk ontwaken en dan weer die zorg en aandacht wil die hij kreeg toen hij nog ziek was. De eerste nachten ga ik dan bij hem kijken en bied hem een slokje water aan, maar zodra ik zeker weet dat hij echt niet ziek meer is, laat ik hem zichzelf in slaap huilen. Ouders die hier niet op voorbereid zijn, eindigen vaak met een baby die op de langere termijn een slaapprobleem krijgt.

Als je baby verkoudheidssymptomen heeft, hoe mild ook, aarzel dan niet om even met hem langs de huisarts te gaan. Ik hoor best vaak dat een baby toch een fikse infectie bleek te hebben die voorkomen had kunnen worden als de dokter even had kunnen kijken. Veel moeders gaan te laat met hun baby naar de dokter omdat ze bang zijn dat ze neurotisch overkomen, maar het is belangrijk dat je je zorgen over de gezondheid van je baby bespreekt met een deskundige, zelfs als het maar om iets kleins lijkt te gaan. Volg de raad van de huisarts zorgvuldig op, vooral ten aanzien van de voeding.

Het tussen-de-middagdutje

Het dutje rond lunchtijd is een fundamenteel onderdeel van mijn schema's. Onderzoek laat zien dat kinderen tot de leeftijd van twee jaar fysiek en psychologisch voordeel hebben van een gestructureerd slaapje midden op de dag. Naarmate je baby ouder en actiever wordt, zal dit dutje het moment zijn waarop hij kan bijkomen van de ochtendactiviteiten en genoeg energie vergaart om te genieten van de middagen met jou en/of andere gezinsleden. Dit dutje geeft jou meteen de gelegenheid om wat exclusieve tijd met je peuter door te brengen of zelf even iets rustigs te doen.

Niettemin besef ik dat dit dutje niet altijd vanzelfsprekend is en nogal eens tot frustratie leidt als de baby na 30-45 minuten alweer wakker wordt en, hoewel duidelijk moe, weigert verder te slapen. Ervan uitgaande dat hij nog geen verkeerde slaapassociaties heeft ontwikkeld, kun je verschillende dingen doen om de kwaliteit van dit dutje proberen te verbeteren.

Ten eerste: geef je kindje als hij te vroeg wakker wordt de kans om zelf weer in slaap te vallen. Mijn ervaring is dat baby's die 5-10 minuten met rust gelaten worden, ook al huilen ze, na een week gemakkelijker zelf weer inslapen. Als je echter merkt dat je baby na 10 minuten zichzelf niet in slaap huilt, maar er juist overstuur van wordt, ga je uiteraard naar hem toe. Een baby die zichzelf overstuur maakt, zou ik dan de helft van de voeding van 14.00 uur geven, op de manier zoals je een nachtvoeding geeft, dus stilletjes en zonder hem te prikkelen met veel praten en oogcontact. Werkt dit, dan zou het kunnen zijn dat hij steeds wakker wordt omdat zijn lichtere slaapfase samenvalt met beginnende honger.

Honger – jongere baby's

Om zeker te weten dat honger niet de reden is dat je baby wakker wordt tijdens zijn tussen-de-middagdutje, kun je hem (met zes weken of ouder) weer wat eerder gaan voeden, om 10.00/10.30 uur. Geef hem de rest vlak voor zijn dutje. Zo kun je hem gerust eventjes laten huilen zonder dat je bang hoeft te zijn dat hij honger heeft.

Gaat hij door met huilen en valt hij niet in slaap, kijk dan eens of je baby's ochtenddutje misschien te lang is voor hem.

Ochtenddutje – jongere baby's

Is je baby ouder dan vier weken en jonger dan zes maanden, en slaapt hij 's ochtends langer dan 1 uur, dan kan het zijn dat dit dutje te lang voor hem is en hij daarom tussen de middag minder lang slaapt. Afhankelijk van hoelang hij precies slaapt tijdens zijn ochtenddutje, kun je eerst eens proberen dat dutje tot 45-60 minuten te beperken. Als hij niet goed wakker blijft tot zijn dutje van 9.00 uur, probeer dan korte tijd een gesplitst ochtenddutje om zijn totale ochtendslaap te verminderen. Laat hem eerst 15-20 minuten slapen, en daarna weer 15-20 minuten. Door je baby wat extra voeding vlak voor zijn middagslaapje te geven en hem 's ochtends korter te laten slapen (30-40 minuten), en hem eventjes te laten huilen als hij bij dat middagdutje na 45 minuten wakker wordt, zou hij vrij snel weer een langere periode moeten gaan slapen.

Honger – oudere baby's

Een baby die aan vast voedsel gewend is, kun je proberen vlak voor zijn tussen-de-middagdutje nog wat melkvoeding te geven. Merk je dat hij dan nog aardig wat drinkt, kijk dan nog eens naar zijn hapjes om te zien of hij wel de juiste verhouding koolhydraten, eiwitten en groenten krijgt.

Met zeven maanden zou je baby drie hoofdmaaltijden per dag moeten eten (zie elders in dit boek voor de hoeveelheden). Als je zoals aanbevolen pas met zes maanden vast voedsel gaat introduceren, moet je vrij vlot die eerste hapjes gaan uitbouwen.

Is je baby negen maanden of ouder en drinkt hij bij de lunch weinig water of aangelengd sap, dan kan het zijn dat hij wakker wordt van de dorst tijdens zijn middagslaapje, vooral als het warm weer is. Geef hem dan vlak voor zijn dutje wat extra's te drinken. Als je baby geen honger of dorst kan hebben en 's middags nog steeds te vroeg wakker wordt zonder zelf weer in slaap te vallen, kijk dan of hij 's ochtends misschien te veel slaap krijgt.

Ochtenddutje – oudere baby's

Een baby die ouder is dan zes maanden kun je het beste niet vóór 9.15/9.30 uur weer te slapen leggen. Als je baby tijdens dit ochtenddutje langer dan 45 minuten slaapt, is dit waarschijnlijk de reden dat hij tussen de middag minder moe is. Is je baby tussen de zes en negen maanden oud, verkort zijn ochtenddutje dan elke 3-4 dagen met 10 minuten, tot hij op dit tijdstip maximaal 20-25 minuten slaapt. Is hij ouder, tussen de negen en twaalf maanden, dan is 10-15 minuten voldoende. Mogelijk moet je zijn lunch dan tijdelijk iets naar voren halen en hem tussen de middag eerder te slapen leggen. Hopelijk zijn het verkorten van zijn ochtenddutje en de extra voeding vlak voor zijn middagdutje voldoende om na 1-2 weken te merken dat hij tussen de middag weer langer gaat slapen.

Wat te doen als het niet lukt

Als je alles hebt geprobeerd en je baby niet uit zichzelf weer in slaap valt wanneer hij ontwaakt uit zijn tussen-de-middagdutje, dan zul je hem later op de middag nog even moeten laten slapen, omdat hij anders tegen de avond oververmoeid raakt. Een jongere baby zal de middag niet doorkomen als hij rond lunchtijd maar 40-60 minuten heeft geslapen. Dan kun je hem na de voeding van 14.30 uur het beste een halfuurtje extra laten slapen, en rond 16.30 uur nog een halfuurtje. Zo voorkom je dat hij oververmoeid raakt en prikkelbaar wordt en kun je vanaf 17.00 uur het schema weer volgen, zodat hij om 19.00 uur gewoon naar bed kan. Wil hij niet slapen om 14.30 uur, maar valt hij tussen 15.00 en 16.00 uur even in slaap, bijvoorbeeld terwijl je je peuter ophaalt, dan is hij om 18.00 uur misschien al toe aan zijn langere slaap. Bij een jonge baby zul je dat moeten accepteren. Haal in dat geval de voeding van 17.00 uur naar voren, naar 16.30 uur, en leg hem tegen zessen in zijn bedje. Een oudere baby komt vaak de middag wel door met alleen een dutje van 45-60 minuten ergens tussen 15.00 en 16.00 uur, hoewel je ook in dat geval het avonddutje mogelijk iets naar voren moet halen.

Wanneer je je gedwongen ziet 'creatief' om te gaan met zijn slaaptijden vanwege een te kort tussen-de-middagdutje, volg dan in elk geval de 'Maximale uren slaap overdag' op die ik aan het begin van elk nieuw schema geef. Zorg er altijd voor dat je baby om 17.00 uur goed wakker is als je wilt dat hij om 19.00 uur lekker gaat slapen.

Checklist

- Sluit de mogelijkheid uit dat je baby honger heeft.
- Check bij een oudere baby of hij misschien dorst heeft door hem vlak voor zijn tussen-de-middagdutje water te geven.
- Corrigeer verkeerde slaapassociaties zoals aan de borst of fles in slaap

vallen en zorg ervoor dat hij goed gevoed zijn bedje in gaat. Het zal even duren voordat hij hieraan gewend is, dus wees geduldig.
- Elimineer alle andere redenen voor het ontwaken, zoals lawaai of niet goed ingestopt zijn (vergeet niet dat de Moro-reflex, zie blz. 235, bij baby's onder de zes maanden nog heel sterk aanwezig kan zijn, en daarom is goed instoppen van belang voor het doorslapen).
- Geef je baby de gelegenheid op natuurlijke wijze wakker te worden en laat hem, als hij niet schreeuwt van de honger, na het wakker worden even kort in zijn bedje liggen voordat je hem oppakt, zodat hij wakker worden niet gaat associëren met meteen opgepakt worden.

Heb je alle aanwijzingen opgevolgd, ben je de checklist af gegaan en heb je alle veranderingen steeds voldoende tijd gegeven om vrucht af te werpen, en wil het nóg niet goed lukken met het tussen-de-middagdutje, dan kan het zijn dat je baby de gewoonte heeft aangenomen om in zijn lichtere slaapfase echt wakker te worden. Probeer dan eens de 'ondersteund slapen'-methode van blz. 172-173, die kan helpen om baby's weer op geregelde tijden te laten slapen.

Doorkomende tandjes

Van de driehonderd baby's voor wie ik heb gezorgd en die vanaf jonge leeftijd mijn schema's volgden en gezonde slaapgewoonten hadden ontwikkeld, had maar een handjevol 's nachts last van doorkomende tandjes. En meestal was dit alleen bij het doorbreken van de kiesjes. Veel baby's die last van hun tandjes zouden hebben, kampen in werkelijkheid met de langetermijngevolgen van darmkrampjes (zie blz. 204-205), waardoor ze slechte slaapgewoonten hebben ontwikkeld.

Als er bij jouw baby tandjes doorkomen en hij 's nachts wakker wordt, maar snel weer in slaap valt na een knuffel of slokje drinken of met een fopspeen, zijn de tandjes waarschijnlijk niet de echte oorzaak van het ontwaken. Een baby die echt last van zijn tandjes heeft, valt vanwege de pijn vaak niet zomaar weer in slaap. Ook merk je dan overdag dat hij last heeft, niet alleen 's nachts. Ontwaakt hij 's nachts regelmatig of is hij 's ochtends al heel vroeg wakker, kijk dan met behulp van de checklists op blz. 232-233 en 234-235 welke andere dingen er aan de hand zouden kunnen zijn.

Als je ervan overtuigd bent dat het toch met zijn doorkomende tandjes te maken heeft, ga dan even langs de huisarts om te vragen wat je het beste kunt doen om de pijn te verlichten (of vraag dit na op het consultatiebureau). Hoewel echte tandpijn een paar nachten kan aanhouden, zou dit geen weken mogen duren. Is je baby van slag, krijgt hij koorts of heeft hij diarree of een verminderde eetlust, ga dan naar de dokter. Ga er niet klakkeloos van uit dat dit bij de doorkomende tandjes hoort. Ik heb vaak meegemaakt dat de klachten die bij doorkomende tandjes leken te horen, uiteindelijk de symptomen van een oor- of keelontsteking bleken te zijn.

Richtlijnen ter voorkoming van wiegendood

1. Laat je baby nooit in een te warme kamer slapen: zorg ervoor dat de omgevingstemperatuur tussen de 15 en 18 °C ligt. Volwassenen hebben moeite de temperatuur in een kamer op gevoel in te schatten: gebruik daarom liever een thermometer in ruimtes waar je baby slaapt en speelt.
2. Gebruik een dun lakentje en 's winters eventueel een dekentje, of een babyslaapzakje. In een warme zomernacht heeft je baby mogelijk helemaal geen beddengoed nodig. Gebruik geen dekbed, sprei of kussen voor kinderen onder de twee jaar. Als je baby ligt te zweten of zijn buikje erg warm aanvoelt, haal dan wat van zijn lagen beddengoed of kleding weg.
3. Een baby met koorts mag je zeker niet te warm laten slapen, zelfs niet in de winter. Geef dunnere kleding en gebruik minder beddengoed.
4. Maak het bedje kort op. Dat wil zeggen: leg hem met zijn voetjes bijna tegen het voeteneinde van zijn ledikant en stop hem vanaf die kant in. De kraamverzorgster zal je hierover adviseren. Baby's raken overtollige warmte kwijt via hun hoofd. Let op dat zijn hoofdje nooit onder het beddengoed kan raken.
5. Gebruik alleen een goedgekeurd bedje met een veilige spijlafstand en kies een niet te zachte matras.
6. Houd de slaapkamer van de baby en andere ruimtes waar hij komt rookvrij.

Nuttige adressen

ADRESSEN

Borstvoeding vzw
Keistraat 11
3078 Meerbeek
België
www.vzwborstvoeding.be

GGD Nederland (consultatiebureaus)
Postbus 85300
3508 AH Utrecht
tel. 030-2523004
website: www.ggd.nl

La Lèche League (LLL) Nederland (borstvoedingsorganisatie)
Postbus 212
4300 AE Zierikzee
tel. 0111-413189
website: www.lalecheleague.nl

Nederlandse Vereniging voor Lactatiekundigen
Postbus 1444
1300 BK Almere
website: www.nvlborstvoeding.nl

RIVM Voorlichtingsdienst
Antonie van Leeuwenhoeklaan 9
3721 MA Bilthoven
tel. 030-2749111
website: www.rivm.nl

Stichting Wiegedood
Voorweg 64
2431 AR Noorden
tel. 0172-408271
website: www.wiegedood.nl

Vereniging Borstvoeding Natuurlijk
Postbus 119
3960 BC Wijk bij Duurstede
tel. 0343-576626
website: www.borstvoedingnatuurlijk.nl

Verder lezen

Babytaal – Linda Acredolo & Susan Goodwyn (2007, Terra)
ISBN 978 90 5897 676 5

De tevreden baby – Gina Ford (2007, Terra)
ISBN 978 90 5897 779 3

Food Manual – Pauline van Wijk (2010, Terra)
ISBN 978 90 8989 109 9

Genieten met je baby – Jan en Janneke Sinot (2010, Terra)
ISBN 978 90 8989 217 1

Handboek Borstvoeding – Borstvoedingsorganisatie La Lèche League (2009, Veltman Uitgevers)
ISBN 978 90 4830 246 8

Het babykookboek – Sharon van Wieren (2008, Terra)
ISBN 978 90 5897 1463 0

Je baby natuurlijk – Claire Gillman (2010, Terra)
ISBN 978 90 8989 221 8

Mama Manual – Pauline van Wijk (2009, Terra)
ISBN 978 90 8989 032 0

Oei, ik groei! – Hetty van de Rijt en Frans Plooij (2004, Kosmos)
ISBN 978 90 2154 384 0

Slaap – Beatrice Hollyer en Lucy Smith (1998, Terra)
ISBN 978 90 6255 805 6

Register

R

S

U

V